LBD Meidendingen

Grace Dent

LBD Meidendingen

Uit het Engels vertaald door Karin Kuiper

Van Goor

Voor mam – die moeder was van de ergste tiener ooit

ISBN 90 00 03594 5

Oorspronkelijke titel LBD *It's a Girl Thing*
© 2003 Grace Dent
© 2004 Nederlandse vertaling Van Goor en Karin Kuiper
© 2004 voor deze uitgave Van Goor, Amsterdam
© 2004 omslagillustratie Gina DiMassi
Published by arrangement with G.P. Putnam's Sons, a devision of Penquin Young Readers Group, a member of Penquin Group (USA) Inc.
www.van-goor.nl

Inhoud

1 Het leven is hard...

'Nee. Never nooit niet. Over mijn lijk, mop.' De onderhandelingen met papa, over mijn zomervakantie-plannen, hebben een dieptepunt bereikt. Papa heeft me zelfs, tenzij ik me vergis, zijn rug toegedraaid en is al half door het Fantastic Voyage-café heen gesjokt.

Hij friemelt aan zijn brilletje en is druk bezig schijfjes citroen te verplaatsen, bijna alsof mijn lot al is bepaald. Dat, mijn beste vrienden, is niet de houding van een man die 'zorgvuldig zijn dochters toekomst overdenkt'. Nee. Dat lijkt meer op een man die me negeert. Iemand die hoopt dat ik oplos. Of die hoopt dat ik in ieder geval 'ophoud zo verdomd brutaal en kinderachtig' tegen hem te doen.

Ik, Veronica Ripperton, ben verdorie ruim veertien jaar en twee maanden oud. Absoluut niet 'kinderachtig'. Eerder 'stoer' en 'vrouwelijk'. Wat weet hij er trouwens van?

Dus nu staan papa en ik een beetje om elkaar heen te draaien, in een patstelling. Dit moet het gevoel zijn dat onderhandelaars van de Verenigde Naties hebben, net voor de bommen worden geworpen. Uiteindelijk begint de grote bruut die aan alle plezier een einde maakt, te praten.

'Luister Ronnie, er is absoluut geen denken aan dat jij en je kleinejongensbende...' (een beetje wreed, vond ik) '...kaartjes mogen kopen voor het Astlebury-muziekfestival. Het is veel te gevaarlijk, met al die harige jongens die daar rondsnuffelen. En de verschillende treinen die je moet nemen... En drugsdealers die je met acid inspuiten of je tent jatten... En, nou ja, dat soort rottigheid. Je mag gewoon niet. Absoluut niet. No, never nooit niet.'

De haren van papa's rossige bakkebaarden gaan bijna overeind staan bij de gedachte alleen al dat zijn nageslacht zulk puur, onvervalst plezier zal hebben. Puh. Als papa denkt dat het hem vergeven wordt dat hij de zomer om zeep heeft geholpen wanneer hij het woord 'nee' versiert en *grappig* brengt, heeft hij het heeeelemaal bij het verkeerde eind.

'En nu ik toch bezig ben, Ronnie, ga gelijk even een groter T-shirt aantrekken! Ik kan bijna je borsten zien.' (Goeie genade! Ik ben zeker het enige meisje in Engeland dat borsten heeft. Bel snel de tepelpolitie.)

'En ik kan je navel ook zien! En je onderbroek! Geen wonder dat ik minder winst maak op mijn maaltijden. Al dat vlees. Het is gewoon niet goed...' Papa laat zijn blik heel afkeurend op de vijftien centimeter tussen mijn T-shirt en spijkerbroek rusten, en laat dan treurig zijn schouders zakken, alsof het hele gewicht van de Westerse wereld erop rust.

Oké, dus papa is niet wild enthousiast over de korte-boven-stukjes-met-laaghangende-heupbroeken-stijl. Daar kan ik wel mee leven. Maar ondertussen ben ik zo woest over het hele Astlebury-verhaal dat ik fantaseer dat ik de behaarde sukkel met een barhanddoek wurg.

Papa is ook niet blij. Terwijl ik snuivend en blazend door het café begin te banjeren, woest met stoelen schuivend, puilen zijn ogen uit van woede... Er gaan stoppen doorslaan.

'Het is een string om precies te zijn. GEEN ONDERBROEK,' verklaar ik, terwijl ik als bewijs het vermaledijde stuk kanten lingerie aan de achterkant nog verder uit mijn broek trek. Héél slecht idee.

'Het is een WAT?' schreeuwt papa, terwijl zijn lippen in twee dunne lichtpaarse lijntjes veranderen.

O jee, tijd voor een snelle aftocht, denk ik, terwijl ik halsoverkop naar de achterdeuren van het café ren. (Nou ja, zo snel als een meisje kan rennen terwijl ze last heeft van een 'ondergoed-in-haar-bilspleet-situatie'.)

Maar nog voor ik de deur uit kan hobbelen, nogal onwaardig de aftocht blazend, staat papa voor me. Hij legt een hand op mijn schouder; hij ziet er weer redelijk kalm uit.

'Nee. Wacht Ronnie... wacht even,' zegt hij, duidelijk met de bedoeling het weer goed te maken.

Lawrence 'Loz' Ripperton (ook bekend als 'papa', of 'beheerder van de portemonnee') houdt niet van ruzie. Hij is een beetje een vrede-en-liefde-hippie, mijn vader. Het is eigenlijk wel een goede rol, want in ons gezin: 1) houd ik wel van een goede ruzie en 2) vindt mama een echte rel niet te versmaden. Terwijl mijn vader een beetje een goede ziel is, is mijn moeder, Magda Ripperton – het vrouwelijke gezicht van de Fantastic Voyage – een wandelende kneedbom. Als chef-kok van het Fantastic Voyage-café is Magda het meest in haar element als ze voor tweehonderd man staat te koken, met een vlammende koekenpan in de ene hand en een pan kokendheet zout water in de andere, ondertussen een verhitte discussie voerend met de souschef. Geen wonder dat ik altijd bij papa aanklop met mijn bizarre verzoeken, zoals vandaag om 'een weekeind lang met mijn beste vrienden losgelaten te worden op een popfestival'. Bij papa heb ik veel meer kans dat hij me niet goed verstaat, een beetje verstrooid raakt en denkt dat ik hem vraag of ik naar een bandje in de plaatselijke jeugdsoos mag. Magda daarentegen (of dat 'akelige mens', zoals de postbode, de gasfitter, de slagers, haar accountant en verschillende familieleden haar noemen) zou mij onmiddellijk door hebben gehad. Ze zou mijn schoenen hebben verstopt en me vierentwintig uur per dag in de gaten laten houden alleen maar omdat ik eraan dácht naar Astlebury te gaan.

Godzijdank is papa een watje.

'Het spijt me als ik het voor je bederf,' mompelt hij met een gegeneerd, zwak lachje. 'Ik maak het weer goed met je, oké snoepje?' Hij aait over mijn haar, waardoor ik me weer ongeveer vijf voel. 'Waarom vraag je het niet aan mama, van het festival? Als zij het goed vindt, zal ik er nog eens over denken...'

Papa heeft duidelijk een klap van de molen gekregen en is vergeten dat hij ooit zijn vrouw Magda is tegengekomen; ik zou meer kans maken om toestemming te krijgen als ik het geld uit de kleingeldkas wilde opmaken aan glitterlipgloss en Belgische bonbons.

Dit is voor Ronnie Ripperton een R.A.M.P. Het is zelfs een grote, dikke, winderige, naar poep smakende hoop ellende.

Einde verhaal.

Mijn superslimme plannetje – van papa toestemming voor Astlebury krijgen en dan direct naar die dure tickethotline bellen voordat de junglefax de keuken in het souterrain bereikte – is om zeep geholpen. Tegen de tijd dat de Keizerin van de Wrake *eigenlijk* op de hoogte zou moeten komen van de situatie inzake Astlebury, mijzelf, Claudette en Fleur (ook wel bekend als *Les Bambinos Dangereuses*, of de LBD zoals we alom bekendstaan) zouden we al lang en breed op weg zijn naar achtenveertig uur liveconcerten van al onze favoriete bands en naar kamperen onder de sterrenhemel... en eh, je weet wel, naar zo ongeveer een miljoen ontzettend lekkere mannelijke festivalbezoekers. De LBD hebben op MTV gezien én geregistreerd wat voor soort lekkere bekkies naar concerten gaan. Miauw! Het is zoiets als het Centraal Station van Zoencity – met veel harde muziek, dansen, crowdsurfen, de hele nacht opblijven en vegetarische hamburgers eten. We willen er zó graag naartoe. Nadat we aankondigingen op MTV zagen, hebben we er een hele week over gepraat. Astlebury festival klinkt als de 'natuurlijke habitat' van een LBD'er.

'Hé, wacht! Ik heb een idee!' kwettert papa opgewekt. 'Waarom neem ik jullie meisjes in plaats daarvan niet mee naar Walruswereld in Penge?'

Mijn hart wordt zwaar. Ik zou nog liever mijn hoofd in een centrifuge stoppen en die dan aanzetten.

'Je vond die walrussen toch altijd geweldig, Ronnie...? Herinner je je nog die ene die met ballen jongleert...?' Terwijl ik de vroege avond in sjok wordt papa's stem een goedbedoeld gefluister.

In een eerder leven ben ik duidelijk Vladimir de Verschrikkelijke geweest.

Ik betaal mijn zonden nu dubbel en dwars terug.

Mijn huis

De Fantastic Voyage, het café aan de hoofdstraat van de plaats waar wij wonen, is eigenlijk niet zo fantastisch. Ja, misschien ooit wel (in de Middeleeuwen, toen de meesten van onze vaste klanten hier voor het eerst kwamen. Toen de mensen nog gewoon blij waren dat ze in een café zaten en niet aan flarden werden gescheurd door wolven of beroofd door struikrovers). Maar tegenwoordig is het café een beetje ouwelullerig.

De Voyage-klanten zijn een beetje mislukkelingen: ze willen alleen maar comfortabele bankjes, koud bier, lokale roddels en darts. Wat prima is, want dat is precies wat de Fantastic Voyage biedt. Dus hier loop ik, met een vreselijk rothumeur storm ik over High Street, langs de grappige, gekke, bebaarde kerel die voor kleingeld voor de ingang van de bakkerij danst, en ondertussen word ik in mijn haast bijna geplet door de puisterige engerd die de vuilnisbakken uit McDonald's duwt. Wat een manier om aan je einde te komen. Omgevormd te worden tot een grote, menselijke visburger. Ik controleer mijn uiterlijk in de spiegeling van de winkelruit (m'n haar is een beetje slap, m'n huid glimt een beetje, maar al met al is het niet slecht, als je bedenkt wat ik doormaak. Ik vind dat ik er op mijn best uitzie wanneer ik razend ben, net als mama). Het geeft me een goed gevoel om met een flinke vaart stampend op straat mijn agressie kwijt te raken. Ik ben nu op weg naar Fleurs huis. Fleur Swan woont een klein eindje verderop in de straat de hoek om, halverwege Disraeli Road. Als ik vanuit het café linksaf was gegaan in plaats van rechts, en dezelfde afstand had gelopen, was ik bij Claude Cassiera's flat geweest. Dat is een van de beste kanten van de LBD: we wonen zo dicht bij elkaar dat we in noodgevallen binnen een paar minuten bijeen kunnen komen, en dat is handig omdat zich een hoop noodgevallen voordoen. Zoals vandaag bijvoorbeeld. Ik houd van High Street: de kledingzaakjes, de espressobars, de make-uphoekjes, de steegjes, het is allemaal LBD-terrein. Het is maar goed dat deze straat me zo gelukkig maakt. Als het aan mijn ouders ligt, kom ik hier voorlopig niet weg.

Bliep. Bliep. Blieeep. Een sms'je!

Pleeg misschien wel zelfmoord voor je hier bent. Ik haat ze. – Fleur 18.46

Boosaardige Paddy en de chocoladevlek

In de erker van de slaapkamer aan de voorkant van het huis van de familie Swan staat de mooie, maar buitengewoon kwade Fleur Swan met haar sierlijke, korte, brede neusje tegen het glas gedrukt op mijn komst te wachten. Als ze me om de hoek van Disraeli Road ziet komen, verdwijnt Fleur uit beeld, een chocoladevlek achterlatend op mevrouw Saskia Swans verder vlekkeloze ramen. Fleur moet wel razend zijn als ze snoep naar binnen propt; normaalgesproken is ze een erg heilig, veel fruit en groenten etend, drie liter mineraalwater per dag drinkend, glanzendharig, perzikhuidig soort griet. O, en ze is ook een meter eenenzeventig, en ze heeft honingblonde highlights in haar haar. Als ze niet een van mijn beste vriendinnen was, zou ik zeker een hekel aan haar hebben.

'MOET JE HOREN!' schreeuwt Fleur, terwijl ze de deur open doet. 'Volgens hen zal de harde muziek m'n oren beschadigen. Pff!' zegt ze met een ongelovig neplachje. 'Dus ik kan niet naar het Astlebury-festival? Geloof jij het? God, wat haat ik die twee!' gromt ze, me naar binnen wenkend. Ik verwacht half en half meneer en mevrouw Swan in mootjes gehakt als kleine hapklare sushi op de woonkamervloer te vinden, maar gelukkig zijn ze allebei nog helemaal compleet en functioneren ze nog. Patrick 'Paddy' Swan, Fleurs vader, ligt achterover in een grote luie stoel van leer in de overdadig ingerichte crèmekleurige woonkamer, terwijl Fleurs moeder Saskia met een minisnoeischaar aan een bonsai prutst. Geen van beiden lijkt erg bezorgd over de aanstaande moord op ze. (Fleurs huis lijkt wel een beetje op zo'n huis in een duur tijdschrift. Behalve dat mensen in tijdschriften zelden schreeuwend en met chocola op hun gezicht gefotografeerd worden. Of nippend aan een grote na-het-werk-gin-tonic met een *Sportweek* op schoot, zoals meneer Swan er zojuist bij zat.)

'Ach, mejuffrouw Ripperton, we verwachtten u al,' zegt Fleurs vader. (Hij is een enorme James Bond-fan.) 'Jij doet ook mee aan deze onzin, neem ik aan?' zegt hij met een gemeen lachje. 'Ha, ha... Als jullie tweeën denken dat ik jullie twee dagen lang uit je bol laat gaan in een weiland, dan zijn jullie kennelijk nog idioter dan jullie eruitzien,' zegt hij terwijl hij even pauzeert om te krabbelen onder de kop van Larry, de buitensporig arrogant kijkende, geheel witte Perzische kat van de familie. Larry spint gelukzalig, als een drilboor in bontjas.

Meneer Swan ziet er in zijn donkerblauwe streepjespak, met zijn grijnzende hulpje Larry naast hem in het gelid, helemaal uit als een flapdrollerige Bond-boef. Ik pas wel op om mijn 'Maar het is een heel goede ervaring'-speech te beginnen, voor het geval hij een knopje op de armleuning van zijn leren stoel indrukt en Fleur en ik beiden in de kelder worden gedumpt, waar we dan zouden moeten zien te overleven door oorwurmen te eten.

Hoe vind je dat ik dans?

Er heerst een sombere stemming boven, in het hoofdkantoor van de LBD (Fleurs slaapkamer; split-level en met een inloopkast. Kun je het je voorstellen? Hiermee vergeleken lijkt mijn kamer op een sigarettendoosje... sjeeee).

'De lucht is zwaar van de resten van verwoeste dromen,' stel ik zwartgallig.

'O, hou je kop,' zegt Fleur. 'De slag is nog niet verloren. De dikke dame heeft nog niet gezongen – dat is toch een Engelse uitdrukking? Misschien komen we er toch nog.'

Ik stel me Magda voor, maar dan vijftig kilo zwaarder, als ze ontdekt dat ik 'm zonder toestemming ben gesmeerd naar Astlebury. Zingen zou niet haar eerste reactie zijn; ze zou eerder mijn achterwerk roosteren en dan serveren met gegratineerde aardappelen.

'Hé, moet je dit horen...' zegt Fleur, en ze wordt weer wat opgewekter. Ze zet de *Classic Deep Ibiza House: Volume 20* op en geeft een slinger aan de 'irriteer-je-ouders-knop', die ook wel bekendstaat onder de naam 'Mega Surround Blast-knop' en die cd's meer echo, intensiteit en *fabuleusiteit* geeft.

Boemp! Boemp! Boemp! Boemp!

De *bass-line* begint met 132 beats per minuut, hard genoeg om Paddy Swans kiezen beneden in de woonkamer te laten rammelen.

Boemp! Boemp! Boemp! Boemp!

Er ontstaat een storm van activiteiten in het huishouden van de familie Swan. Er wordt met deuren geslagen, er rennen voeten omhoog en dan is er iets wat klinkt als:

'Zééét diiieee muziek záchteeeeeer! Hóór je meeeeeee??!! Záchteeer! nuuu!!' Hij schreeuwt hard, meneer S., maar toch niet zo hard als de keihard dreunende bekkens, synthesizers en de steengoede tekst van dit nummer:

Gotta move yer body
Gotta make yer mine
Gotta move yer body
In the house tonight...

Als deze muziek je niet aan het dansen maakt, dan ben je dood of doof. Binnen de kortste keren staan Fleur en ik allebei met onze heupen te schudden, met onze vingers te wijzen, met onze voeten te 'kicken' en te giechelen als zwakbegaafden, onderwijl meneer Swan (lid van de dood-/doofclub) en zijn harde gebons negerend.

'Zet 'm zachter!! Of ik gooi beneden de hoofdschakelaar om!' snauwt hij.

Fleur gaat in een soort bokkensprong naar haar slaapkamerdeur en doet de schuif dicht, waardoor haar vader wordt buitengesloten. Domme Paddy, hij zou zo langzamerhand de LBD-regel moeten kennen: als we hem niet kunnen ZIEN schreeuwen, kunnen we hem ook niet HOREN schreeuwen, en als hij niet naar binnen kan om ons vriendelijk bij onze keel te pakken en heen en weer te schudden, moet hij wachten tot er een pauze tussen de verschillende nummers zit voordat we hem kunnen horen. Het mooie is dat mopperpotten zoals meneer S. zich nooit realiseren dat er op compilatie-cd's met dansmuziek GEEN pauze tussen de verschillende nummers zit. Ha ha, dat is nog wel het mooiste.

'Als we dit volhouden, brengt hij ons nog zélf naar Astlebury!' schreeuwt Fleur terwijl ze een heel ordinaire op en neer schuddende beweging met haar achterwerk maakt.

Niet als hij je dat ziet doen, denk ik.

Vanuit mijn positie ziet Fleur er helemaal uit als de ster van een dansclub. Je kunt je zo voorstellen dat ze er vol voor gaat, op een podium in een hip pakhuis ergens in Londen, het publiek helemaal door het dolle terwijl zij schudt met haar kont in neonkleurige hotpants en haar borsten in een bovenstukje met bont.

En dan zou ik waarschijnlijk degene zijn die de dj een handje hielp met het dragen van zijn doos lp's.

'En, vertel me eens het laatste nieuws over Jimi,' zegt Fleur terwijl ze *Ibiza Grooves* verwisselt voor de mildere *Ultimate Chilldown* verzamel-cd. We liggen languit op Fleurs tweepersoonsbed en kammen *Bliss* en *More!* uit op zoek naar foto's van 'blonde bom'-kapsels die Fleur kan laten zien aan Dimitri van

Hoofdzaken (onze favoriete kapper).

'Ffffff... er valt niks te vertellen,' zeg ik flauwtjes. 'Ik weet niet eens echt zeker of hij weet dat ik besta.' En dat is waar. Ik weet niet zeker of Jimi Steele weet wie ik ben.

Voor het geval je niet weet wie Jimi Steele is (wat ik nauwelijks kan geloven omdat hij zo'n beetje de mooiste jongen is die ik ooit ben tegengekomen), zal ik het even uitleggen:

Diep in- en uitademen.

Jimi Feit 1 Hij is ontzettend knap. (Heb ik dat al gezegd?) Nee, hij is meer dan knap: hij is absoluut onweerstaanbaar, met lichtblauwe ogen, lange wimpers en prachtige, volle lippen. Als hij in Amerika woonde zou hij waarschijnlijk de hoofdrol spelen in zijn eigen prime-time-tv-show die ze simpelweg 'Jimi - serie 1' hadden genoemd.

Jimi Feit 2 Hij heeft ongelooflijke armen die van boven helemaal gespierd zijn. Hij is ook altijd bruin omdat hij buiten ruige jongensdingen doet zoals achtervolginkje en mountainbiken... of...

Jimi Feit 3... op zijn skateboard staan! Ja, hij is zo'n skateboarder. En hij doet van die, nou je weet wel, echt gevaarlijke stunts, zoals 'van trappen met twintig treden af skateboarden' en 'van heel hoge stoepranden af skateboarden'. Soms moet Jimi zelfs met een verstuikte enkel op krukken naar de Blackwellschool strompelen en zich in de aula door meneer McGraw, onze rector, tijdens bijeenkomsten een 'stomme idioot' laten noemen, of 'een voorbeeld van stupiditeit'. Maar meneer McGraw snapt er niets van: Jimi Steele is GAAAAF.

Jimi soort-van-feit 4 Hij heeft ooit de deur van de scheikundevleugel voor me opengehouden en naar me gelachen*!!!!*

'Afdoende bewijs dat hij je wil,' volgens Fleur.

Jimi soort-van-feit 4b Andere LBD'ers (ikzelf en Claude) zijn er niet helemaal honderd procent zeker van dat Jimi naar me lachte. Misschien liet hij gewoon een boer of herinnerde hij zich iets grappigs wat de vorige avond op tv was of zo.

Jimi Feit 5 Hij is bijna zestien en zit in de 11e. Daarom is hij zo mannelijk en volwassen, in tegenstelling tot de idioten met hoge stemmetjes die voetbalplakplaatjes ruilen en in de 9e klas van Blackwell zitten. Dus heb ik nul komma nul kans om van 'Jimi een vriend' 'Jimi mijn vriend' te maken.

(En dat is als je het naar me boeren in de scheikundevleugel al genoeg vindt om hem 'een vriend' van mij te noemen.)

Laten we eerlijk zijn, hij vindt me waarschijnlijk een beetje te klein gehouden. Hij wil waarschijnlijk een vrouw in zijn leven die ten minste kan práten over kaartjes voor het Astlebury-weekeinde zonder dat haar vader ontploft of zij gedwongen wordt om een poloshirt en een grote oma-onderbroek aan te trekken die haar knieën én tepels bedekt.

Als ik volwassen ben en dure therapie en resocialisatieprogramma's moet volgen in Arizona, zoals alle topsterren doen, zullen Loz en Magda Rippertons oren TUITEN.

Dus, kortom, ik ben verliefd op Jimi Steele. Hij sluipt mijn hoofd in en zit me daar de hele dag te dollen, en soms ook 's nachts. Terwijl hij tegelijkertijd niet echt weet dat ik besta, wat wel een beetje deprimerend is – vooral als ik veel van mijn vrije tijd doorbreng met Fleur Swan, die een stok met hondenpoep nodig heeft om de jongens van haar lijf te houden. Iedere jongen weet dat Fleur bestaat. Fleur is het soort meisje waar mannen naar toeteren, of waar uitslovertjes uit de 7e naar aftershave ruikende liefdesbrieven naartoe sturen. Toen Fleur eens in haar strakste schooluniformbloes door de schoolcafetaria paradeerde (de bloes waarin ze M&M's lijkt te smokkelen), zag ik een jongen uit de 11^e sinaasappelsap in zijn linkeroor gieten. En ja, vrienden, ik zou de oven op tweehonderd graden Celsius zetten en mijn hoofd langzaam braden, ware het niet dat Fleur gewoonlijk net zo over jongens inzit als ik.

'Ik haat jongens,' zegt ze, achteroverliggend op haar bed. 'Ik heb er genoeg van. Ik ga ze niet meer leuk vinden,' kondigt ze aan. Omdat Fleur pas veertien is, en verliefd op bijna de helft van de eindexamenklas, kan ik haar niet geloven.

Je zou denken dat Fleur gelukkig is, maar dat is ze niet. Haar geweldige liefdesleven bezorgt haar net zo veel tranen, slapeloze nachten en afgekloven nagels als mijn stompzinnige, belachelijke, zogenaamde liefdesleven mij kost. Want weet je, Fleurs mannen verdwijnen meestal net zo snel van het LBD-toneel als ze verschijnen. En eh... gek genoeg, meestal *net ná* een ontmoeting met meneer Swan, wanneer hij ze welkom heeft geheten met een van zijn beroemde 'ik zal je wurgen en van je vel een bijzondere lampenkap maken als je mijn dochter zelfs maar aanraakt'-blikken.

'En het wordt ook niks met jou en Jimi als jij niet eens wat meer laat merken,' zegt Fleur hoofdschuddend.

'Weet ik wel,' mopper ik, en ik verander van onderwerp. 'Trouwens, hoe zit het met jou en Dion? Ik heb er de laatste tijd niks meer over gehoord.'

'O ja, nou je weet toch dat hij me afgelopen donderdag heeft thuisgebracht?' zegt Fleur somber. 'En we hebben nog echt staan zoenen voor het tuinhek. Je weet wel, tong naar binnen en dan een beetje ronddraaien, dat soort zoenen?' Fleur beweegt haar chocoladebruin gekleurde tong heen en weer om het te illustreren. 'Nou en toen zei hij dat hij me op vrijdag na het straatvoetbal een sms'je zou sturen,' gaat ze verder, 'maar eh, dat heeft ie niet gedaan. Ik weet niet wat er met 'm is gebeurd.'

'Verdwenen?'

'Verschwunden,' zegt ze.

'Heb je al in de kelder gekeken?' mompel ik.

'Wat?' vraagt Fleur.

'O, niks,' zeg ik, en ik geef haar een ander tijdschrift.

Arme Dion, denk ik, terwijl ik me hem gevangengenomen, vastgeketend en verhongerend voorstel in de kerker van Boosaardige Paddy. Iedereen weet dat oorwurmen niet genoeg eiwitten leveren om op te kunnen overleven.

Toen gebeurde er iets wereldschokkends.

Mijn leven veranderde voorgoed

Bliep. Bliep. Blieeep. Weer een sms! Het is Claudette.

(O, trouwens, dat is niet het schokkende. Dit wel.)

Waarom staat Jimi Steele voor het café met jouw vader te praten?!!! SMS me nú terug!! SCHREEEEUW!! – Claude 20:21

Sccchrreeeeuw!

De volgende vijf hartverlammende minuten zijn een beetje vaag. Eerst springen Fleur en ik een poosje op en neer terwijl we met onze handen wapperen en hoge gilletjes slaken. Ik doe mijn mond open en dicht en probeer het fantastische van het nieuws uit te drukken, maar er komt niks uit. (Ik zie eruit als een blije kabeljauw.)

Fleur schreeuwt steeds 'O, mijn god', en 'Wat wil ie?' en af en toe 'Dit is het, Ronnie! Dit is het!' om het hysterische gehalte te verhogen.

Uiteindelijk hap ik naar adem. 'DIT IS WAT?' vraag ik aan Fleur. 'Waarom zou Jimi Steele in hemelsnaam met mijn vader staan kletsen?' vraag ik. (En alstublieft God, vertel me dat papa niet ook tegen Jimi heeft gezegd dat hij 'een normale, goed passende spijkerbroek' aan moest trekken? Anders implodeer ik van schaamte.)

'O, snap je het nou nog niet?' gilt Fleur. 'Hij vraagt je vader of die het goed vindt als hij je mee uit neemt. Hij is zó beleefd. O mijn god, wat ga je doen?'

Het leven is nog bijna nooit spannender, vrolijker of gewoon zaliger geweest dan de afgelopen driehonderd seconden. Ik zit op Fleurs bed en weet dat Ronnie Ripperton, schoolmeisje, legende, knappe snol, nooit meer dezelfde zal zijn.

'Eh, hallooo...' schreeuwt Fleur, terwijl ze me stoort in een geweldige fantasie over Jimi en mijzelf in een liefdesnest met twintig slaapkamers in Las Vegas (betaald van Jimi's multimiljoen dollar *sponsordeal* omdat hij de 'World's Number 1 Skateboard Champion' is). 'Waar wácht je eigenlijk op? Ga naar huis en zoek uit wat er gaande is. NU!' roept Fleur, terwijl ze mijn linkergymschoen rakelings langs mijn hoofd gooit.

Ooo, het leven is geweldig! Op weg naar buiten zwaai en grijns ik zelfs opgewekt naar Paddy.

'Tot de volgende keer, mejuffrouw Ripperton...' zegt Paddy boosaardig terwijl ik over het tuinpad marcheer. 'En geloof me, Veronica... er zal een volgende keer zijn,' schreeuwt hij me achterna met een bulderende, theatrale, inslechte lach. 'Boehoehaahaahaa!'

Meneer Swan kijkt echt veel te veel tv.

Maak er maar een einde aan, dat is het beste voor me
1 uur 's nachts: Ik ga morgen niet naar school.

Ik wacht tot de kust veilig is en dan ga ik ervandoor met de eerste de beste kermis. (Bijna elke rondtrekkende kermis of circus is goed. Behalve het Chinese Staatscircus dan. Die hebben niet eens leeuwen of tijgers of dansende olifanten of zo, alleen maar jongleurs en acrobaten. *Sssssnurrrrrk*. Wíe wil er in hemelsnaam jongleurs zien? Volwassenen zijn een raadsel voor me. Als ik de baas ben, krijgt iedereen die wordt betrapt op het omhooghouden van draaiende borden op stokken of die andere mensen aanmoedigt om daarvoor te applaudisseren huisarrest en raken ze hun eetservies kwijt.)

Ik kan me niet op de Blackwellschool of aan Jimi en de LBD vertonen, nooit meer, na vanavond. Ik ben totaal vernederd. Om precies te zijn is het nu 1 uur 's nachts, en ik kan er net over praten zonder over te geven.

Diepe zucht.

Oké, dus ik haastte me naar huis, hopend papa op een rustig moment te pakken te krijgen zodat ik hem over elke seconde van zijn Jimi-tijd kon ondervragen. Over elk sappig woord en elke zin, elke wenkbrauwtrekking of handbeweging.

Goed, het was de moeite van het proberen waard, zelfs al is papa normaalgesproken erger dan waardeloos wat dit soort dingen betreft. Mama heeft mijn vader eens drie dagen alleen gelaten na een ruzie over een nieuwe koelvriescombinatie. En papa ontdekte pas dat ze vertrokken was toen een paar klanten hem vertelden dat ze al vierenhalfuur zaten te wachten op de zondagse rolladeschotel.

Dus ik verwachtte niet dat ik papa en Jimi nog steeds pratend zou aantreffen bij het café. Jimi droeg een superwijde, donkergroene legerbroek met nogal versleten pijpen en een Final Warning-T-shirt. (Jimi weet altijd welke bands goed zijn vóór iemand anders op school dat weet, hij is gewoon zo 'bij'.) Zijn haar stond in pieken omhoog en hij droeg Bess, zijn skateboard, onder zijn arm.

(O mijn god, ik weet welke bijnaam Jimi zijn skateboard heeft gegeven; ik lijk wel een stalker, ik mag binnenkort wel een vieze regenjas en verrekijker gaan kopen.)

Mijn eerste fout was dat ik aan kwam stuiven met een zelfvoldane 'Jongens, ik weet dat jullie het over mij hebben'-uitdrukking op mijn gezicht.

Want Jimi en mijn vader negeerden me gewoon totaal.

Of anders hadden ze niet door dat ik er was. Ze bleven gewoon praten.

'Ja, de Fender Stratocaster. Wat een gitaar is dat,' bleef Loz maar dooremmeren.

Néééé! Papa is weer bezig met een 'Toen ik nog in de muziek zat'-monoloog.

Rennen, Jimi! dacht ik. *Ren alsof je leven ervan afhangt! De mensheid heeft inmiddels door evolutie extra vingers gekregen terwijl ze naar deze verhalen zat te luisteren! Veeg de spinnenwebben uit je piekhaar en vlucht! Red jezelf. Voor mij is het te laat!*

Maar nee. Jimi leek gefascineerd te luisteren.

Hij deed zelfs mee, met opmerkingen over ampères, akoestiek en gitaarsnaren. Dus stond ik daar, grijnzend als een extra blondje bij een theekransje, ongeveer een jaar lang, voordat ze allebei doorhadden dat ik er stond.

'Hé hallo, eh, o? Bonny?' zei Jimi. (Zijn ogen werden even een beetje glazig toen hij zijn best deed op mijn naam te komen, en toen wist hij het niet. Geen goed begin.)

'Hé hallo, lieverd!' zei papa. 'Deze jongen kwam eens even informeren naar de mogelijkheid om het zaaltje van ons café te gebruiken als oefenruimte voor zijn band.'

Au. Dus dat betekent dat Las Vegas niet doorgaat dan? dacht ik.

En toen, net voor ik verongelukte, verbrandde en implodeerde tot een giftige bal van schaamte, maakte papa het af, zoals alleen een vader dat kan: 'En ik zei net, Ronnie, dat het jou en je vriendinnetjes iets te doen zal geven, aangezien jullie niet naar Astlebury gaan, toch? Ha ha!'

Gefeliciteerd, pap, je hebt me eindelijk om zeep geholpen. Dat bespaart mij een nare taak. Papa had dit alleen nóg beter kunnen afhandelen door Jimi naar mijn wasmand te leiden en hem mijn menstruatieondergoed te laten zien. Je had op mijn wangen een ei kunnen bakken, zo heet had ik het.

Maar maak je geen zorgen, met een beetje snel denken en een hoop stijl en raffinement draaide ik de situatie snel om. Koeltjes likte ik aan mijn lippen terwijl ik mijn vader recht aankeek en poeslief zei: 'Nou, papaatje, dat moeten we nog maar eens zien. *The fat lady hasn't sung yet.*'

Toen draaide ik me om naar Jimi en fluisterde ik duidelijk, maar sexy: 'Mop, het is Ronnie, NIET Bonny. Je kunt die naam maar beter onthouden, scheetje, want je zult hem binnenkort nog veel vaker gaan gebruiken,' voordat ik heupwiegend, triomferend, de Fantastic Voyage binnen ging.

O nee. Wacht even. Ik begin in de war te raken. Dat is NIET wat er gebeurde.

Wat *wel* gebeurde was dit.

Het klopt allemaal, tot het 'jullie niet naar Astlebury zullen gaan' stuk, waarna ik mijn lippen tuitte als het achterwerk van een hond en gromde 'Gggnn Pffg Gblal', voordat ik naar mijn kamer glipte.

Ik heb het deel waarin ik bijna een minuut lang probeerde

om de 'trekken'-deur open te duwen terwijl Jimi me meelijdend bekeek, uit mijn geheugen verwijderd.

(AANTEKENING VOOR MEZELF: Voorzover ik weet zijn zowel 'Gggnn', 'Pffg' als 'Gblal' geen echte woorden. Tenminste, geen woorden die je zou gebruiken tegen iemand die je echt heel leuk vindt, denk ik.)

2 uur 's nachts: Er is iets geks en rumoerigs gaande. Loz en Magda zijn in de woonkamer heel hard aan het praten. Ik weet bijna zeker dat ik mama hoorde huilen, wat helemaal idioot is, want mama huilt niet, zelfs niet als ze Franse uiensoep maakt. Maar ik weet zo goed als zeker dat ik mama hoorde sniffen en dat ik papa bijna schreeuwend 'Maar daar is het al veel te laat voor, Magda' hoorde roepen.

En mama schreeuwde terug: 'Het is nooit te laat.'

Toen werden er wat deuren dichtgesmeten.

Toen volgde papa mama naar de slaapkamer, waar ze naar binnen was gestormd en ging het gebakkelei verder.

'JA! Natuurlijk zeg jij dat het te laat is!' schreeuwde mijn moeder. 'Dat is typisch iets voor jou. Egoïst! Jij denkt alleen maar aan jezelf.'

Dat is niet écht waar, dacht ik, maar ik besloot heel verstandig om onder mijn dekbed te blijven en me er niet mee te bemoeien.

'Maar ik denk aan jou! Niet alleen aan mijzelf. En aan ons allemaal. Het voelt gewoon niet goed dat dit zo laat nog gebeurt...' hield mijn vader vol.

Dat kun je wel zeggen, ja, dat het laat is. Het is twee uur 's nachts. Het is geen wonder dat ik onder mijn ogen wallen van het formaat van Peru heb – aangezien ik bij meneer Speling-van-de-Natuur en zijn vrouw in huis woon. Ik kan niet pre-

cies zeggen waarom, maar door die kleine ruzie die ik heb gehoord, heb ik een beetje een raar gevoel. Het is niet erg als ík
met allebei ruzie heb... dat is normaal, maar ik vind het niet
prettig als zij samen ruzie hebben.

2 De trommel van de liefde

Meneer McGraw slaakt een van zijn kenmerkende zuchten, lang en opzettelijk somber, als een lekgeslagen zeppelin die mismoedig ter aarde stort. De rector van Blackwell betreedt het podium. Hij tikt twee keer op de microfoon, *tedensj, tedensj*, en een hoge storingspiep komt snerpend uit het overjarige Tannoy-geluidssysteem en maakt de afgrijselijk volgepakte sporthal in één klap doof. McGraw (die vaak ook 'Quickdraw' ofwel 'Schietgraag' wordt genoemd, en sinds kort door wat gemenere kinderen 'McProzac') overziet zijn zeshonderd man sterke publiek met een zwaar gemoed.

Eén keer... kan ik hem bijna horen denken, *lieve god, kan ik voor één keer niet een telefoontje krijgen dat ze zich allemaal ziek hebben gemeld?*

Mijn ogen blijven hangen bij het rijtje van tien leraren die vandaag bij de bijeenkomst aanwezig moeten zijn en die allemaal ongelukkig kijken, met hun hoofd ergens anders zijn en speciale gedachten de revue laten passeren die bijna álle docenten in de wijde omtrek tussen negen uur en halftien 's ochtends hebben.

Je kunt gewoon zien dat mevrouw Guinevere, onze conrector, wenst dat ze in bed zat, nippend aan een mok Earl Grey-

27

thee met melk, en met het cryptogram van de *Guardian* op schoot. Eén blik op het vertrokken gezicht van meneer Foxton, onze nieuwe muziekdocent, verraadt dat hij een verschrikkelijke kater heeft. Althans, wat ik van zijn gezicht kan zien. Zijn hoofd ligt zowat in zijn handen. Dat meneer Foxton (volgens het roddelcircuit op Blackwell) op vierentwintigjarige leeftijd nog steeds stug met zijn vrienden de lokale kroegen bezoekt en daar drinkend en lachend tot bijna HALFELF blijft hangen, vind ik prima. Het maakt het alleen maar nóg grappiger om hem te zien zitten tijdens een bijeenkomst, en vervolgens weg te zien strompelen naar een dubbeluur Workshop Klokkenspel en Drums met de 7^e klas. De andere docenten kijken alleen maar voor zich uit in wat lijkt op een gedeprimeerde trance.

McGraws 3^e-, 4^e- en 5^e-klassers zijn narrig en rusteloos, vooral als gevolg van het vroege uur (het is kwart voor negen, godbetert, en sommigen van ons hebben nog vouwen van het kussen op ons gezicht staan en slaap in onze ogen) en het feit dat in de sporthal een doordringende geur van voeten, scheten en goedkope vloerwas hangt. Blackwells sporthal is bij lange na niet groot genoeg voor zeshonderd stoelen, dus terwijl de leerlingen van het 10^e en 11^e jaar mogen zitten, moeten wij 9^e-jaars genoegen nemen met een hurkplaats vóór in de hal, op en naast elkaar op de kale vloer. We zien eruit als vluchtelingen die wachten op een voedseldropping.

Echt, ik kan haast niet wachten tot volgend jaar, wanneer ik doorstroom naar een echte stoel en een bijeenkomst kan doorstaan zonder voortdurend last te hebben van slapende ledematen en andermans oksel in mijn gezicht. Iedereen lijkt de 'Geluid van je mobieltje uit'-regel te zijn vergeten, dus klinkt er van alle kanten een koor van technobliepjes en hiphopdeuntjes.

'God heeft me voor een zware taak gesteld,' mompelt McGraw zachtjes terwijl hij één harige hand heft om ons tot stilte te manen.

'Goedemorgen, jongens en meisjes,' zucht McGraw.

'Goedemorgen, meneer McGraw,' antwoorden we allemaal.

En daar gaan we! We mishandelen nummer 42 uit *Vrolijke stemmen, vrolijke levens. Liedboek voor kinderen.* Het is echt een opgewekt nummertje, dit lied, over 'de trommel van de liefde' en 'je armen om de wereld heen slaan'.

'Ik heb helemaal geen reden om de wereld te omarmen,' brom ik tegen Claude, die haar *Vrolijke stemmen*-boek tegen haar forse c-cup laat rusten.

'Hou je kop,' zegt Claude. 'Ik vind dit een geweldig nummer. Eén van mijn lievelingsnummers,' zegt ze met schelle stem, terwijl ze haar stemvolume naar HOOG brengt en geniet van elke lettergreep van het refrein.

Dus terwijl de rest van Blackwell 'Banging the drum of love' opdreunt, duikt Claudes stem naar beneden en weer omhoog en brult ze het uit, zodat elk woord precies de juiste nadruk en karrenvrachten vol overdaad krijgt.

'Ban-geeeeeng the drrrums of luuurve!' zingt Claude. 'I waaant to geeeeeve the worrrrld a beeeeeg huuuug!'

Claude knipoogt naar me en begint haar handen en armen heen en weer te zwaaien en te klappen, tevreden dat de hele sporthal naar ons begint te kijken. Ik lach inmiddels zo hard dat ik het bijna in mijn broek doe. Zelfs de supercoole 11e-jaars leerlingen beginnen nu te grinniken.

Mevrouw Guinevere kijkt op van haar bladmuziek, in eerste instantie opgetogen dat er één leerling is die echt werk maakt van haar taakje. Tot haar ogen op de LBD vallen en ze ziet dat ik aan de ene kant van de zangvogel over de gepolijste vloer rol terwijl het snot uit mijn neus loopt, en Fleur aan de andere kant op haar mobieltje een lange, smekende liefdes-sms schrijft aan Dion.

Als je Claudette Cassiera moest beschrijven, en moest zeggen waarom ze zo ongelooflijk geweldig is (en echt een van de leukste mensen van het cosmiversum), dan is dit een goed voorbeeld. Met haar perfecte schooluniform (driekwart rok, smetteloos witte kousen en een nette blazer), schoongeschrobde nagels (niet stiekem met nagellak) en onopgemaakte gezicht (alleen een pure, donkerbruine huid en glanzend bruin haar dat met vrolijke ballenelastiekjes in twee nette staarten is verdeeld) is Claude de personificatie van buitengewone verdorvenheid die is gemaskeerd met een laagje buitengewone, eerlijke goedaardigheid.

Een verdomd leuk, handig trucje dat alleen de slimste brutale meiden overtuigend kunnen gebruiken.

Laten we wel wezen: je kunt niet op je kop krijgen omdat je het te leuk vindt om suffe, niet-religieuze, muzakkige *Vrolijke stemmen* lofzangen te zingen, of wel soms?

Nee, natuurlijk niet.

Dat zou net zoiets zijn als na moeten blijven omdat je extra huiswerk voor Frans vraagt.

Of van school gestuurd worden omdat je de honderd meter te snel loopt.

Claude Cassiera is in meer dan één opzicht zo slim als een vos; ze haalt hoge cijfers voor alle proefwerken, maakt altijd op tijd haar huiswerk én zorgt er regelmatig voor dat wij jongere Blackwellleerlingen tijdens de les een spijbelachtig halfuurtje hebben door de leraren bezig te houden met eindeloze, intellectuele kwesties.

'Maar meneer Reeland,' vraagt Claude dan bijvoorbeeld terwijl ze haar leesbril met haar wijsvinger omhoogschuift, 'hoe raakte het voormalige Joegoslavië nu precies zo verscheurd door oorlog? Was het alleen een grensconflict, of was het een diepgeworteld religieus conflict?'

Hoera!

Je begrijpt dat Opa Reelands gezicht een kleur van opwinding krijgt (laten we er geen doekjes om winden: hij heeft het eerste, tweede en derde uur lesgegeven aan kinderen die hun eigen achterwerk nog niet kunnen vinden met behulp van twee handen en een kaart), en hij begint uitgebreid te wauwelen en sheets op de overheadprojector te leggen, en zoekt ondertussen in zijn la naar een krantenknipsel dat Claude thuis kan lezen, terwijl de rest van de klas kletst, slaapt, vulpenvullingen naar elkaar gooit of tekeningen van piemels en dikke tieten maakt in het maatschappijleerboek.

Leraren zijn gek op Claude, echt gék op haar – ze zien nooit het verband tussen haar engelachtige gezicht en de slechtigheid onder de oppervlakte.

'And every beeeet of the drrrrum is like our hearts beeeating as one!' zingt Claude, en ze maant de rest van de LBD met een zachter 'Oké, doe met me mee!' voor het effect.

Ik moet denken aan een voorvalletje op een warme zonnige woensdagmiddag in de 7e toen Claude Cassiera het lumineuze idee kreeg om met de LBD Bovril te smeren op de achterkant van alle deurklinken van de lagere school, waardoor vierhonderd leerlingen en docenten met bruine, stinkende vlekken van het kruidige runderextract rondliepen: het is een goed voorbeeld van Claude die er weer eens onderuit kwam zonder zelfs maar tien minuten nablijven.

'Ik kan gewoon níet geloven dat jij hierbij betrokken was,

Claudette Cassiera,' mopperde McGraw, op dat moment nog terneergeslagener dan ooit. 'Jij bent een sieraad voor Blackwell. Dat is precies wat ik je moeder heb verteld tijdens de ouder-avond...'

Daarna moesten Fleur en ik voor straf drie weken lang de schoolvijver dreggen. Zelfs toen Claude huilde en meneer McGraw vertelde dat de Bovrildag helemaal haar idee was ge-weest, legde hij alleen een arm om haar schouder en zei hij dat 'het echt een teken van diepgewortelde loyaliteit en een edel-moedig karakter was om die twee in bescherming te nemen'. Natuurlijk zouden we nu *nooit* meer zoiets zieligs en kin-derachtigs als Bovrildag doen, echt niet, niet nu we Les Bambi-nos Dangereuses zijn, met bh's en vriendjes (zo nu en dan), maar het is de moeite waard om deze onrechtvaardigheid on-der de aandacht te brengen om je een idee te geven van Claude Cassiera's betoveringskunst. Claude en haar grote zus Mika hebben allebei de reputatie 'lieve meiden' te zijn; sterker nog, mevrouw Cassiera kan nauwelijks High Street doorlopen zon-der dat een of andere volwassene haar tegenhoudt om haar te vertellen over een of andere goede daad waaraan haar kinderen hebben deelgenomen. Je begrijpt dat Magda Ripperton niet met hetzelfde probleem worstelt.

NB: Iedereen die een carrière als seriemoordenaar, kidnapper of bendelid ambieert, moet eraan denken iets heel nets, zoals een degelijk schooluniform met heel erg witte sokken, aan te trekken. Voorzover ik het kan inschatten, kom je dan weg met, letterlijk bijna, moord.

'Hij accepteert mijn telefoontjes niet!' gilt Fleur. 'Dat zwijn, Dion, accepteert mijn telefoontjes niet, kijk!!'

Beller niet geaccepteerd staat er op Fleurs telefoonscherm.

Au. Technokaakslag. Dat moet wel pijn doen.

'Bedankt, Blackwell, dat was heel, eh, mooi,' zegt meneer McGraw als we eindelijk richting finish strompelen met het zeventiende couplet van 'The Drum Song'.

'Heel harmonieus,' voegt hij eraan toe.

Dit verzint hij maar.

McGraw begint vervolgens twaalf minuten te zaniken over 'dingen die hem helemaal niet bevallen aan Blackwell'. Dat geeft iedereen, inclusief de docenten, de kans een uiltje te knappen, maar ik heb geprobeerd hem te volgen tot ik mijn ogen dicht voelde vallen. Dit is wat ik heb opgevangen:

- Mensen die hun skivakantiebijdrage niet op tijd betalen. Kennelijk is Blackwell 'geen bank' en 'kan de school geen schooluitstapjes voor leerlingen voorschieten'.
- Er zijn leerlingen gesignaleerd terwijl ze buiten de 'halteplaatsen' wachtten op de schoolbus en zij hebben op die manier een 'potentiële dodenval' gecreëerd.
- Iemand heeft de autoriteit van de schoolbibliothecaresse om nablijfstraf te geven in twijfel getrokken en haar daardoor aan het huilen gemaakt, met als gevolg dat de Dewey Decimaal Systeemkaart werd verpest.
- Iemand heeft broodjes gejat uit de cafetaria en die achter de sporthal opgegeten. Er zijn kruimels gevonden.
- (PS Interpol werd voor niet een van de hiervoor genoemde gruwelijke misdaden ingeschakeld.)

'Misschien is het een vergissing,' fluistert Fleur. 'Ik zal hem nog eens sms'en.'

Claude en ik trekken allebei een gezicht, maar laten Fleur toch aan haar zelfvernietigingsmissie beginnen.

'O, en als laatste,' mompelt McGraw, 'om verscheidene redenen zal er, eh, dit jaar in juni geen Blackwell Zomerfestival worden gehouden...' (kuch) '...en, nou, dat is het voor vandaag. Iedereen rustig achter elkaar naar buiten lopen,' zegt hij nog snel terwijl hij een zilveren vulpen terughangt aan de revers van zijn flesgroene tweedjasje.

Niemand beweegt.

Een toenemend gemompel waart door de sporthal.

'Dat is klote!' zegt een gozer uit de 10^e, per ongeluk expres keihard.

'Eh... pardon, meneer McGraw,' schreeuwt Ainsley Hammond, een bleek gothic type uit de 11^e. 'Ik bedoel, waarom is er geen festival?' vraagt hij.

'JA!' stemmen een paar dozijn stemmen in.

'Waarom niet? Waarom niet, meneer McGraw?' wordt er gemompeld.

'Nou, dat is een heel goede vraag, Ainsley,' zegt meneer McGraw, en hij draait zijn grijze gezicht naar mevrouw Guinevere, 'en misschien wil de conrector die wel beantwoorden want ik heb een dringende vergadering waar ik bij aanwezig moet zijn...'

Guinevere werpt een blik op McGraw die lijkt te zeggen 'Je staat er alleen voor, vriend, en ik zal je met mijn eigen openteensandalen het hoofd inslaan als je mij erin betrekt'.

'Goed dan kinderen, ik zal een paar dingen zeggen...' stemt hij toe.

McGraw kijkt uit over de chagrijnige menigte. Wat kan hij in hemelsnaam zeggen? Iedereen weet dat de rector vanuit het diepst van zijn degelijke golfschoenen een hekel heeft aan het jaarlijkse Blackwellfestival.

Opgewekt grappen maken met de ouders van de kwakende

kikkervissen uit de schoolvijver? Jaaa, enig. Voor het goede doel proberen emmers vol water en rondvliegende slagroomtaarten te ontwijken? Ja, graag! Een schatting doen bij de 'Raad het gewicht van de fruitcake/yucca/dikke peuter'-wedstrijd? Gewiekste grapjes uitwisselen met de senioren van Blackwell, die treurige verzameling oud-leerlingen die allemaal meer verdienen dan McGraw en die allemaal kinderen op Blackwell hebben zitten – wat verontrustend genoeg is, maar niet zo naar als het onvermogen van de senioren om HUN RECTOR VIJFTIEN JAAR NA HET VERLATEN VAN BLACKWELL NIET LANGER LASTIG TE VALLEN!

McGraw vindt het schoolfestival niet gewoon vervelend, hij moet door Edith, onze vuurspuwende directiesecretaresse, in januari, februari, maart en april elke dag lastiggevallen worden voordat hij op de jaarkalender een datum aankruist.

Volgens de schoolmythes is het gewoon niet hoe Samuel McGraw zich zijn leven had voorgesteld. Al deze rectorachtige dwaasheden, het is allemaal één grote, afgrijselijke vergissing geweest.

'Ik had dichter aan een universiteit moeten zijn, of astronaut,' hebben ze McGraw horen weeklagen tegen mevrouw Guinevere terwijl ze samen naar hun auto's sjokten na weer een lange dag op school. 'Maar, een paar verkeerde afslagen op de snelweg van het leven, en mijn lot werd het tot op de milligram nauwkeurig schatten van het gewicht van mevrouw Parkins vruchtencake... o, en het ontwijken van emmers water. Ik heb grote verwachtingen van mijn volgende leven. Het moet wel beter zijn dan dit.'

Begrijp me niet verkeerd: ik zeg niet dat de Blackwellpupillen zo'n troep bedplassende idioten zijn die het festival als een van de hoogtepunten van hun leven zien, vergelijkbaar met bijvoorbeeld VIP-kaarten voor Euro Disney of een avond bij de MTV Music Awards of zoiets geweldigs als dat. Maar het Blackwellfestival was best leuk en we wilden allemaal dat het doorging, en om betere redenen dan een verslaving aan loterijen of zelfgemaakte citroenlimonade.

Ten eerste wordt het festival meestal gehouden op een zaterdag, dus kun je een *fashion statement* maken met je op-mijn-mooist-getooid-kleren, en het andere geslacht sprakeloos doen staan door te verschijnen als een 'na' in plaats van 'voor'-deelnemer aan de *Modepolitie make-over*. De LBD hebben zich vorig jaar weken beziggehouden met het bedenken van wat aan te trekken naar het festival. Uiteindelijk droeg Fleur hotpants en zeven centimeter hoge stilettohakken. (En maakte ze een gat in het springkussenkasteel, waardoor McGraw bijna ging huilen.)

Ten tweede: Je kunt make-up op doen. Althans, de meisjes (en ook Ainsley Hammond en de gothic types die meestal meer lipspul en blusher gebruiken dan een model dat een avondje uitgaat).

Ten derde: Dus de hele school ziet er beter uit (niet zo moeilijk), de zon schijnt (idealiter, waardoor de mensen in de stemming raken voor zomerliefdes), de docenten zijn relaxed (voornamelijk als gevolg van de biertent) en je ouders worden afgeleid door de politiehondententoonstelling (zoals ik al zei, het Blackwellfestival is NIET hetzelfde als de MTV Awards): dit zijn allemaal *easy going*-omstandigheden. Dat maakt het Blackwellfestival een legendarisch zoentechnisch gebeuren. Iedereen doet het! Zelfs ik heb een keer meegedaan. Ja, ik! Oké, het was met een jongen uit de 9e die Adrian heet en die, zoals Fleur in het koude voorjaarslicht zei, 'een voorhoofd als een schotelantenne heeft', maar het was een heel erg spannend gebeuren tijdens die negen minuten dat we met onze armen om elkaar heen hingen en onze lippen heen en weer bewogen. (Onze kustechniek had wel wat meer bij de tijd mogen zijn.)

Desalniettemin heeft het Blackwellfestival gewoon iets overheerlijks, wat een vermenging van klassen waarborgt die zich op andere momenten niet voordoet. In het gewone leven gebruiken jongens uit de 11^e piepkuikens zoals ik uit de 9^e tijdens de bijeenkomsten als voetsteun. Maar... als de dag naar zijn hoogtepunt loopt en de kleine, heel erg brave disco begint (die irritant genoeg maar tot negen uur duurt), heb je niet alleen de lol dansende docenten te zien (ha ha, de meesten zijn al over de dertig! Oude mensen zouden moeten ophouden net te doen alsof ze van moderne muziek houden alleen om cool te zijn. Het is echt zielig om te zien), maar wordt er ook ontzettend veel gezoend. Al die uren flirten, knipperen met je ogen, elkaar complimentjes geven over gekozen outfits en 'stoer' plezier hebben op het springkussen, moeten wel ergens toe leiden. En als je geluk hebt, nou, dan zou je wel eens kunnen eindigen met je tong tegen de tong van een lekkere jongen die je al maanden op het oog hebt. Dit jaar had ik mijn oog laten vallen op Jimi Steele. (Maar ik neem nu genoegen met iemand bij wie mijn kansen niet door mijn vader zijn verpest doordat hij zich heeft gedragen als een eersteklas ei.)

'Ja, maar je vergeet één belangrijk detail, Hammond,' geeft McGraw nogal hard een veeg uit de pan. 'Vorig jaar was het festival een suf zootje. Voor het geval je geheugen je in de steek laat, er was diezelfde dag een voetbalwedstrijd tussen Engeland en Duitsland, dus er waren maar een paar families die Blackwell loyaal bleven. Herinnert niemand zich dat fiasco?'

McGraw raakt nu echt op dreef.

'Het was een suf zootje! Om precies te zijn was het hoogtepunt van het hele festival mijn bijdrage van acht pond waarmee ik bij de loterij een fles vanille-ouzo terugwon die ik zelf had ingebracht.' Een paar meisjes uit de 7^e klas giebelen, zien dan de gezwollen aderen in McGraws nek en veranderen hun gegiechel in meelijdende knikjes.

'Maar het geld dat we voor het goede doel ophalen dan?' werpt Ainsley tegen.

Ha! Daarmee wordt McGraw tot zinken gebracht!

'Eh, ja we zullen manieren moeten vinden om dat goede werk voor te zetten. En als iemand een 'goed idee' heeft, wel eh, benader dan mevrouw Guinevere. Zij zal het met jullie doornemen.'

Mevrouw Guinevere glimlacht slapjes. O wat zou ik haar graag die akelige oude sukkel zien neersabelen zodra ze hem door de deur van de docentenkamer heeft geduwd.

Vanochtend, toen ik mijn slaapkamergordijnen opentrok en mama op haar sloffen zag overgeven in de groenbak (hoe armoedig is dat? Het is haar verdiende loon voor het serveren van kalfsoesters die voorbij hun uiterste verkoopdatum zijn; haar geluk moest het ooit een keer af laten weten), dacht ik dat het leven niet miserabeler kon worden.

Ik had het mis.

Ten eerste, geen Astlebury en geen Astlebury-gezoen, toen geen Jimi en zeker geen Jimi-gezoen, en toen geen festival en geen sexy na-het-feest-disco-gezoen?! Wat bedenken die volwassenen hierna? Gewoon helemaal niet meer praten met jongens? Volledige *burka*'s voor iedereen onder de achttien?

Afgaand op de laatste twee dagen zal ik op mijn zevenendertigste waarschijnlijk nog steeds bij Loz en Magda in de Fantastic Voyage wonen, in een kamer zo groot als een schoenendoos, mijn lippen aan elkaar gegroeid door te weinig gebruik en mijn borsten nog steeds onaangeraakt door menselijke handen (behalve die van mezelf).

Deze wereld verdient absoluut geen omarming.

'En wie nog meer?' vraag ik terwijl ik mijn hoofd in Fleurs dekbed begraaf.

'Eh, even kijken,' zegt Claude, bladerend door de laatste bladzijden van een gloednieuw nummer van *New Musical Express*.

'Oké,' kondigt ze aan. 'Bands die deze week hun medewerking hebben toegezegd aan het Astlebury-festival zijn, ahum, 'The Flaming Doozies.'

'O, ik vind The Flaming Doozies zo gáááf! Dat is die band waarvan de zanger vuurwerk afsteekt op het podium,' kreun ik.

'En The Long Walk Home heeft ook toegezegd,' leest Claude voor.

'Ik heb net hun cd gekocht,' zegt Fleur treurig, onderwijl haar wenkbrauwen epilerend en met een grote streep bleekcrème boven haar bovenlip.

Fleur lijkt wel wat op de Forth Bridge in Schotland: er is altijd reconstructie gaande. Er is altijd wel een stukje Fleur dat geverfd, gewaxt, geëpileerd of gescrubd moet worden. Net als Fleur klaar is met het ene gebied onweerstaanbaar te maken, moet een ander deel dringend versierd worden.

'En dit zullen jullie niet leuk vinden...' huivert Claude. 'Spike Saunders doet het hoofdoptreden op zaterdagavond.'

Fleur en ik slaken allebei een boze gil, als mishandelde varkens. Of zelfs: als totaal gedeprimeerde LBD'ers die net hebben ontdekt dat de mooiste, meest sexy, meest ongelooflijk getalenteerde en gewoon meest totaal verbazingwekkende solozanger uit de hele muziekgeschiedenis ergens speelt waar wij niet mogen komen. (Sorry, Jimi, als ik hier niet loyaal tegenover jou lijk te zijn, je BENT absoluut goede concurrentie voor Spike Saunders, maar hij is *net* iets beter dan jij.)

'Spike. Zeg dat het niet waar is. Ga niet zonder mij,' smeekt Fleur haar 'Spike-muur' vol Spike-posters, achter het hoofdeinde van haar bed. Spike grijnst zijn perfecte gebit bloot, alsof hij wil zeggen: 'Sorry, mop, je weet dat ik gek ben op de LBD, maar het geld dat je verdient met spelen in Astlebury is fenomenaal. Maar maak je geen zorgen hoor, ik heb gehoord dat Walruswereld in Penge in deze tijd van het jaar heel leuk is.'

Fleur en ik zitten zo'n tien minuten lang in stilte in het niets te staren terwijl Claude rustig zit te lezen, met Larry tegen haar borsten aan gevleid.

'Prrrrrrrr, prrrrrrr, prrrrrrr,' spint Larry.

'Nou, gelukkig is er iemand blij!' zegt Fleur pissig.

'O, hou op. Zo erg is het allemaal niet,' zegt Claude kattig. 'Het is bijna zomervakantie,' vervolgt ze opgewekt.

'Hetzelfde stompzinnige leven, alleen warmer,' kat Fleur terug.

We blijven nog even in stilte zitten. Uiteindelijk zegt Fleur wat.

'En met welk excuus kwam jouw moeder op de proppen om je van Astlebury weg te houden?' vraagt ze Claude.

'Ehm, nou... ik heb het uiteindelijk eigenlijk niet gevraagd...' mompelt Claude.

'JE HEBT HET NIET GEVRAAGD?' schreeuwen Fleur en ik, diverse teddyberen en kussens in Claudes richting gooiend.

'Het had geen zin! Mijn moeder liet Mika nooit een hele nacht wegblijven tot ze bijna zeventien was. Je weet hoe mijn moeder is. Ze vindt het prettig als we allemaal thuis zijn, aanwezig en zoals het hoort. Ze houdt niet eens van logeerpartijen, voor het geval er een of ander stom ongeluk gebeurt.'

Claude overdrijft niet: haar moeder is heel beschermend. Ik denk dat het komt omdat ze maar met z'n drieën zijn.

'Maar scha-aat,' lacht Fleur, zo bazig als een meisje dat haar snor bleekt kan zijn. 'Je zus Mika bleef de hele nacht weg toen ze zestien was... daarom... het is de internationale regel dat het jongere zusje de grens naar beneden verschuift, tot veertien! Je bent zo'n slappeling,' zegt Fleur spottend.

Claude ziet er ietwat gekwetst uit.

'Nou, die regel heeft jou echt ver gebracht, hè? Zijn Joshua en Daphne niet allebei ouder dan jij? En vertel me nog eens waar je deze zomer naartoe gaat? O ja, da's waar ook. NERGENS heen,' kat Claude uiteindelijk terug.

Hummpf, denk ik bij mezelf, *ik wou verdomd echt dat ik een grote zus of broer had... of een jongere eventueel... of wie dan ook die thuis wat aandacht van mij af kon nemen.*

Ik heb al vaak geprobeerd over mijn sneue enig kind zijn te klagen tegen de LBD; het levert helemaal niks op.

Fleur wijst er altijd op dat de meest betekenisvolle momenten tussen haarzelf en Joshua, haar grote broer van zeventien, de laatste veertien jaar van haar leven bestonden uit de scheten die hij in zijn hand liet en in haar gezicht duwde, waarna hij lachend als een afvoerput wegrende. Fleurs zus Daphne van negentien is daarentegen wél iemand om trots op te zijn. Ze houdt een tussenjaar in Nepal, wat echt avontuurlijk is. Een paar van Daphnes vrienden zijn waarschijnlijk zelfs opgegeten door leeuwen en vertrapt door olifanten, wat op een beetje zieke manier wel heel cool is. Voor mij, tenminste. Ik leef een weinig spannend leven in enig-kindeenzaamheid. Het is bij ons thuis al een hele toestand als er een doos chips met een nieuwe smaak in de Fantastic Voyage wordt geïntroduceerd.

'Je had het *op zijn minst* kunnen vragen,' zeurt Fleur.

'Nou, geen van ons gaat, dus het maakt niks uit!' schreeuwt Claude, uiteindelijk haar geduld verliezend.

'En ik heb nu ook geen vriendje meer,' klaagt Fleur terwijl ze nog eens hoopvol op haar telefoontje kijkt. 'Ik heb niets om naar uit te kijken. Niet eens het Blackwellfestival.' Fleurs onderlip trilt nu echt.

'Dat muziekfestival zou het hoogtepunt van mijn hele leven worden,' snikt ze.

Oké, daar zit wel iets in.

'Nou, oké!' gilt Claude. 'Maar als we livemuziek willen zien en fans van livemuziek willen ontmoeten... en we niet buiten de stadsgrenzen mogen komen behalve tijdens een leerzaam en begeleid Walruswereldduitstapje... waarom houden we dan niet op met onszelf zielig te vinden en gaan we er iets zinnigs en positiefs aan *doen*?'

'Zoals wat?' pruilt Fleur.

'Nou eh... waarom organiseren we niet ons eigen muziekfestivalletje? Gewoon, bijvoorbeeld in plaats van het Blackwellfestival?'

Claude leunt achterover op het bed en ziet er heel tevreden uit. We kijken haar allebei vol ongeloof aan.

'Wat?' gromt Fleur na ongeveer een halve minuut. 'En wie zou er op dat festival komen spelen?' vraagt ze spottend. 'Spike Saunders? Of heeft hij het die dag te druk?'

'Nee, niet Spike Saunders,' zegt Claude beslist. 'Maar Jimi Steeles band is best goed. Toch, Ronnie?'

'Eh... ja, die is te gek,' zeg ik, en ik herinner me de keer dat ze tijdens de bijeenkomst op school een paar nummers speelden en Jimi een strak T-shirt droeg waardoor zijn perfecte bruine buikje en iets uitpuilende navel goed uitkwamen. Ik begin Claudes idee al wat beter te vinden.

'En eh, wat dacht je van Catwalk, Panama Goodyears groepje?' gaat Claude verder.

'O mijn god, die zijn echt razend populair. Die zingen en dansen en alles,' zeg ik, terwijl ik mijn ogen naar boven rol.

Voor het geval je het niet weet: Catwalk is een popgroep van 11^e-klassers, bestaande uit de onbetwistbaar beeldschone Panama en vier van haar even ongelooflijk goed uitziende vrienden – twee jongens en twee meisjes. In haar vrije tijd – als haar agenda niet te vol staat met de onvermijdelijke taken van een schoolbullebak of met opscheppen over haar modellenwerk – werkt Panama aan haar toekomst als internationaal popsterretje. Geen eindejaarsfeest of schoolactiviteit is compleet zonder een nummertje, of vijf, van Catwalk. Panama's groep begon als een klein naschoolse-urenproject, maar voor we het wisten stonden ze klaar om de hele wereld te veroveren.

'We hebben van een paar belangrijke mensen al veel aandacht voor onze muziek gekregen,' schept Panama altijd op tegen iedereen die wil luisteren.

'Ja, bijvoorbeeld van de afdeling geluidsoverlast van de gemeente,' mompelde Claude nadat ze zittend het zoveelste zang- en dansshowtje had bijgewoond. Wat Catwalk mist aan echt talent wordt ruimschoots gecompenseerd door een leuk uiterlijk en designkleding. Ik zeg het niet graag, maar heel veel mensen vinden ze echt heel erg leuk.

'Ja, de Blackwellers vinden Panama's band te gek; die zou echt moeten spelen,' geef ik toe.

'Ik zal je zeggen wie ik graag zou willen zien,' kwettert Fleur opgewekt, verrassend opgewekt voor een meisje dat vindt dat Claudes idee nergens op slaat. 'Ainsley Hammonds band Wurggreep. Ik heb geen idee wat voor muziek ze maken, maar kennelijk is het met een elektrische gitaar, een steeldrum en een klokkenspel.'

'Interessant!' lacht Claude, in echte LBD-stijl onmiddellijk haar ruzie met Fleur achter zich latend.

'En als dat de Blackwellbands zijn die wij kennen, dan moeten er nog meer zijn die we niet kennen...' zegt Claude triomfantelijk. 'We zouden audities kunnen houden,' zegt ze.

'Haha, goed idee, Claude...' zegt Fleur.

We voelen allemaal de 'maar' aankomen.

'Maar... hoe gaan we in hemelsnaam de oude Prozac McGraw overhalen om ons een muziekfestival op het schoolterrein te laten organiseren? Dat is toch onmogelijk?' zegt Fleur, haar wenkbrauw-zonder-pukkels fronsend. 'De man haat muziek, hij haat zijn leerlingen, houdt niet van mensenmenigtes en geeft niets om wat voor plezier dan ook!'

'O Fleur,' glimlacht Claude ondeugend, de bovenkant van Larry's behaarde hoofdje aaiend tot hij bijna ontploft van genot, 'waarom laten jullie onze goede vriend meneer McGraw niet gewoon aan mij over?' grinnikt ze.

3 Verwikkelingen

Oké, het is 9.25 uur en ik ben net aangekomen bij wiskunde en natuurwetenschappen.

Het is de dageraad van een nieuwe 'dit zijn de mooiste dagen van mijn leven'-dag (zo praat mama over Blackwellschool als ze me 's ochtends de deur uit probeert te krijgen).

Ik vind die verwijzing ironisch, gezien de informatie van mijn oma, die me verteld heeft dat mijn moeder in de jaren tachtig van de vorige eeuw een verschrikkelijke spijbelaar was en de lessen alleen bijwoonde als ze er met een roe naartoe werd gejaagd. Desalniettemin, hoewel ik eerder vanochtend extra lekker als een hondje in mijn mandje onder mijn dekbedje lag – met een hele goede poging om net te doen alsof ik een lymfklierontsteking had – zit ik hier aan mijn tafel, om met enthousiasme aan een of andere belangrijke bunsenbrander- en pipetproef te beginnen.

Dat is meer dan we over meneer Ball, onze docent, kunnen zeggen.

Uiteindelijk, om 9 uur 35, na een goed gesprek met Fleur en Claude over welke schoenen we volgend jaar misschien zullen kopen (Een hak of geen hak? Dat is de kwestie...) gaat de deur naar het praktijklokaal krakend open en komt het bovenlichaam van meneer Ball met een zwaai in beeld.

Balls voorhoofd is helemaal gerimpeld; hij ziet er verward uit.

'Ehm... hebben jullie mij nu?' vraagt Ball, op zijn horloge turend.

'Nee hoor, meneer,' liegt Liam Gelding.

'O?... Oké. Sorry,' zegt meneer Ball, en hij doet de deur weer dicht. Door de ramen kunnen we Ball zien verdwijnen in de gang van de lagere school, op jacht naar zijn weinig interessante les natuurwetenschappen. Alle tweeëndertig leerlingen van Ball barsten in stompzinnig gegiebel uit. Dit is een ouwe grap van Liam, hij doet het al goed sinds het eerste jaar. Er is niet veel voor nodig om de idiote meneer Ball in de war te brengen, dus de kinderen maken nogal eens een grapje ten koste van hem. Want als je iets zou willen weten over kwantumfysica, of feitelijke informatie zou willen hebben over de landing op de maan of de evolutie van aap naar mens, dan is meneer Ball je man; hij kan je echt versteld doen staan met zijn enorme expertise. Maar vraag hem welke les hij het volgende uur moet geven of zelfs waar hij vanmorgen zijn auto heeft geparkeerd, en hij staat met zijn mond vol tanden.

Maar ik vind meneer Ball wel aardig, volgens mij is het wel goed om een beetje wazig te zijn.

'Jij bent slecht, Liam Gelding!' sist Claude hoofdschuddend, en ze probeert niet te lachen. 'Ren achter Ballsy aan en zeg dat hij ons heeft tot vijf over halfelf.'

Liam Gelding heeft lichtgroene ogen, stekeltjeshaar en een best wel sexy zilveren oorbel, en om onverklaarbare redenen is hij dit semester een stuk aantrekkelijker en aangenamer om te zien. Maar op dit moment verpest hij het effect een beetje door met zijn vinger zijn linkerneusgat uit te graven. Liam doet verwoede pogingen om Claudes blik te vermijden omdat hij weet dat ze helemaal gelijk heeft.

'En nu is hij in het kantoor en krijgt hij ook nog op zijn donder van Edith... Ze was buitengewoon chagrijnig toen ik vanochtend de absentielijst terugbracht. Arme man,' zeurt Claude verder.

Liam staart recht voor zich uit, zijn wijsvinger bijna tot aan de knokkel verdwenen.

'En vorige week was hij ook al afwezig vanwege griep...' voegt Claude er melodramatisch aan toe. 'Hij voelt zich vast heel slapjes.'

Liams wilskracht begint het te begeven; hij staat op.

'Oké! Oké, Cassiera, jij wint! Ik ga hem wel halen...' lacht hij.

Het is ongelooflijk hoe snel jongens Claude haar zin geven sinds ze die ontzagwekkende c-cup heeft ontwikkeld.

Maar het is al te laat; meneer Ball is terug. Hij heeft zijn rooster zeker gevonden. Ik vind altijd dat meneer Ball er een beetje als een wetenschappelijke teddybeer uitziet; hij is kort en bollig met een wollige baard, een kwasterige snor en een overvloed aan borsthaar dat boven zijn witte laboratoriumjas uit komt piepen. Geen enkele van meneer Balls laboratoriumjassen past echt goed; de bovenste drie knopen staan gewoontegetrouw open, waardoor een paar onaantrekkelijke centimeters van een valig nethemd te zien zijn. Zoals altijd is meneer Ball totaal niet onder de indruk van Liams grapje.

'Zijn jullie de 9^e of de 10^e klas?' vraagt hij, nog altijd niet helemaal bij de les.

'De 9^e!' zeggen we in koor.

Ball pakt het oefenboek van een van de leerlingen in de voorste rij en bladert snel naar de laatste beschreven pagina.

'Wat hebben we de laatste les gedaan?' vraagt hij. 'Kristallen of sprinkhanen?'

'Kristallen!' schreeuwen we allemaal.

De sprinkhanen die achter in het laboratoriumlokaal in hun bakken zitten te luieren, slaken unaniem een zucht van opluchting.

'Oké, nu weet ik weer waar we zijn!' kondigt Ball aan, en er breekt een brede glimlach door zijn baard.

We roepen allemaal hoera en applaudisseren. Snel komt meneer Ball in actie en verzamelt hij iedereen in de klas, inclusief mijzelf, Fleur, Claude, en Liam rond de demonstratietafel om zijn nieuwste trucje te laten zien.

Voorzover ik me kan herinneren destilleerden we de vorige keer wat lichtblauwe, of wacht, misschien waren het wel donkergroene vezels in een conische fles met een of ander wit poeder.

(Geloof ik.)

En toen... nadat we de inhoud van de fles hadden verhit, ontdekten we dat de doorzichtige vloeistof (ik heb de naam niet helemaal verstaan) waar meneer Ball de vezels in had gedaan, van kleur was veranderd. Hij was groen of blauw geworden.

(Ik weet niet zeker meer welke kleur.)

Meneer Balls experiment toonde onomstotelijk aan dat...

O, mijn god, ik geef het toe: IK HEB GEEN IDEE WAT HET AANTOONDE. Ik luisterde niet. Ik luister zelfs deze keer niet, ondanks het feit dat meneer Ball lijkt te schuimbekken van enthousiasme over de ontwikkeling, gedurende de afgelopen zeven dagen, van een turkooiskleurige afzetting op de wand van zijn conische fles.

'Deze chemische reactie,' verkondigt meneer Ball, 'duidt op iets werkelijk heel erg interessants!'

Ik zou werkelijk veel meer interesse hebben voor meneer Balls verklaring hoe het kan dat ik al vier uur in de les natuurwetenschappen lijk te zitten terwijl de klok aan de muur van het laboratorium nog steeds op 9.51 staat.

Ik wou oprecht dat ik wetenschap leuk vond, maar mijn hart gaat er echt niet sneller van kloppen. Het leek geen probleem in de 7^e en 8^e klas, maar ik merk nu dat ik achter begin te lopen en ik heb geen idee hoe ik weer bij kan komen.

Wat moet ik doen?

Als ik het aan meneer Ball vertel, laat hij me alleen maar bijles volgen, en dat is net zoiets als intekenen voor extra middeleeuwse marteling of iets dergelijks. Hij stuurt me misschien zelfs wel naar lokaal 5 in de 'speciaal onderwijs'- vleugel, waar niemand graag gezien wil worden. Liam Gelding moest vorig jaar een tijdje naar lokaal 5 voor Engels en wiskunde, en als hij dan na afloop bij ons terugkwam voor zijn andere lessen, zong iedereen net zolang: 'Speee-ciaal, speee-ciaal, spesjaal onderwijs!' op de wijs van dat oude Beatles-liedje 'Let it Be', tot Liams gezicht vuurrood werd.

Kinderen zijn wreed, zeggen volwassenen altijd. Jammer genoeg denken de meeste kinderen op Blackwell dat dit een regel is, dus 'Kinderen moeten gedurende de hele schooldag wreed zijn en vooral tijdens de korte pauzes en de lunchpauze'.

Ik zeg tegen niemand dat ik de wetenschapslessen niet begrijp, het is de moeite niet waard. Het goede aan die lessen is denk ik dat meneer Ball meestal zo druk in de weer is met het destilleren, pipetteren, en rommelen met reageerbuisjes dat je vaak, weliswaar fluisterend, een lekker lang kletsgesprek kunt houden. Maar vandaag voel ik me meer dan een beetje bedrukt. Ik ben blij dat ik de LBD heb, zodat ik m'n hart kan luchten.

Thuis in de Fantastic Voyage is er iets raars aan de hand, vertel ik Fleur en Claude terwijl we rondom de microscoop gaan staan en kijken naar wat het ook is waar we naar op zoek zijn. Ik ben een beetje in mineur omdat papa en mama geen van beiden willen zeggen wat er aan de hand is. Ik weet zeker dat ze niet met elkaar praten, dat is overduidelijk; hoewel ik ze de laatste week niet samen in dezelfde kamer heb gezien om hun stilte te bevestigen. Ik weet het gewoon. Ronnie Ripperton is verdorie slimmer dan ze denken.

Neem gisterenavond. Toen ik van Fleur naar huis was gehobbeld en in het washok naar een schone schoolbloes zocht die ik kon strijken, riep ik in mijn onschuld naar mama die in de keuken pastinaken aan het schillen was: 'Hé mam! Weet jij waar mijn schoolbloes met korte mouwen is?'

'Nee... geen idee,' schreeuwde mijn moeder terug. 'Ik weet wel waar al je bloezen met lange mouwen zijn: die hangen aan het droogrek. Waarom wil je er een met korte mouwen?' vroeg ze.

Tot zover niks aan de hand.

'Nou, papa zegt dat het morgen bloedheet wordt...'

Grote fout! Ontploffing! Ik zag mama's samengeknepen lippen, wijd opengesperde neusvleugels, en dodelijke blik uit tot spleetjes geknepen ogen voor me.

'Nooouuu... Je kunt maar beter naar je vader luisteren dan, aangezien hij die directe telefoonverbinding met de meteorologieafdeling van de BBC heeft,' beet ze me toe, terwijl ze zijdeachtige slierten pastinaak in een enorme pan met borrelend water gooide.

Altijd als papa en mama ruzie hebben, wordt papa opeens 'je vader', alsof Loz me helemaal in zijn eentje in een emmer achter de Fantastic Voyage uit het ei heeft doen kruipen en Magda er fysiek totaal niet bij betrokken was. Het is bijna alsof mama zich van hem kan distantiëren, en daarmee automatisch van ons, de Rippertons, met een paar vreemd gekozen lettergrepen. Deze keer leek het alleen veel ernstiger: er klonk echt pijn in haar stem, alsof papa zoiets afschuwelijks had gedaan dat ik het niet eens zou willen weten.

'Wat is er aan de hand, mam?' vroeg ik terwijl ik de keuken in ging.

'Niks,' zei ze, en ze forceerde een klein glimlachje. 'Helemaal niks. Als je wilt dat ik een bloes voor je strijk, moet je hem boven op de droger leggen; ik zal het doen zodra we de kas opgemaakt hebben...'

'Jahaa,' zei ik. 'Maar wat is er met-?' Maar ik werd onderbroken door het gerinkel van de bestellingentelefoon in de keuken.

En eerder vandaag, toen ik via het café naar school wilde gaan, vroeg ik papa om lunchgeld. Papa zat in het zaaltje, met zijn pyjama nog aan, uit een grote mok thee te slurpen en de *Daily Mirror* te lezen. Ik had besloten hem te vergeven voor zijn misstap met Jimi gisteren, vanwege zijn buitengewone onhandigheid in bijna alle sociale omstandigheden. Ik mag eigenlijk niks anders verwachten. O, en daar kwam bij dat ik mijn lunchgeld met zo min mogelijk gedoe wilde vangen.

'En, Ronaldo,' vroeg hij, 'wat staat er vandaag op het programma?'

'Beuh... wiskunde en natuurwetenschappen,' zuchtte ik. 'En daarna geloof ik godsdiensten... Supersaai. We doen momenteel theologie. Je weet wel, over de zin van het leven en zo.'

'O, de zin van het leven? Dat is grappig,' mompelde papa terwijl ik mijn schooltas over mijn schouder gooide en naar de deur sjokte.

'Hé, Ronno, wil je mij een plezier doen?' schreeuwde papa. 'Als je tegen vieren achter de zin van het leven bent, bel me dan even op mijn mobiel, oké?

'Doe ik, paps,' gilde ik. 'Doei. Lufjoe.'

Papa ging door, net zó hard dat ik het kon verstaan: 'Dan heb ik iets om over na te denken in de gevangenis, nadat ik je moeder heb vermoord...'

Ik denk dat papa op een bepaalde manier maar half een grapje maakte.

'Ooo, dat is afschuwelijk, Ronnie,' zegt Fleur met een klein gilletje, terwijl ze ondertussen met een pincet turkooiskleurige kristallen onder de microscoop houdt, zodat we er allemaal met heilig ontzag naar kunnen kijken. Meneer Ball hipt van bank naar bank in een poging de stommere leerlingen ervan te weerhouden de kristallen te proeven, omdat ze vet giftig zijn.

'Wat jij nodig hebt, is counseling,' fluistert Fleur ernstig. 'Je bent zowat een misbruikt kind. Heb je het gevoel dat Loz en Magda hun agressie op jou afreageren als ze ruzie maken?' vraagt ze. 'Misschien heb je een maatschappelijk werker nodig.'

'Nee, niet echt,' zeg ik, mijn hoofd schuddend terwijl ik uit het raam naar de stromende regen staar. Papa's directe telefoonlijn met de weerberichtafdeling van de bbc moet gestoord zijn geweest.

'Sterker nog, ik kreeg vanochtend zevenenhalve euro lunchgeld in plaats van drievijfenzeventig. Papa zei dat ik de rest wat hem betrof aan valse wimpers kon besteden. Ik denk niet dat dat echt kindermisbruik is, Fleur...'

Fleur ziet er teleurgesteld uit.

'Maar misschien heb je toch wel een beetje therapie nodig,' zegt Fleur hoopvol. 'Van de soort waarbij je in Israël met dolfijnen gaat zwemmen en veel huilt. Ik heb erover gelezen in de *Marie Claire*.'

'Wat jij moet doen,' onderbreekt Claude ons, 'is je vader en moeder het uit laten vechten en proberen je sjenável uit hun zaken te houden.'

(NB: Sjenável is het lbd-woord voor neus. Als je bijvoorbeeld iemand met een heel grote neus ziet, dan is het de LBD-regel dat je heel hard en snerpend 'Sjeeenável!' zegt... Hopend dat de persoon in kwestie met de 'Enorme Sjenável' niet op de hoogte is van de LBD-lingo.)

'Mmm... ik begrijp wat je bedoelt,' zeg ik terug. 'Je hebt waarschijnlijk gelijk.'

Claude ziet er extra autoritair uit met haar laboratoriumbril op.

'Zeker,' zegt Claude. 'Zij hebben ruzie; laat ze het gewoon samen oplossen. Jouw vader en moeder zijn een goed stel, Ronnie. Ze zijn gek op elkaar, dat kan iedereen zien. Volgende week om deze tijd proberen ze je weer bij je oma te dumpen omdat ze weer op een van hun romantische weekeindjes weg willen.'

Alledrie giechelen we, daarna trekken we een gekke bek en doen we alsof we een vinger in onze keel steken. Ik wil er niet eens over nadenken wat mijn ouders precies doen tijdens hun 'romantische weekeinden' die ze zo af en toe doorbrengen in Parijse hotels en zo, maar ik hoop dat ze veel aandacht besteden aan het bestuderen van de strijkbout en –plank op hun hotelkamer en aan het uitzicht op de Seine en niets té romantisch doen. *Bwèèè*.

'In ieder geval heb ik de komende weken jullie onverdeelde aandacht nodig. We hebben een heel druk schema... en jij wordt mijn bloedmooie rechterhand.'

O hemel, ik weet *precies* waar Claude het over heeft. Ik wist wel dat ze ons LBD-gesprekje van gisteravond over het Blackwellfestival niet al te lang zou laten rusten. Dat is gewoon haar stijl niet.

'O, Claude, nee, echt niet,' zeg ik.

'Je meent het toch niet?' vraagt Fleur met een toenemende ongerustheid in haar blik.

'Het is toch onmogelijk...?' zeg ik.

Maar Claude heeft die beangstigende, ik-ben-niet-te-stoppen-blik in haar ogen.

'Het is wel mogelijk,' bevestigt Claude. 'We gaan in de eerste pauze naar meneer McGraw toe en leggen hem onze plannen voor Blackwell Live voor.'

Claude zegt even niets, om te genieten van de naklank van de nieuwe naam. Ze bedacht de Blackwell Live-frase om 3.15 uur vannacht, zittend in bed in flat nr. 26 van Lister House.

Want weet je, gisterenavond laat, lang nadat de LBD hadden gegiecheld, gefantaseerd, gedanst en gekletst over hoe ongelooflijk, oneindig coolvetgaaf het zou zijn om het Blackwell-festival te veranderen in een serieuze lokale pop/rock-uitspatting en we er helemaal moe van waren; lang nadat ik naar huis was gewaggeld, Magda was tegengekomen en in slaap was gevallen, en uren nadat Fleur klaar was met haar Vitamin E Deep Impact-gezichtsmasker en haar 'Whale Sounds' power dutje-cd aan had gezet, was Claude Cassiera nog wakker. Ze was op zijn minst tot vier uur wakker... om plannen te maken. En zoals je je wel kunt voorstellen is een Claude die plannen maakt nogal beangstigend. Er komen heel veel A4-vellen papier bij kijken, vol met sterdiagrammen, prutstekeningetjes en aantekeningen. En er hoort ook het maken van een van Claudes beruchte Doen!-lijsten bij.

O mijn god. Ik zie hoe er op dit moment een uit Claudes rugzak te voorschijn wordt gehaald. Punt 1 is:

AFSPRAAK MET MCGRAW MAKEN OM BLACKWELL LIVE TE BESPREKEN.

Er staat een enorm vinkje bij: ze heeft de afspraak al gemaakt!

'O, dit móet ik zien,' grinnikt Fleur.

'Mooi zo,' geeft Claude terug, 'want jij gaat ook mee. Ik heb de volledige steun van de LBD nodig om dit in ons voordeel te laten uitpakken.'

Dat is genoeg om de lach van Fleurs gezicht te vegen.

'Dat betekent natuurlijk, Fleur,' gaat Claude verder, 'dat je je aangenaam moet gedragen, schoolmeisjesachtig, en nou ja, bijna als een normaal mens, meer dan twintig minuten lang... Kan ik daar op rekenen, Swanno?'

Fleur giebelt en steekt haar tong uit.

'Nou eh, er is wel wat meer voor nodig dan een paar keer alstublieft en dank u wel zeggen om McGraw mij weer aardig te laten vinden,' lacht Fleur.

'Misschien,' zegt Claude, 'maar het kan in ieder geval geen kwaad om het te proberen.'

'Denk je dat ik nog een keer mijn excuses moet aanbieden voor die enorme rekening die hij kreeg van... eh, hoe heette het ook al weer...?' Fleur denkt diep na. 'O ja, Luchtkastelen, het springkastelen-bedrijf?'

'Nou, ja, dat zou je kunnen...' Claude stopt en verandert van tactiek. 'Eigenlijk heb ik daarover nagedacht Fleur; je moet het springkussenincident níet noemen. Sterker nog, Fleur, zeg helemáál niks, glimlach alleen maar.'

Fleur kijkt scheel en grijnst al haar tanden en tandvlees bloot, wat er nogal gruwelijk uitziet omdat er donkere pruimkleurige lippenstift op haar voortanden zit.

'Dat ziet er heel mooi uit, Fleur,' zegt Claude, 'heel gemeend.'

Claude richt haar aandacht op mij.

'Oké, Ronnie, van jou moet ik het hierbij hebben. Zodra we in McGraws kantoor zijn, moeten we allemaal goed samenwerken om het gewenste resultaat te bereiken...'

'Bedoel je zoiets als een aardige/onaardige politieagent?'

vraag ik, en ik voel me opeens heel erg sluw.

'Nou, nee,' corrigeert Claude me. 'Ik bedoel meer een leuk schoolmeisje/nog kruiperiger kontenlikkeriger schoolmeisje.'

'O, nou ja,' zeg ik, 'mag ik dan de eerste van die twee zijn?'

'Tuurlijk,' zegt Claude glimlachend.

Voor een LBD-vergadering gaat het er heel erg beleefd aan toe.

We hebben een fractie van een plan uitgebroed, en niemand heeft de behoefte gehad iemand anders een 'ontzettend embryobrein' te noemen of persoonlijk te worden over het kapsel van de ander. Helaas wordt onze mars voorwaarts tegengehouden door enige onrust in de klas.

Meneer Ball staat niet langer voor de klas, maar loopt diep inademend en met grote passen om de tafels heen.

'Heeft er iemand iets lekkers?' vraagt hij. 'Ik weet zeker dat ik chocolade ruik. En het is ook nog melkchocolade.'

Meneer Balls hypergevoelige neusvleugels bewegen.

'Kom op, geef hier, wie je ook bent!' zegt Ballsy. 'Jullie weten *allemaal* hoe ik denk over snoep in de scheikundevleugel.'

Ja, meneer Ball, we weten allemaal hoe u over snoep in het algemeen denkt.

U bent er gek op. Het verhaal gaat dat de plaatselijke krantenkioskhouder, meneer Parker, vorig jaar een nieuwe Volvo kon kopen, enkel en alleen als gevolg van uw verslaving aan Dwergkiezels, Chocoladerozijnen en Colaklontjes.

De arme Sajid Pratak, een kleine minkukelige jongen aan een van de achterste tafels, wordt midden in een hap betrapt.

'SAJID!' schreeuwt meneer Ball.

'Mmmggggmneer!' zegt Sajid.

'Breng die snoepjes naar mij,' beveelt Ball.

Sajid sjokt naar voren en geeft zijn verkreukelde zakje.

Saj zit nog niet op zijn plaats of meneer Ball wijst al met één hand naar het bord terwijl zijn andere behaarde pootje naar snoepjes graait en ze laat verdwijnen in een open plek in het oerwoud op zijn gezicht.

'In het scheikundelaboratorium zijn snoepjes verboden, Sajid,' zegt meneer Ball. 'Mmmnnelemaal, smak, smak, overheerlijk mmmnne Turks fruit met een chocoladelaagje, zoals dit. Jullie kunnen ik weet niet wat voor gevaarlijke stoffen aan jullie handen hebben terwijl jullie eten. Jullie ingewanden zouden weggevreten kunnen worden!'

Helaas gebeurt dit altijd wanneer onze zwakke meneer Ball snoep in zijn klas vindt. Allereerst neemt hij het in beslag omdat hij 'doodsbang is dat wij vergiftigd zullen raken', en daarna vreet ie de hele handel op. Achteraf wordt meneer Ball door schuldgevoel overmand omdat hij snoep heeft gepikt van slachtoffers die minder dan anderhalve meter lang zijn, dus koopt hij uiteindelijk voor de volgende les méér snoep terug voor de leerling in kwestie.

De LBD rollen met hun ogen en giechelen.

'Stop met klagen, meneer Pratak,' zegt meneer Ball. 'Zorg gewoon dat je voor het eind van de les dat experiment beschrijft.'

BBBBBBBBBBRRRRRRRING gaat de bel.

'En dat is nu!' lacht meneer Ball opgelucht.

We beginnen onze tassen te pakken.

'Tot ziens, 10^e klas!' roept meneer Ball, terwijl hij snel het lokaal uit schiet naar de lerarenkamer, vóórdat een irritante leraar in opleiding zíjn comfortabele stoel bij de verwarming inpikt.

'Tot gauw!'

'9^e klas!' schreeuwen we allemaal.

En dan is hij verdwenen.

Op zoek naar grote CRAIC.

'Maar wat gaan we tegen hem zeggen?' vraag ik zenuwachtig aan Claude als we richting McGraws hol lopen.

We slalommen door de eerste-pauzedrukte van duizend Black-welllichamen. *Ooo...* ik zie Jimi met zijn twee vrienden Aaron en Naz aan de rand van het schoolplein staan. Godzijdank houdt Naz op indrukwekkende wijze een voetbal hoog, wat betekent dat ik voorbij kan glippen zonder dat Jimi mijn gezicht ziet. Ik deins opnieuw terug als ik Panama met Abigail en Leeza, twee meisjes van haar groepje, zie rondhangen bij een deuropening waar wij doorheen moeten. Volgens traditie werpen alle meisjes Fleur valse blikken toe, alleen omdat ze langer en van nature knapper is dan zijzelf zijn. Ze mompelen wat onzin over Fleur die een 'slungelige lantaarnpaal' is, hun gebruikelijke tactiek. De meeste meisjes zouden door zulke valse aantijgingen instorten, maar Fleur lijkt niets te merken. Fleur Swan is echt pest-proof; zoals haar naam suggereert, glijdt ze als een zwaan, met haar neus in de lucht, door de narigheid, wat haar pestkoppen alleen maar vastberadener maakt. Maar vandaag maakt het niets uit: we lopen vrij snel. Fleur en ik moeten opschieten om Claudes steeds vastberadener stap bij te houden. We komen nu gevaarlijk dicht bij de deuren van de administratiegang, een soort heiligdom in het hart van Blackwellschool, waar de kantoren van mevrouw Guinevere, McGraw, en Edith de schoolsecretaresse (en vuurspuwende draak in deeltijd) zijn gevestigd.

Ik kan niet geloven dat Claude ons hier mee naartoe neemt.

Niemand loopt vrijwillig door deze gang.

Nee, dit is een gang waar je naartoe wordt gestuurd; of, om precies te zijn, waar je naartoe wordt gesleurd wanneer je op heterdaad werd betrapt terwijl je een etterbak was.

Eigenlijk is de administratiegang voor zo'n beangstigende locatie best mooi. Op de meeste plekken is de achtergrondkleur van Blackwell een pakkende tint drekgroen, oorsmeergeel en incontinentiebruin. Maar deze honderd meter ruimte kan bogen op smetteloos witte marmeren vloeren die dagelijks worden gepoetst, frisse zacht turkooiskleurige muren en glazen lampenkappen die met opalen zijn versierd. Het lijkt net alsof er een tv-ploeg van een decoratieprogramma langs is geweest die het hele budget heeft uitgegeven aan de administratiegang, waarna de rest van Blackwell werd opgeknapt voor € 20,79.

'Eh... nou, ik heb niet *precies* bedacht wat we gaan zeggen,' zegt Claude, terwijl ze op meneer McGraws glanzende teakhouten deur klopt. 'En trouwens, het is niet alleen McGraw, ik ben vergeten te vertellen dat Guinevere er ook is. Ik heb gezegd dat het beter was als ze er allebei waren. Je weet wel, twee vliegen in één klap?'

Fleur en ik kijken elkaar vol walging aan.

Ik krijg plotseling enorme aandrang om naar het toilet te gaan.

Maar het is te laat, de deur is al open.

'Ah, Claudette Cassiera. Kom binnen, kom binnen,' zegt McGraw, zijn grijze gezicht glimmend van genoegen. Ik geloof dat ik McGraw nog nooit zo enthousiast over iets heb horen zijn, vorige winter meegerekend, toen hij via de lokale radiozender meedeelde dat de school overstromingsschade had opgelopen en de hele week gesloten zou zijn.

'En ook Veronica Ripperton,' voegt hij er met een iets zwakkere lach aan toe, terwijl hij waarschijnlijk een mentale aantekening maakt dat ik crèmekleurige sokken draag in plaats van de voorgeschreven gebreide witte kniekousen.

'O, en jij bent Fleur Swan. Wat een eh, leuke verrassing,' liegt McGraw, zich duidelijk springkussenkastelen herinnerend, en Bovril en een hele serie andere kleine misstappen.

Claire stoot Fleur aan, die direct een grote, brede lach van oor tot oor produceert en een klein handgebaar ter begroeting maakt. Ze ziet eruit alsof ze op een vlucht van Virgin Atlantic het eten uit zou moeten delen.

We lopen achter elkaar aan het kantoor binnen en staan dan stijfjes in een boogje voor McGraws bureau.

'Alsjeblieft jongedames, ga zitten,' zegt McGraw, zijn hand door de kamer wapperend, wijzend naar stoelen die normaal gesproken gereserveerd zijn voor ouders.

Ga zitten?

GA ZITTEN?

Ha ha! Hoe ongelooflijk anders is de bij-McGraw-op-kantoor komen-ervaring als je er niet bent voor een Bovril-akkefietje!

Ongelooflijk!

Dan wordt er weer op de deur geklopt. Mevrouw Guinevere glipt achter ons naar binnen.

'Het spijt me dat ik laat ben, Sam, eh, meneer McGraw,' zegt ze met haar vette Ierse accent.

Mevrouw Guinevere ziet er bijna koninklijk uit in een lange zwartfluwelen rok, een overdadig gebloemd colbertje en een frisse witlinnen bloes; haar kortgeknipte kastanjebruine haar is doorweven met strengen grijs die glanzen als platina.

'Mevrouw Guinevere, gaat u alstublieft op mijn stoel zitten,' zegt Claude, die doorheeft dat er niet genoeg zijn en snel opspringt. Opeens ziet ze er langer en daadkrachtiger uit dan wie ook in de kamer.

Heel gewiekst.

'En, Claudette, wat kunnen we voor je doen?' vraagt McGraw.

'Het is iets over een speciaal concert dat je wilt helpen organiseren?' McGraw kijkt naar een stukje papier met Ediths krullerige handschrift erop.

'Ja, meneer,' begint Claude. 'Een openlucht muziekfestival voor schoolmuzikanten. U weet wel, een goede kans voor lokaal talent om op te treden. En een mogelijkheid om geld in te zamelen voor plaatselijke goede doelen...'

Tjee, Claude, als je het zo brengt denk ik dat ik die dag druk ben met het op de hand wassen van mijn strings. Maar goed, we zijn hier al vijf minuten en we zijn er nog niet uitgegooid.

'En welke muzikanten heb je in gedachten?' peilt McGraw. 'Ik weet dat de Blackwell Klokkenluidersclub veel steun heeft verloren sinds meneer Cheeseman elders les is gaan geven... Maar toch luiden ze nog steeds, en verspreiden ze vreugde. Zouden zij in het programma worden opgenomen?'

'Eh... nou,' huivert Claude.

'En ik *weet* dat mevrouw Nash van muziek haar lunchkoorgroep een paar prachtige Elizabethaanse *close harmony-madrigalen* heeft geleerd,' gaat McGraw verder.

'Veronica, schrijf dat even op,' zegt Claude, puur voor het effect. 'Dat klinkt veelbelovend.'

BEN JE KRANKZINNIG? schrijf ik op mijn notitieblok, en ik laat het zowel Claude als Fleur zien. Fleur begint bijna te giebelen, maar maakt er op het laatste moment weer een grote brede lach van.

McGraw en Guinevere kijken ons onderzoekend aan.

'Het zou eigenlijk een festival moeten zijn voor alles wat met muziek en ritme te maken heeft,' doet Claude er een schepje bovenop. 'U weet wel, zingen en rappen, en dansen... en we zouden een rockbandje en popmuziek en –'

'Popmuziek?' zegt McGraw, zoals je 'Hondenpoep?' zou zeggen als je het onder je teenslipper vond.

'Ja, popmuziek,' zegt Claude. 'En andere dingen.'

In alle eerlijkheid moet ik zeggen dat Claude hierop nog wat heel erg volwassen dingen laat volgen over 'de moraal op school' en 'Blackwell moet een veelgebruikt woord in elk huishouden worden'. Maar ik denk niet dat McGraw nog luistert.

Hij staart triest uit het raam en ziet waarschijnlijk voor zich hoe Blackwellschool vol losgeslagen jeugd loopt, allemaal aan het dansen, stagediven, aan het spelen op snoeiharde gitaren, aan het zoenen en gewoon bezig een geweldige tijd te hebben. Gek, want dat is precies wat wij nu uit het oog verliezen.

'Nou, meisjes,' zegt McGraw, met rode pen een streep trekkend over het vel papier voor hem. 'Ik denk niet dat het schoolterrein een goede locatie is voor een evenement zoals...'

McGraw begint aan iets wat klinkt als een langgerekt gegrom, maar hij komt niet al te ver.

'Ik vind het een geweldig idee,' zegt mevrouw Guinevere. Haar ogen glinsteren. 'Het zou net een klein lokaal muziekfestivalletje zijn!' zegt ze enthousiast. 'Wat een leuk idee! Dat lijkt me een geweldige *craic*!'

Mevrouw Guinevere zegt het woord *'craic'* alsof ze 'krak' zegt. In deze context weet niemand van de LBD wat ze precies bedoelt, maar het klink toch als iets om flink om te giechelen.

We trakteren mevrouw Guinevere allemaal op onze grootste, opgeluchtste glimlach.

'Dat denken wij ook!' zeg ik. 'Het zou echt helemaal fantacoolisch zijn!'

'Hè, wat?' vraagt mevrouw Guinevere.

'Het zou erg leuk zijn,' legt Claude uit.

'Ooo... nu begrijp ik het!' lacht mevrouw Guinevere.

Meneer McGraw zucht en steunt, zet zijn linkerelleboog op het bureau en laat verslagen zijn hoofd op zijn hand rusten, net naast een ingelijste zwartwitfoto van zijn gedeprimeerd kijkende zelf, staand naast Myrtle, zijn even terneergeslagen vrouw. Onze rector zucht nog eens, op een moe-van-het-leven manier, ditmaal van onder uit zijn buik.

'Kijk, wat jullie voorstellen is niet bepaald een uitje naar het park, weten jullie dat meisjes?' kreunt McGraw. 'Er gaat een hoop zware, ingewikkelde plannenmakerij en hard werk in zitten... En er wordt een hoop verantwoordelijkheid op jullie jonge, onervaren schouders gelegd. Ik denk echt niet dat drie 9^e-klassers tegen deze taak zijn opgewassen.' McGraw schudt zijn hoofd. 'Ik bedoel, hoe zullen jullie zelfs maar in staat zijn –'

'Ik zal ze helpen,' onderbreekt mevrouw Guinevere. 'Ik vind het niet erg, sterker nog, ik zou het enig vinden om erbij betrokken te worden! We hebben zonder al te veel problemen heel wat toneelstukken en concerten opgevoerd toen ik als jong meisje op St. Hilda's in Dublin zat.'

Mevrouw Guinevere begint weer breed te lachen, bij de herinnering alleen.

'Het zal beslist een uitdaging zijn, maar ik heb er vertrouwen in dat deze meisjes in staat zullen zijn te doen wat nodig is.'

Goed zo, mevrouw G.!

'En trouwens, de meisjes kunnen aan mij verslag doen van hun dagelijkse vorderingen,' voegt Guinevere eraan toe. 'Dus ik zal weten of ze geprobeerd hebben de school te verkopen aan de sultan van Brunei of om de sportvelden op te blazen... Ach, ik weet gewoon zeker dat het allemaal goed komt, meneer McGraw.'

We tonen allemaal onze beste engelachtige glimlachjes aan meneer McGraw. Hij trekt zijn neus op.

'Nou, denk er in ieder geval over na,' zegt mevrouw Guinevere.

McGraw staart weer uit het raam; hij zal wel genieten, hij weet dat iedereen in de kamer in spanning op zijn woorden wacht.

Na een lange stilte, waarin me opvalt dat meneer McGraw een boom op zijn notitieblokje heeft gekrabbeld, spreekt Lord Wanhoop uiteindelijk.

'Geld,' zegt hij, en hij legt allebei zijn handen achter op zijn hoofd, tevreden met het struikelblok dat hij heeft gevonden. 'Hoe willen jullie dit alles betalen? Zijn jullie spaarvarkentjes bestand tegen die druk, of doen jullie allemaal twee kranten op dit moment?'

McGraw grijnst; hij heeft, denkt hij, de kink in Claude Cassiera's kabel gevonden.

'Nou, ik had gedacht dat we kaartjes konden verkopen...' antwoordt Claude. 'Het concert vindt tenslotte in het weekeinde plaats, dus de mensen zouden waarschijnlijk wel verwachten dat ze een klein bedrag voor toegang moeten betalen om de kosten te dekken, toch?'

Claude lijkt tot nog toe overal een goed antwoord op te hebben. Ik ben zo blij dat niemand mij wat gevraagd heeft – of Fleur, die eruitziet alsof ze McGraw wil vertellen dat hij het schoolterrein in zijn reet kan steken. Of erger.

'O, domme ik,' grapt McGraw. 'Je gaat leerlingen vragen om tijdens het weekeinde naar Blackwell te komen...? En je gaat ze laten betalen voor dat genoegen? Kom nou toch, juffrouw Cassiera, als ik dacht dat dat haalbaar was, hield ik dit gesprek met jou via de telefoon vanuit de Happy Coconut Beach Bar in Honolulu! Dan was ik nu miljonair!'

Oké, McGraws grapje is een beetje grappig, maar geen enkel

meisje wil die grote chagrijn het plezier doen te grinniken, zeker niet mevrouw Guinevere, die op dit moment misschien nog wel kwader is dan Fleur.

Claude bladert in een oranje map die ze heeft meegebracht. Ze haalt er een enkel velletje papier uit dat is gevuld met iets wat eruitziet als percentages en vergelijkingen.

'Ja, ik begrijp uw twijfels meneer McGraw, maar als ik u de resultaten mag laten zien van de Blackwellenquête die we vorig jaar hebben ingevuld,' Clair wappert met haar stukje papier, 'dan lijkt het erop dat leerlingen *wel* voor muziek zouden betalen, áls we tenminste een goed genoeg programma in elkaar draaien.'

'Enquête? Welke enquête? We hebben nooit een...' sputtert McGraw met verwarde blik tegen.

Mevrouw Guinevere begrijpt waar Claude naartoe wil.

'Ach, Claudette heeft het over de levenswetenschappen-enquête van de sociale onderwijsvleugel. Weet u nog wel? We hebben afgelopen juni aan alle duizend Blackwellleerlingen een formulier gegeven om in te vullen?'

'Ja die!' zegt Claude lachend. 'Herinnert u het zich weer, meneer McGraw?' vraagt ze.

'Eh, ff, prgr... natuurlijk herinner ik het me...' moppert McGraw. 'We wilden... eh...' McGraw geeft zich over. 'Ach, breng me weer even in herinnering wat we wilden, mevrouw Guinevere.'

'We wilden weten wat Blackwellleerlingen leuk vonden, wat ze tegenstond en wat hun houding ten aanzien van het leven op school en thuis was,' zegt mevrouw Guinevere voor.

'O ja, nu weet ik het weer. Ik was gewoon een beetje, eh, verward, eventjes,' snauwt McGraw terwijl hij in de diepste krochten van zijn herinnering vist naar het kleinste beetje informatie over dat sociale onderwijsproject. Uiteindelijk beginnen er wat kleine stukjes boven te komen.

'Wat heeft dat hiermee te maken?' vraagt hij. 'Het enige wat ik me kan herinneren is dat meerdere leerlingen een groot aantal brutale opmerkingen over mijn stropdassenverzameling maakten en dat de een of andere heldere geest voorstelde dat we op Blackwell een Tarzanschommel zouden maken. Het was niet bepaald de Beatrijs, wel?'

'Nee, maar we hebben wel een hoop waardevolle informatie verkregen met die enquête,' zegt mevrouw Guinevere geduldig, zich weer omdraaiend naar Claude die klaarstaat om van haar papier voor te lezen. 'Wat heb je gevonden, Claudette?'

'Nou, volgens de officiële statistieken van Blackwell heeft vijfennegentig procent van onze leerlingen gezegd dat één van de dingen waar ze het grootste deel van het zakgeld en loon van hun zaterdagbaantje aan uitgeven...' Claude laat even een stilte vallen voor het effect, 'muziek is.'

Meneer McGraws gezichtsuitdrukking is absoluut onbetaalbaar; hij ziet er een beetje uit als een loterijwinnaar die er zojuist is achtergekomen dat hij zijn winnende lot eerst in de kookwas en daarna in de droogtrommel heeft gedaan.

'O,' gromt hij.

Claude gaat verder. 'Ze kopen cd's, kaartjes voor concerten, nemen dans- en zanglessen, kopen snaren voor hun gitaar, balletschoenen, kopiëren MP-3-files van het internet, maken illegale kopieën van cd's... Dat soort dingen... Het lijkt erop dat Blackwell min of meer wordt verbonden door een gemeenschappelijke voorliefde voor muziek.'

Claude doet het stuk papier terug in de oranje map waarop, nogal aanmatigend, met viltstift BLACKWELL LIVE is geschreven.

'Okéééé,' zegt McGraw narrig. Het enige wat nog vervelender is dan domme leerlingen, heeft hij net ontdekt, zijn akelige, betweterige studiehoofdjes; die moeten hem wel helemaal gek maken.

'Och heden, is het al zo laat?' zegt McGraw. 'Het spijt me meisjes, jullie tijd is om, ik moet over twee minuten een klas in het oog houden.'

Onze rector maakt nogal abrupt een einde aan het overleg; hij heeft overduidelijk genoeg gehoord. 'We zullen jullie zo snel mogelijk wat laten horen,' zegt hij, terwijl hij naar de deur knikt. 'Hup, hup, jullie willen niet te laat komen voor het derde uur.'

We kunnen niet zoveel doen, behalve krakersrecht doen gelden en weigeren zijn kantoor te verlaten.

Claude ziet er terneergeslagen uit. Ze doet haar oranje map in haar kleine zwarte rugzak, bedankt de beide leraren voor hun tijd en loopt naar de deur, met Fleur en mij vlak achter zich aan. Maar, terwijl mevrouw Guinevere de deur openhoudt en de drie ontmoedigde lbd-leden eruit werkt, fluistert ze net hard genoeg voor ons om het te horen 'Niet gelijk wegrennen, dames, wacht even op de gang...' voordat ze de deur dichttrekt en ons aan de andere kant laat staan.

'Ik dacht even dat ik hem had waar ik hem hebben wilde,' zegt Claude met ogen die een beetje rood lijken. 'Hij zat in mijn web, ik moest 'm alleen nog een paar keer omwikkelen...'

Maar gelukkig voor de lbd lijkt achter de deur de bel voor de tweede ronde al geklingeld te hebben.

Eerst horen we een geciviliseerde discussie tussen Guinevere en McGraw... Maar het wordt al snel alleen mevrouw Guineveres stem, en haar stem wordt met elke zin harder. We kunnen vanaf onze plaats in de gang niet elk woord verstaan, maar wel een paar geweldige zinnen.

'Ik kan het soms niet geloven, Samuel!' zegt mevrouw Guine-vere, even later gevolgd door: 'Ze moeten jou een raket in je je-weet-wel duwen om je in beweging te zetten, dát heb je nodig.'

Claude en ik kijken elkaar aan, onze ogen groot van opwin-ding. Ik hoop echt dat mevrouw Guinevere niet opeens de deur opengooit, want Fleur heeft haar oor er zo stevig tegenaan ge-duwd dat ze zeker naar binnen zou vallen en boven op McGraws schoot terecht zou komen.

Maar het volgende dat we kunnen verstaan, is het aller-aller-beste stukje: 'Ik kan elk moment opstappen!' gilt mevrouw Guinevere, die zich duidelijk niet realiseert dat wij haar kun-nen horen. 'Ik ben niet het enige personeelslid dat de vacatures in de *Guardian* helemaal uitspelt om met een enkeltje uit Black-well te vertrekken, weet je!'

De LBD doen tegelijk hun handen voor hun mond en onder-drukken een hoop gegiechel.

Daarna wordt het opeens heel stil in McGraws kantoor en de volgende minuten slepen zich voort. Claude kijkt me veront-rust aan.

'Misschien is mevrouw G. wel ontslagen,' fluistert Claude. 'Het is daarbinnen nu wel heel stil, hè?' Ze staart naar haar ge-poetste zwarte schoenen en kijkt me daarna recht aan.

'O god, het is allemaal mijn schuld,' zegt ze.

Juist op dat moment gaat de deur open en verschijnt me-vrouw Guinevere met een kalme, triomfantelijke lach. Ze klapt op een zakelijke manier in haar handen en legt daarna een zorgvuldig gemanicuurde hand op Claudes schouder.

'Oké dames, we hebben een deal,' kondigt onze conrector aan. 'Jullie hebben vier weken om de zaken op poten te zetten. Ik stel zaterdag twaalf juli voor als datum voor het concert, dat is de laatste dag van het schooljaar. Laten we de zomervakantie met een knaller beginnen, oké?'

We kijken haar allemaal vol ongeloof aan.

'Maar jullie hebben niet veel tijd, dus vanaf NU is het op volle kracht vooruit.'

Ik zou willen dat een van ons iets terug wist te zeggen.

'Wat voor naam had je op die map staan, Claudette?' vraagt mevrouw Guinevere. BLACKWELL LIVE, toch?'

'Eeeh, ja, juf,' zegt Claude met een brede glimlach.

'Blackwell Live!' herhaalt mevrouw Guinevere. 'Ik vind het een leuke naam, het klinkt wel goed, niet? Dus, zoals ik al zei, dames, maak een plan, zoek wat bandjes, zangers ook, en nou ja, wat je kunt vinden, en breng me over een paar dagen het laatste nieuws. Dan kijken we dan verder.'

Mevrouw Guinevere draait zich op haar hakken om en klik-klakt weg door de administratiegang.

'Ik weet zeker dat het een geweldige *craic* wordt, meisjes... een geweldige *craic*!' zegt ze terwijl ze wegloopt. 'Veel succes met organiseren!'

En dan is ze verdwenen.

'Is dat net echt gebeurd?' vraagt Fleur, met een glimlach die niet alleen van oor tot oor loopt, maar ook nog om haar achter-hoofd heen.

'OOOOO, MIJN GOOOOD,' gil ik. 'Dat was já! Dat was já... !! Wacht even, dat was echt *já*, toch Claude?' controleer ik.

'Zeker weten dat het ja was!' zegt Claude. 'Wij gaan Blackwell Live organiseren! We gaan het doen, net zoals we gisteren heb-ben afgesproken!!'

GIIIIIIIIL!

Na gecontroleerd te hebben en nog eens gecontroleerd te hebben of Jimi Steele niet in de buurt is... gooi ik mijn armen in de lucht en zwaai ik ermee alsof het me helemaal niks kan schelen, ik gil en ik schreeuw en daarna doe ik met de LBD mee aan een 'Funky Monkey'-dans om het te vieren, via de administratiegang, door de garderobe van de middenschool en dan twee keer om de schoolvijver heen.

Het leven heeft een fantastische, geweldige, verrassende wending genomen!

Wat ben ik nu blij dat ik me, nadat ik gisterenavond de oven aan had gezet en tegen mijn vader had gedreigd dat ik zelfmoord zou plegen door mijn hoofd erin te steken als hij me geen toestemming gaf om naar Astlebury te gaan, op het laatste moment heb bedacht en in plaats daarvan een gepofte aardappel heb gemaakt. Stel je voor dat ik dit gemist had!

En er is nog meer

Ik ben nu weer thuis in de Fantastic Voyage, en ik ben net klaar met een paar rondjes 'raad eens wat voor bui ik vandaag heb' met mijn moeder. (Als je het wilt weten, het antwoord voor vandaag was: afstandelijk en boos.) Maar vanavond kan dat me niet schelen, niet nadat er vandaag zo veel geweldige dingen zijn gebeurd. Bijvoorbeeld toen de LBD na de lunch hun etensbladen wegzetten, en McGraw dat zag en hij wel moest zeggen – tussen Groot-Brittaniës meest samengeknepen lippen door – dat hij 'heel blij was om te zien dat wij zo'n belangrijk project begonnen'. Dat was geweldig. Helemaal omdat het overduidelijk was dat die woorden McGraw lichamelijk dezelfde pijnklachten gaven als aambeien.

Een ander fantastisch moment was het opplakken van onze eerste Blackwell Live-auditieposters, net naast de ingang van de sporthal, en daarna kijken naar het eerste kleine groepje dat zich verzamelde om alle details te lezen. Hoe cool is dat?

Trouwens, op de posters staat:

OPROEP AAN ALLE BLACKWELL ZANGERS, MUZIKANTEN, DANSERS, ROCKBANDS EN ONTLUIKENDE POPIDOLEN! WE HEBBEN JULLIE NODIG VOOR BLACKWELL LIVE OP ZATERDAG 12 JULI – HET EIGEN MUZIEKFESTIVAL VAN BLACKWELLSCHOOL – AUDITIES WORDEN AANSTAANDE MAANDAG 23 JUNI GEHOUDEN OM VIER UUR 'S MIDDAGS IN DE SPORTHAL. MEER DETAILS TE VERKRIJGEN BIJ CLAUDETTE CASSIERA, VERONICA RIPPERTON OF FLEUR SWAN. OF KOM GEWOON EN LAAT ONS ZIEN WAT JE KUNT!

Binnen een uur begonnen mensen de LBD in de gang, op het schoolplein en op de sportvelden aan te houden om te vragen wat we in godsnaam aan het doen waren. Of nog grappiger, om een paar coupletten van hun lievelingsliedje te zingen, of een beetje te breakdancen, of ons te vertellen over het piano-examen derde graad dat ze net gehaald hadden! Eén jongen sprong zelfs achter de aardrijkskundeplanken in de bibliotheek vandaan en bracht me luidkeels een serenade:

Has anyone ever seeen my bay-beee?
The one with the beautiful eyes
'Cos there ain't nooooooo dis-guisin'
The way I luuuuurve her!

Daarna deed hij een soort tapdansje... Wat best vleiend zou zijn geweest, als de jongen niet Boris Ranking was, een stevige 4^e-klasser met heloranje haar en verbazingwekkende koperkleurige wimpers, iemand die er precies uitziet als een High-landerkalf.

Tegen de tijd dat we met Johnny Martlew – de 6^e-klasser die de website van Blackwell heeft ontworpen en onderhoudt – hadden afgesproken dat hij de details op de 'Laatste Nieuws'-pagina zou zetten, en Edith hadden overgehaald om een notitie bij de absentielijsten te doen zodat de klassenleraren alle klassen konden inlichten, voelden we onszelf zo langzamerhand een beetje popsterren. Sterker nog, tegen vier uur praatte iedereen over de LBD. Het was geweldig!

Maar beter nog dan dit allemaal was wat er vanavond om zeven uur gebeurde, toen ik net op bed ging liggen om mijn huiswerk voor Frans te gaan maken.

Oké, ik geef toe dat ik meestal niet zo'n erg huiswerk-op-tijd-af-type ben, en laten we wel wezen: ik had na de gebeurtenissen van vandaag wel andere dingen aan mijn hoofd dan vrouwelijke en mannelijke voorvoegsels, maar ik móest dit leren. Want weet je, ik heb morgenochtend een van mevrouw Bassetts beruchte vocabulaire-overhoringen, en ik mag geen onvoldoende halen.

Absoluut niet.

Het is gewoon niet de moeite waard om madame Bassett minder dan vijftig procent te geven. Want dan gaat ze me waarschijnlijk de rest van het dubbeluur belachelijk maken, me op laten staan en in het Frans de complexe details van de organisatie van een muziekfestival of zoiets verschrikkelijks laten beschrijven. Kun je het je voorstellen?

'*Eeh... J'aime beaucoup le*, sorry ik bedoel, *la musique...et, ooooh lala.. Je ne sais pas... er... Et j'ai besoin d'une tente... Eeh...* en *j'aime le veggieburgers...* O god, mag ik nu alstublíeft gaan zitten?' (Barst in tranen uit.)

Dat zou madame Bassett geweldig vinden.

La bitche.

Dus, in ieder geval had ik net mijn *Tricolore*-boek opengeslagen en ging ik behoorlijk op in een heel interessant verhaal over een man uit La Rochelle die Monsieur Boulanger heette en die, nogal griezelig, ook werkte als bakker (stel je voor zeg, wat een toeval!), toen een hard geluid mijn vloer deed trillen en bijna de teddyberen van mijn klerenkast af schudde.

Dat maakte me een beetje boos.

Want weet je, niet alleen kwam ik er in deze familie als laatste bij, waardoor ik de slaapkamer met het formaat van een hamsterkooi kreeg; het is nog erger, want ik zit ook nog eens precies boven het zaaltje van de Fantastic Voyage. Daarom word ik soms op zondagmorgen wakker gemaakt door luidruchtige doopfeestjes, of 's avonds wakker gehouden door aangeschoten gekken die 'I Will Always Love You' meezingen met de karaokeband.

(Wacht eens even, misschien ben ik achteraf gezien toch een mishandeld kind?)

Oké, om eerlijk te zijn verhuurt papa tegenwoordig bijna nooit meer het zaaltje omdat hij zegt dat het niet de moeite waard is (ik denk dat hij op mijn gemopper doelt), maar het leek er absoluut op dat er nu iets gaande was daar beneden.

KEEEEEEERRRWWWAANNNNNG!

Ja, dat klonk volgens mij als een enorme, luidruchtige gitaarrif.

Dus, na een hoop gezucht en gestamp door mijn kamer, terwijl ik mijn vader er de schuld van gaf dat ik niet door Werkboek 2 voor Frans kon komen, ging ik naar beneden om mijn sjenável om de hoek van het zaaltje te steken... Om iets zo geweldigs en ongelooflijk cools te ontdekken dat ik vast van plan ben mijn kleinkinderen gek te vervelen met de herinnering eraan als ik een witharige, oude omi met valse heupen ben.

Jimi Steele en Lost Messiah waren onder mijn slaapkamer aan het oefenen!

Ik wist niet dat papa toestemming had gegeven.

De eerste paar tellen stond ik aan de grond vastgenageld. Ik overwoog zelfs om weer naar boven te rennen, een douche te nemen en mijn beste uitgaanskleren te strijken, en dan weer volledig opgemaakt beneden te verschijnen. Maar zelfs ik kon de betrekkelijke idiotie van mijn plan inzien: tegen die tijd waren ze misschien alweer weg. Dus bleef ik achter in het zaaltje staan, kijkend hoe Jimi en Naz hun gitaren stemden en ruzieden over akkoorden. En, oké, ik wéét wat ik heb gezegd over stalkers, dus ik probeerde heel cool te blijven, maar tjeetje, ik stond er lang genoeg om te zien dat Jimi's rossige haar sinds het begin van de zomer prachtige honingblonde highlights leek te hebben gekregen. (Ze zijn volgens mij echt natuurlijk opgebleekt, door al die uren die Jimi in de buitenlucht besteedt aan het zoeken naar lekkere, gepoetste bankjes en leuningen om langs te skateboarden.)

O god.

Ik vind Jimi echt zo ongelooflijk aantrekkelijk dat ik me bijna ziek voel, iedere keer dat ik naar hem kijk.

Is dit normaal?

Ja, ik weet dat 'liefde pijn doet', maar ga je er ook van overgeven en moet je er ook van naar de wc? Of ben ik raar?

Het ergste is dat ik niet eens precies weet wat ik nou eigenlijk met Jimi wil doen. Wil ik met hem zoenen? Of wil ik alleen bij hem zijn en hem aan het lachen maken? Of hem in mijn kamer opsluiten en dwingen met mij naar cd's te luisteren? Of wil ik misschien alleen maar samen met hem gezien worden, zijn jas vasthouden terwijl hij oefent op zijn skateboard, of hem helpen met zijn krukken als hij gevallen is, zodat alle andere Blackwell-meisjes zeggen: 'Ooooo, kijk! Ronnie Ripperton gaat met Jimi Steele! Ik ben zoooo jaloers!'

Is dat het?

Ik weet het echt niet. Ik weet gewoon dat ik op de een of andere manier meer deel wil uitmaken van Jimi's leven dan nu. Maar goed, wat ik ook wil doen, toen ik Jimi in het echt in mijn huis zag staan nam ik genoegen met 'zo lang naar hem staren zonder met mijn ogen te knipperen dat ze helemaal droog en wazig werden, als warme snoepjes tussen de kussens van de bank'.

Geen goed imago om uit te dragen.

'Hé, hallo Ronnie!' riep Jimi.

Oeps.

'Hé hé, het is de vrouw des huizes!' schreeuwde Naz. 'En, wat vind je tot nu toe van de show, Ronnie? Niet slecht, hè? In aanmerking genomen dat onze zanger toondoof is?

Iedereen, inclusief ikzelf, grinnikte. Jimi bloosde een beetje en zei tegen Naz dat hij zijn kop moest houden.

'Nou, voorzover ik kon horen, klonken jullie het laatste uur als een auto-ongeluk,' kwetterde ik. 'Hebben jullie ook echte nummers, of alleen... luidruchtige geluiden?'

'Oooo, pak 'r!!!' lachte Naz. 'Ze heeft het natuurlijk over jou, Jimi.'

'Ik bedoel jullie allemaal,' zei ik, stoer lachend. 'Ik dacht dat er hier beneden gevochten werd of zoiets.'

Ik ben niet echt zo cool, dat hoef ik jullie niet te vertellen; ik deed alleen alsof, en op de een of andere manier werkte het.

'Dan kunnen we maar beter wat harder oefenen,' lachte Jimi, terwijl hij me aanstaarde.

Getttver – hij gaf me weer het gevoel dat ik bijna moest overgeven.

Ik dacht dat het 'oefenen' bedoeld was als hint voor mij om te vertrekken, maar net toen ik bij de deur was, riep Jimi me na.

'En je hebt geluk, Ronnie. Ik heb het even opgenomen met onze manager en het blijkt dat we 12 juli ZEKER op Blackwell Live kunnen optreden. Lost Messiah kan dus de hoofdact zijn!'

Jimi schudde het haar uit zijn ogen en speelde een hard B-akkoord dat de fundering van het zaaltje deed trillen, terwijl Naz hem min of meer verward aankeek en probeerde te achterhalen wanneer Lost Messiah in de afgelopen uren een 'manager' had gekregen.

Ik wachtte tot het geluid afnam, hield mijn hoofd schuin en zei best wel schattig: 'Nou, zorg dan eerst dat je aanstaande maandag na school zéker kan... want je moet wel auditie doen, weet je wel? Precies hetzelfde als de rest.' Toen deed ik een paar passen, draaide me om en voegde eraan toe, 'O, en je kan maar beter wat oefenen met zingen. Want, nou ja, we stellen hoge eisen.'

Toen zwalkte ik de deur uit, terug naar mijn slaapkamer, onder luid geschreeuwd 'Hahaha! Ze heeft je flink de les gelezen, Muppet!' door de rest van Lost Messiah.

Wat een zegetocht, hè?!

En ja, ik dacht er deze keer aan om te 'trekken' en niet te 'duwen' tegen de 'trekken'-deur.

4 Beste tijden... Slechtste tijden

Na alle vrolijkheid en leut van de afgelopen paar dagen heb ik om precies drie uur vannacht ontdekt wat mama mijn hele leven nou bedoelde als ze zei dat het midden in de nacht het donkerst lijkt.

Domme ik dacht dat mama gewoon een voor de hand liggend feit constateerde, dus jahaa, *natuurlijk* is het midden in de nacht op zijn donkerst, anders hadden we geen nachtlampjes nodig, of wel soms? En hoe zouden we anders weten wanneer we moesten gaan slapen? Natuurlijk begrijp ik nu dat mama 'diepzinnig en betekenisvol' deed en dat ze eigenlijk bedoelde: 'Als je midden in de nacht wakker wordt van je zorgen, dan lijken ze opeens nog erger dan je ooit had kunnen denken.'

Dat is zó waar.

Ik kroop gisteravond onder mijn dekbed als een snelle, hippe griet die een popfestival organiseerde en die helemaal door het dolle was over wat we bereikt hadden. Maar ergens in de kleine uurtjes sloop er een boeman binnen en die gooide zakkenvol onzekerheid in mijn oor.

Natuurlijk geef ik meneer McGraw de schuld.

Het was die kapitein Blauwbaard die me leerde om in elke situatie de slechtst mogelijke uitkomst, het 'worst case scenario' te verwachten, óók voor Blackwell Live. Ik wist niet eens wat 'worst case scenario' betekende, totdat ik naar Blackwellschool ging en ontdekte dat alle dingen die je in het leven kiest een 'WCS – worst case scenario' konden hebben als je pech had.

Stel bijvoorbeeld dat Blackwell met een hardloopteam meedoet aan de lokale kampioenschappen. Tuurlijk, *misschien* winnen we een heleboel medailles en komt onze foto in alle plaatselijke kranten; het *zou* geweldig kunnen zijn. Maar let op, het 'worst case scenario' zou zijn dat we ná alle andere scholen binnenkomen, dat onze sporttassen worden gestolen door 'sluipdieven' en dat ons busje een lekke band krijgt en we naar huis gesleept moeten worden.

Daar had je niet aan gedacht, hè?

Rot, hè?

Of stel je voor, met aardrijkskunde, krijg je les over Jamaica. Over het heerlijke tropische klimaat, de plaatselijke feesten en het bruto nationaal product. Als meneer McGraw nou die les gaf, zou hij wijzen op de grote kans op buitengewoon slecht weer waardoor de bananenoogst gedecimeerd word en er massaal tyfus uitbreekt.

Begrijp je het? Het leven is soms klote, wen er maar aan.

Hoe dan ook, om 3.14 uur zaterdagnacht word ik wakker omdat ik naar de wc moet, maar begin ik op de een of andere manier na te denken over wat de LBD zichzelf op de hals hebben gehaald.

Niet alleen hadden we McGraw en Guinevere, en de rest van de school, beloofd dat we een geweldig Astlebury-achtig concert met livebands en enthousiast publiek zouden organiseren, we hadden ook auditieposters opgehangen en het op het web gezet! Iedereen praatte erover. We konden er echt niet meer onderuit.

En nu kon ik me, telkens als ik mijn ogen dichtdeed, alleen

maar een groot, leeg veld en een teleurgestelde mevrouw Guinevere met tranen in haar ogen voorstellen. Niemand zou onze stomme toegangskaartjes willen kopen. Sterker nog, voorzover ik me kon voorstellen zou geen enkele band zich aanmelden om op ons idiote concert op te treden.

Mijn handen begonnen te zweten.

Ik bedoel, stel je voor dat er niemand naar de audities kwam?

Wat als alleen de LBD maandag in de sporthal zitten, een uur lang ik-zie-ik-zie-wat-jij-niet-ziet zitten te spelen en daarna de gênante tocht naar huis moeten maken? Dat overleven we nooit! Oké, ik geef toe dat ik er niet zo mee zat dat ik in de ogen van McGraw een *loser* zou zijn, daar heb ik tenslotte al drie jaar ervaring mee.

MAAR IN DE OGEN VAN DE 11e KLAS? In de ogen van Lost Messiah (die nu in ons zaaltje oefenen, wat betekent dat ik niet eens buiten school aan hun spot kan ontsnappen)?

'*Oooowwww!*' fluisterde ik uiteindelijk hardop. 'We zullen de risee van de hele school worden!'

(AANTEKENING VOOR MEZELF: Uit zien te vinden wat 'risee' precies is. Ik heb geen idee wat het betekent. Ik weet alleen dat Magda er vaak mee dreigt, en dat het helemaal niet leuk is om de risee te zijn.)

Dus, zoals je ziet, had ik mezelf om halfvier helemaal gek gemaald. Sterker nog, om vier uur had ik besloten dat de enige uitweg was om de kluis van de Fantastic Voyage te plunderen en een enkeltje naar Negril op Jamaica te kopen, om onder een valse naam een nieuw leven te beginnen. (Met mijn mazzel zou ik dan precies op tijd komen voor alle uitgedroogde bananen en tyfuspret.)

Hoe is dit in godsnaam allemaal gebeurd?

Blackwell Live was vijf uur geleden nog het beste idee van de wereld!

Ik stuurde Claude een sms'je, ingeval ze misschien nog wakker zou zijn (je weet wel, onderhandelen over een wapenstilstand in het Midden-Oosten, of wat Claude Cassiera dan ook doet als ze de hele nacht opblijft) maar kleine C. gaf geen antwoord.

Uiteindelijk besloot ik mijn tv aan te zetten en een beetje stupide nachttelevisie te kijken, om mijn gedachten te verzetten.

Grote fout.

Het enige wat er op dit stomme tijdstip werd uitgezonden was de nachtnieuwsuitzending van BBC 1, met het belangrijkste nieuws uit de wereld. Dat was NIET grappig. Er werd een fabriek in Schotland gesloten en vijfduizend arbeiders zouden werkloos en arm worden, in Rusland was een rivier buiten zijn oevers getreden en die had een heleboel mensen meegesleurd... O ja, en er was een reuzenpanda in de dierentuin van Miami die niet meer wilde eten omdat zijn partner was overleden.

Geweldig.

Toen voelde ik me nog rotter.

McGraw heeft duidelijk een bijbaantje bij de BBC waar hij worst case scenario-*headlines* maakt.

Ellende zoekt graag ellende op, dus ik was blij toen ik om vijf uur mama door het huis hoorde lopen, ongeveer vier keer heen en weer sjokkend tussen de wc en haar slaapkamer en toen naar beneden, naar de keuken, waar ze haar uiterste best deed de hele High Street te wekken terwijl ze iets te eten klaarmaakte. Ik hoorde een bord kapot vallen, een paar heel lelijke woorden door het trapgat echoën en toen uiteindelijk in de woonkamer de tv aan gaan.

Mooi! Mama's dag was begonnen.

Ik deed een vest met capuchon over mijn pyama en ging haar vertellen dat mijn leven afschuwelijk was en ik het land moest verlaten.

Helaas had mama zelf een aanval van nachtelijke blues. Ze zat onderuitgezakt op de bank in een groot, grof vest en een joggingbroek, haar lange haar uit haar gezicht gehouden met een hoge paardenstaart, hetzelfde deprimerende nieuwsprogramma te kijken dat ik had gezien. Op mama's schoot stond een bord met een enorme, slordig gemaakte dubbele boterham; haar ogen waren een beetje roodomrand, alsof ze had zitten huilen.

'Je bent wakker!' zei ik.

'Kan niet slapen, schat. Ik eh, rammelde van de honger,' zei mama.

Ik ging naast haar zitten en zag dat haar sandwich van de twee kapjes van het brood was gemaakt. Er kwamen plakjes banaan, salami én komkommer uit alle kanten van haar culinaire hoogstandje piepen.

Jááááák.

Mama zat een beetje verloren naar de tv te staren.

'Stomme panda,' snikte ze, 'hij wil zijn bamboe niet opeten.'

Mama knikte naar het tv-scherm waar een troep dierentuin-medewerkers in kakikleurige kleren hun hoofd schudden en de pruilende panda verschillende sappige takken aanboden.

'Ik vind bamboescheuten lekker,' ging mama verder, en ze klonk alsof ze in huilen zou uitbarsten. 'Ze smaken erg goed in een Hoisinsaus.'

O hemel.

Ik was niet de enige die op zoek was naar iemand om me op te beuren. Mama zag er verschrikkelijk uit, hoewel gezegd moet worden dat haar boterham haar een beetje gelukkiger maakte (vooral het laagje piccalillysaus), afgaande op het geluid dat ze produceerde.

'*Mmmmnnn,* en wat houdt jou uit je slaap, jongedame?' vroeg mama terwijl ze weer een grote hap nam. 'Ben je héél erg láát of héél erg vróeg op?'

'Ik heb geslapen,' zei ik, 'maar nu ben ik wakker. Ik ben héél erg gestrest.'

Mam liet een soort lachje horen.

'En waarvan schiet jij dan wel in de stress?' vroeg ze. 'Je bent pas veertien!' Toen corrigeerde ze zichzelf snel, omdat we al wel honderd ruzies hebben gehad over hoe stressvol het soms is om mij te zijn.

'Sorry. Sorry. Ik bedoel, waardoor zit je nú in de stress?' vroeg mama. 'Ik ben een beetje vergeten waar we waren gebleven... Heb je nog steeds een hekel aan natuurwetenschappen?'

'Ja, ik haat natuurwetenschappen.'

'Maar je probeert het wel, toch?'

'Natuurlijk probeer ik het,' loog ik.

'Dus het is niet dát, waar je over inzit?'

'Nee, ik ben écht gestrest. Van natuurwetenschappen word ik alleen maar depressief, dat is wat anders.'

'Ooo, ook depressief?' grinnikte mama. 'Depressief én gestrest. Nou, het is fijn om te weten dat we de juiste keus hebben gemaakt door je naar Blackwell te sturen.'

Mama wreef met haar vinger over het bord om de laatste sporen piccalilly op te vegen.

'Je weet toch dat sommige mensen zelfs verhuizen zodat hun kinderen naar jouw school mogen?'

'Mmmmm ja, dat zeg jij altijd,' zei ik.

Mama zégt dat ook altijd.

Mama en ik hebben sommige gesprekken al zo vaak gevoerd – zoals deze over 'Hoeveel geluk ik heb gehad dat ik naar Blackwell kan' – dat we een grapje hebben dat we het onderwerp gewoon een nummer moeten geven en dat nummer moeten schreeuwen in plaats van weer de hele discussie te voeren.

'Ik kan er niets aan doen dat ik oud en dement ben,' zei mama, terwijl ze deed alsof ze overstuur was. Tuurlijk, ze is best oud; ze is bijna negenendertig.

'Kom op, joh,' zei mam, 'vertel me het hele verhaal.'

Dus dat deed ik. Ik vertelde mama dat de LBD zo ontzettend graag naar Astlebury wilden, waarop mama zei: 'Nou, je gaat niet', waarop ik weer zei: 'Ha ha ha, dat wist ik al, maar we zijn nu toch al bezig met Plan B.'

Dus mama vroeg: 'Waarom vroeg je het eigenlijk niet aan mij? Je hebt het aan je vader gevraagd! Je vindt mij een rotwijf, hè?'

Dus zei ik: 'Nee, nee, dat ben je niet... je bent gewoon... Het is gewoon dat... O god, ja, je BENT soms inderdaad een rotwijf.'

Hierdoor ging mama er nog verdrietiger uitzien.

Dus toen vertelde ik haar alles over Blackwell Live en over Claudes plan en over onze afspraak met McGraw, en hoe Guinevere tegen McGraw schreeuwde. Daar werd mama een stuk vrolijker van.

'Ha ha ha... Een raket in zijn je-weet-wel!' herhaalde mama. 'Dat is behoorlijk erg. Jullie meisjes hadden dat eigenlijk niet mogen horen, weet je dat? Mevrouw Guinevere zou in de problemen komen... Maar wel grappig,' lachte ze.

Toen vertelde ik haar over de audities en alles over Lost Messiah en de website en de kaartjes... Tegen die tijd zat ik behoorlijk te ratelen, en mijn handpalmen waren weer helemaal bezweet.

'Ik vind het echt eng, mam,' zei ik uiteindelijk.

We staarden allebei naar de televisie.

Toen ik weer naar mama keek, zat ze echt te huilen. Grote tranen stroomden over haar wangen.

'Ik vind het allemaal geweldig!' snufte mama.

'Echt waar?'

'Ja, het is een geweldig idee. Ik ben heel erg trots op je.'

'Ik heb nog niets gedaan... en misschien verprutsen we het wel allemaal,' zei ik.

'Ik weet zeker van niet,' zei mama. 'Dit is zo geweldig... Ik bedoel... toen ik jou kreeg, was ik altijd bang dat... nou, weet je wel, wat als er iets akeligs met mij gebeurde terwijl jij klein was? Je zou, nou, je zou niet voor jezelf kunnen zorgen. En daar voelde ik me heel rot door... maar nu kijk ik naar je, en je bent zowat een jonge vrouw, je neemt het initiatief om al die fantastische dingen te doen... Snap je? Je doet je eigen ding. Daar word ik echt gelukkig van.'

Ik zou graag willen zeggen dat dit een van die belangrijke moeder-dochter gesprekken was waar ik in de toekomst op terug kon kijken, maar ik zal eerlijk zijn: Ik had geen idee waar mama over zat te raaskallen.

Mama keek me indringend aan.

'Wat ik zeg is,' ging mama verder, 'het is niet makkelijk om moeder te zijn, en de wereld is zo'n afschuwelijke plek om een klein meisje op te zetten... *snufsnuf*... en ik maakte me altijd zorgen dat ik het soms niet zo goed doe... maar dan kijk ik naar jou en hoor ik over de dingen die je doet... en weet ik dat ik het best goed heb gedaan.'

Mama trok ongeveer twee meter wc-papier uit haar haar zak en blies haar neus echt heel hard, zo hard zelfs dat ze wel een stukje van haar hersens naar buiten had kunnen blazen.

'Ik ben toch geen slechte moeder geweest, hè?' vroeg mama, alsof mijn mening er opeens echt toe deed.

'Wat? Nee, natuurlijk ben je geen slechte moeder geweest,' zei ik. Wat een stomme vraag. 'Mama, je was een topmoeder...

Wacht even, je bent *nog steeds* een topmoeder. Waar heb je het over?'

Mama ging verder, ze keek naar me met haar hoofd een klein beetje schuin: 'Ik vroeg het me de laatste tijd gewoon af, weet je. Wat is dit voor wereld om kinderen op te zetten? Dat soort dingen.'

'Dat is echt, eh, diep,' zei ik, nogal overbodig.

Mama moet die ruzie met papa wel heel serieus nemen als ze al deze idiote onzin denkt.

'Mam, je bent echt stom. Ik bedoel, je ziet het verkeerd. Helemaal verkeerd... Ik bedoel, ik weet dat jij en ik tegenwoordig vaak ruzie hebben, maar meestal hebben we heel veel lol. Jij bent de coolste moeder van mijn hele klas.'

Mama werd weer vrolijker toen ik dat zei.

'Hoezo ben ik cool?' vroeg ze terwijl ze haar ogen depte.

'Dat ben je gewoon,' zei ik. Mama fronste haar wenkbrauw een beetje.

'O, oké dan... Nou, jij was de enige moeder die ik kende toen ik een klein meisje was die de rijstpudding flambeerde aan de eettafel, met een echte flambeerfakkel voor koks, zoals in de kookprogramma's op tv. Gewoon *woeshhh*! In de fik.'

'Ja, dat was best wel cool,' gaf mama grinnikend toe. 'Waarschijnlijk niet zo heel erg veilig, maar wel cool.'

'En toen ik klein was bakten we ook vaak taarten en cakes samen. Dat was geweldig... Ik bedoel, ik weet dat we nu niet meer zo vaak samen bakken, omdat het een beetje, eh, kinderachtig is. Maar, hé, we kunnen dat soort dingen best wel weer doen als je wilt,' zei ik. Nu voelde ik me een beetje rot omdat ik altijd probeerde zo zelfstandig te zijn. Het was een leuke tijd geweest.

'Ja, natuurlijk kunnen we dat,' zei mama glimlachend. 'Er zal vast meer tijd komen voor kinderachtige dingen. Ik weet zeker dat niet alles serieus hoeft te zijn hier in huis.'

'Neueu,' zei ik, en ik greep de afstandsbediening en schakelde naar de tekenfilmzender.

'Ronnie, ik denk echt dat het wel goed komt met je festival,' zei mama. 'Je bent een heel competente jonge vrouw.'

Hoewel het mijn moeder was die het zei, was het toch een van de beste dingen die ooit iemand tegen mij heeft gezegd.

Toen stond ze op en kondigde ze aan dat de keuken vandaag vroeg open ging en liep ze weg.

De volgende keer dat ik mama zag, later op de dag, stond ze een stuk deeg ter grootte van haar hoofd heen en weer te smijten en schreeuwde ze tegen Muriel, de souschef.

Ze leek zich goed te amuseren.

Vreemd.

Paddy moet z'n gemak houden

Het is nu zondagavond. Dit weekeinde is zo langdradig.

Zowel Claude als Fleur was druk met familiedingen. Claude moest naar het huis van haar neef Gerard voor het verjaardagsfeest van haar achteroom Bert ('feest' is niet precies het woord dat een van de lbd'ers zou gebruiken om zoiets te omschrijven). Fleur heeft daarentegen een enorme ruzie met Boosaardige Paddy gehad over de telefoonrekening. Ze vereffent nu haar schuld door Paddy's bmw te poetsen en met hem mee op bezoek te gaan bij haar oma in het bejaardenhuis. Fleur zegt dat wanneer ze op bezoek is bij haar oma – die gek is en blind, en maar twee gespreksonderwerpen heeft: de Tweede Wereldoorlog en de steeds maar stijgende prijs van perziken in blik – nou, dat het dan moeilijk is om uit te maken wie in de kamer het liefst als eerste dood wil gaan.

Dat is echt treurig, hè?

Ik wil nooit zo oud worden.

Het is klote als je door de LBD in de steek wordt gelaten. Ik heb geprobeerd mijn tijd nuttig te besteden (ik heb mijn cd's op alfabetische volgorde gezet en een lijst gemaakt van cd's die ik moet kopen), ik heb ongeveer twaalf keer geluisterd naar mijn nieuwste cd van Spike Saunders, *To Hell and Back,* en de woorden van een paar nummers uit mijn hoofd geleerd, en ik heb mijn uiterste best gedaan om me geen zorgen te maken.

Maar op de een of andere manier ben ik nog steeds een koppig mengsel van spanning, verveling en verstarring.

Het punt is dat het een beetje riskant is om je te vervelen in de Fantastic Voyage. Als je het er te dik bovenop legt, heb je goede kans dat Loz of Magda een nuttige taak voor je bedenkt. Iets als 'de kelder schoonspuiten', of de 'koperen kranen in het café poetsen', of zelfs 'de ramen wassen voor het oog van de file in High Street'.

Je wilt NIET, echt NIET, dat dat gebeurt.

Helemaal niet het ramengedoe. Geloof me, er komen zo veel Blackwellscholieren in de bus langs, zich bescheurend en zwaaiend, dat je net zo goed een mededeling in de schoolkrant kunt zetten dat je je naam verandert in Billy Zonder Vrienden.

Ik heb geluk dat het het hele weekeinde motregende, zodat ik me tenminste in mijn eentje op mijn kamer kon verschuilen zonder dat mijn ouders me te veel lastigvielen. Goeie genade, als het een zonnig weekeinde was geweest, zou het een heel ander verhaal zijn. Het is mij, in de afgelopen veertien jaar, opgevallen dat volwassenen helemaal geobsedeerd raken en proberen jongeren 'lekker naar buiten' te sturen zodra het zonnetje begint te schijnen. (Dat is nou echt een zinsnede waar ik van ga braken.) Jawel, als de zon ook maar even tien minuten achter een wolk vandaan komt en over de Fantastic Voyage schijnt, kun je er donder op zeggen dat mijn ouders linea recta naar mijn kamer komen om me met een stok te porren en te zeuren dat ik 'lekker naar buiten moet gaan om van de hittegolf te genieten' en dat ik 'moet ophouden het beste deel van de dag over te slaan' of zelfs dat ik 'naar de winkel moet gaan om ijsjes voor mij en je vader te halen'.

Maar zoals ik al zei, het regende dit weekeinde toch en op zaterdagochtend nam ik, nogal gewiekst, een stofdoek en een spuitbus meubelwas mee naar mijn slaapkamer en ging ik daarna met die dingen binnen handbereik op bed slechte televisieprogramma's liggen kijken. Telkens als Loz of Magda klopte, sprong ik op en deed ik alsof ik dezelfde vijftig centimeter raamkozijn stofte. Daarmee heb ik ze de afgelopen achtenveertig uur tevreden gehouden.

BRRRRRRR BRRRRRRR!

Is dat de telefoon?

Het *klinkt* in ieder geval als onze telefoon.

Nou ja, het is toch niet voor mij.

Niemand belt me meer via de gewone telefoon sinds ik een mobieltje heb.

Fff, ik neem niet op.

BRRRRRRR BRRRRRRR!

BRRRRRRR BRRRRRRR!

BRRRRRRR BRRRRRRR!

Ik neem echt niet op. Hij kan zo lang rinkelen als ie wil.

BRRRRRRR BRRRRRRR!

BRRRRRRR BRRRRRRR!

BRRRRRRR BRRRRRRR!

'Ronnnnnnnieeeee! Neem verdorie die telefoon op! De hele bar zit vol! Ik weet dat je daarboven bent, luie donder,' schreeuwt papa.

Getver, ik kan 'm maar beter opnemen.

'Hallo,' zeg ik, 'de Fantastic Voyage, café en martelplaats, kan ik u helpen?'

'Jazeker, mejuffrouw Ripperton, met mejuffrouw Swan,' zegt Fleur.

'FLEUR? Waarom bel je op de vaste lijn?' zeg ik.

'Kan ik je even in de wacht zetten?' vraagt Fleur.

'Hè?' zeg ik. Ik kan horen dat Fleur knoppen indrukt op haar telefoon.

'Hoi Ronnie, dit is Claude,' zegt Claudettes onmiskenbare stem.

'Geweldig!' schettert Fleur.

'Claude, wat is er aan de hand? Zijn jullie allebei bij Fleur thuis?'

'Nee, ik ben in mijn eigen huis,' zegt Claude.

'En ik ben ook in mijn eigen huis!' schreeuwt Fleur. 'Paddy heeft *conference call* op de telefoon in zijn werkkamer! Nu kunnen we met z'n drieën praten!'

'Ha ha ha – hallóó!' roepen we allemaal giebelend.

Dit is echt een gedenkwaardig moment. Ik 'onderga de volle rijkdom van een LBD-ontmoeting in mijn eigen woonkamer'. Ik hoef nooit meer mijn huis uit!

'Dus... leuk weekeinde, Ronnie?' vraagt Fleur.

'Klote weekeinde,' verbeter ik haar.

'Ach hemel, nou ja, hoe is het met jou, Claude? Was het leuk bij oudoom Bert?' vraagt Fleur.

'Hmmm... Het was een familiediner,' moppert Claude. 'Alles was in orde tot we gingen zitten om te eten... toen kwam ik erachter dat ik aan een aparte salontafel in de woonkamer moest zitten om met alle andere "kleine mensen" te eten.'

We kreunen allemaal.

'Ik ben een uur lang bezig geweest te proberen mijn nichtje van zes ervan te weerhouden tuinbonen in haar neus te stoppen.'

'Afknapper,' zeg ik.

'Wacht even, Fleur,' onderbreekt Claude, 'had jij dit weekeinde eigenlijk geen straf *vanwege* de telefoonrekening? Is een conference call wel een goed idee?'

'O, nee, ik had geen straf vanwege de hóógte van de telefoonrekening,' zucht Fleur. 'Tenminste, niet precies. Het was iets anders...'

Fleur laat een lange stilte vallen.

'Ach, je kent m'n vader,' gaat ze verder. 'Hij is helemaal paranoia. Hij zit op dit moment beneden zijn geweren te poetsen en de Swanfamilie de oorlog te verklaren, alleen omdat Josh een zijspiegel van mams Volkswagen heeft gereden,' zegt Fleur afkeurend. 'Hij moet z'n gemak houden.'

'Maar wat heb je dan gedaan om straf te krijgen?' vraagt Claude.

'O ja, eh, nou Paddy kreeg een brief van British Telecom over de rekening van de privé-telefoon in zijn studeerkamer,' zegt Fleur. 'Er stond in dat hij meedeed aan een prijstrekking voor een "special sunshine holiday op martinique"...'

'Heb je daar straf voor gekregen?' vraag ik dommig.

Er moet meer aan de hand zijn.

'Nou nee; hij was best in zijn nopjes met de prijs. Maar in de brief stond dat de vakantie voor negen personen was: Paddy en zijn "vrienden en familie van de meestgebelde nummers"' legt Fleur uit.

'Wat een ontzettend gave wedstrijd!' zeg ik.

'Wat zijn "Vrienden en Familie van de Meestgebelde Nummers"?' vraagt Claude.

'O, iets saais als de nummers waaraan je met telefoneren het meeste geld uitgeeft,' zegt Fleur. 'Die geef je op aan de telefoonmaatschappij en dan krijg je korting op die gesprekken.'

'O, ik snap het,' zegt Claude.

'Ja, eh, alleen Paddy snapte het niet,' zegt Fleur.

'Vindt Paddy niemand van zijn vrienden of familie aardig?' vraag ik.

'Niet aardig genoeg om vaak te bellen,' zegt Fleur. 'Dus heeft hij geen "vrienden en familie van de meestgebelde nummers" opgegeven.'

'Maar waarom zit jij nou in de problemen?' vraag ik.

'Nou, die stomme telefoonfiguren hebben automatisch nummers voor hem geregistreerd, gebaseerd op wie hij het meest belt. Dus, ahum, vanochtend kreeg Paddy een brief waarin stond dat hij misschien wel op een special sunshine Martinique holiday zou gaan met, ahum, jullie twee, Junior Watson, Dion, Johnny Goodman uit de 6^e van de onderbouw, o ja, en die jongen uit Shrewsbury die ik vorig jaar in Rimini heb gezoend.'

'Oeps,' zeggen Claude en ik allebei.

'Nee, nee, het wordt nog erger,' zegt Fleur. 'Op de lijst stonden ook Paramount Pizza bezorgservice en Chinees-Kantonees restaurant Lucky House. Ik heb, um, min of meer de telefoon in zijn werkkamer gebruikt als hij niet keek.'

'Neeeeeeee!' gillen we allebei, ineenkrimpend.

'Je bent verschrikkelijk de pineut!' zeg ik.

'Vertel mij wat,' zucht Fleur. 'Ik heb 'm nog nooit zo kwaad gezien. Hij kon twintig minuten lang niet eens praten. Toen zei hij dat ik een luxe was die hij zich niet kon veroorloven en dat hij me bij de sociale dienst zou afleveren.'

'Wat zei je moeder?' vraagt Claude.

'Die was eigenlijk een echte kei,' giechelt Fleur. 'Zij heeft hem ongeveer een uur in zijn werkkamer gehouden en mij de stad doorgestuurd om allerlei boodschappen te doen. Snap je? Om de boel te kalmeren. Ik kon mijn vader aan het einde van de straat nog horen schreeuwen dat er "veertien jaar geleden een ontzettende vergissing is gemaakt" en dat "hij zijn echte dochter terug wilde". Ha ha ha.'

Paddy's zenuwinstorting gaat een beetje aan Fleur voorbij.

'Ooo, ik heb zo te doen met je arme vader,' zegt Claude menslievend.

'Ik ook,' stemt Fleur in. 'Hij is zo'n idioot.'

'Misschien moeten we opleggen en morgen op school kletsen?' stel ik voor.

'O, maak je geen zorgen, we zitten pas ongeveer een minuut aan de telefoon,' zegt Fleur. 'In ieder geval, waar ik over belde: Blackwell Live.'

'Jip. Morgen audities!' kwettert Claude. 'Best cool, hè?'

'Hartstikke cool!' kwettert Fleur bijna nog opgewekter dan Claude. 'Ik kan gewoon niet wachten om te zien wie er op komt dagen.'

'O god, ik hoop dat er een goede opkomst is. Er hebben toch een heleboel mensen beloofd te komen, hè?' vraagt Claude.

'Ja, maar zo ongeveer de hele school!' giebelt Fleur. 'Eh, Ronnie, ben je d'r nog?'

Stilte.

'Ronnie?' zegt Claude.

'Mwwm,' piep ik min of meer.

'Wat is er?' vragen mijn LBD *compadres*.

'Niks,' zeg ik.

'Waarom zit je dan te mwwmen?' vraagt Claude.

'Ik ben een beetje... je weet wel... nou, ik heb zitten denken –' begin ik.

'O hemeltje, wat heb je zitten denken?' onderbreekt Claire me.

'Nou, ik heb me zorgen zitten maken over het hele gedoe,' zeg ik met mijn zwakste stem. 'Misschien komt er morgen niemand en...'

Dan houd ik op met mijn geblaat.

Ik wil niet de diepste en donkerste krochten van mijn binnenste openleggen en aan de LBD opbiechten waar ik me zorgen over heb gemaakt. Een deel ervan was gewoon afgrijselijk. Ik bedoel, op een gegeven moment bijvoorbeeld maakte ik me zorgen dat kortsluiting in een luidspreker het hele podium in brand zou zetten. Misschien ben ik een beetje maf, als je bedenkt dat we nog niet eens artiesten hebben, laat staan luidsprekers of podia. Ik heb wel de neiging om een beetje *over the top* te gaan als ik me zorgen maak.

'Maak je niet druk over de audities!' zegt Fleur. 'Ik heb nog niet verteld wat er gisteren gebeurde tijdens mijn wandelingtje door High Street; het was zoooo cool, dan maak je je geen zorgen meer.'

'Laat horen!' beveelt Claude.

'Nou, ik liep zaterdag over Disraeli Road. Ik voelde me een beetje Ka Uu Té, maar goed, toen ik bij de hoek met High Street kwam, werd ik ineens een stuk vrolijker. Een paar van die Blackwelljongens kwamen recht op me af. Ik denk dat ze in de 7e zitten, ze waren best klein. In ieder geval, toen ze dichterbij kwamen zag ik dat ze naar me zwaaiden en lachten.'

'Kende je ze?' vraag ik.

'Nee. Maar ze leken mij wel te kennen. Ze zeiden "Hé Fleur, alles goed? Tot maandag, hè. We hebben iets geweldigs om te laten zien!" en toen gingen ze er lachend en zingend vandoor.'

'Dat is cool,' zegt Claude. 'O, ik hoop dat ze het over de audities hadden. Het enige wat 7e-klassers meestal aan je willen laten zien, zijn hun bullen.'

'Ja, ik weet het. Maar het wordt beter. Dus ik loop door High Street en ik zie meer Blackwellers, zoals Benny Stark uit de 10^e die net drumstokjes ging halen om zijn nieuwe nummer te oefenen, en een paar gothic-achtige, nu-metal types uit de 11^e die bevriend zijn met Ainsley Hammond. Die vroegen of ze ALLEBEI HUN STEELDRUMS mee mochten nemen naar de audities.'

'Ha ha! Heb je ja gezegd?' vraag ik, gelijk opgevrolijkt.

'Ik heb gezegd dat ze mee kunnen brengen wat ze willen,' lacht Fleur. 'Nou, vervolgens ging ik bij de stomerij naar binnen om mijn moeders rokken op te halen, en raakte ik in gesprek met een hartstikke aantrekkelijke jongen uit de 11e, Christy Sullivan. Weet je wel? De jongen die daar op zaterdag de kassa doet. Grote ogen. Die jongen met die neusvleugels die een beetje wijd naar buiten staan en een spijkerjasje.'

'Ja, ik weet wie je bedoelt. Zijn vader en moeder zijn Iers; ze komen soms naar het café,' zeg ik. 'Hij is best aantrekkelijk.'

'Jij hebt met hem gepraat?' vraagt Claude.

'Ongeveer vijfentwintig minuten. Tot die idiote vrouwelijke manager met dat losgeslagen permanent geïrriteerd raakte. In ieder geval, hij vertelde me dat hij het zo leuk vindt om karaoke te zingen... O, en trouwens, hij was zoooo aan het flirten met me, ik bedoel, het was gewoon gênant hoe dik het er bovenop lag... Maar, in het kort, hij zei dat hij misschien langs zou komen om het Frank Sinatra-lied te zingen dat hij altijd op familiebijeenkomsten doet... Cool hè?'

'Hartstikke cool,' stemmen Claude en ik in.

'In ieder geval, hoe dan ook, tegen de tijd dat ik bij de stomerij wegging en door het winkelcentrum terug was gelopen en de hele tijd mensen tegen kwam die met me wilden praten over maandag, begon ik te begrijpen hoe sterren zich voelen! Echt, steeds die aandacht kan zoooo vermoeiend zijn.' Fleur is even stil en zegt dan triomfantelijk: 'Echt meiden, IEDEREEN praat over ons!!'

'Binnenkort moeten we handtekeningen uit gaan delen!' grapt Claude.

'Ja, ik weet het,' zegt Fleur, helemaal niet als grap. 'Ik heb al een beetje geoefend op mijn kladblok.'

'Dus het wordt morgen een chaotische auditie –' begint Claude met een lichte spanning in haar stem, ondertussen waarschijnlijk haar klembord en aantekeningen pakkend om te beginnen met plannen.

'Ik ben het beste deel nog vergeten!' onderbreekt Fleur. 'Ik ben naar de Music Box gegaan om wat cd's te kopen!'

De Music Box, cd en lp-shop op Arundel Road, net achter het winkelcentrum. Kleine rode deur, heel donker binnen. Geen enkel winkeluitje zou áf zijn zonder de Music Box.

'En ik kwam Jimi Steele en Naz tegen,' zegt Fleur. 'En ik heb ook met ze gepraat!'

'Waarover?' vragen Claude en ik.

'Over het hele Blackwell Live-gebeuren. En dit is echt het allerleukste... ze komen morgen en ze hebben speciaal een nummer geschreven. Een speciaal nummer voor ons.'

'Dat is super! Maar wacht even, dat nummer is toch niet echt voor ons, hè?' lacht Claude, in een poging om een beetje werkelijkheid in het gesprek te brengen – nogal moeilijk, want Fleur klinkt alsof ze op het punt staat te gaan hyperventileren.

'Nou, oké, misschien niet voor "ons",' zegt Fleur. 'Meer speciaal voor Ronnie. Volgens mij is het een nummer voor jou, Ronnie.'

'Fleur, heb je weer aan de extra-idiootpillen gezeten?' vraag ik. 'Waar heb je het over?'

'Nou, verbeter me maar als ik er te veel van denk... maar helemaal aan het eind van het gesprek zei Naz: "Dus dan zien we je maandag?" Naz deed best cool en net alsof hij het gewoon zei, alsof hij helemaal niet op me valt. Wat ik, als ik eerlijk ben, HEEL moeilijk te geloven vind, maar goed...'

Claude en ik zuchtten, Fleur gaat verder: 'Maar toen begon Jimi Steele opeens te wauwelen alsof zijn mond apart van zijn hersens ging werken... "Hoe zit het met Ronnie? Die is er toch ook, hè?" Toen werd z'n gezicht een beetje rood, omdat hij zich realiseerde wat hij precies gezegd had. Snap je? Alsof het echt belangrijk voor hem was of jij er zou zijn.'

'Echt waar?!!' vraag ik, en ik word ook een beetje rood.

'Yep,' zegt Fleur. 'En toen trapte Naz tegen Jimi's been en zei "Woow, subtiel hoor, Jimi! Nu heeft echt niemand door dat je op haar valt, hè?"'

'Dat deed ie niet!' zeg ik.

'Zeker wel,' zegt Fleur. 'Feit.'

'En wat gebeurde er toen?' vraagt Claude.

'O, ik liep gewoon weg terwijl zij samen begonnen te worstelen. Het verveelt me altijd als jongens nepgevechten gaan houden. Ik bedoel, je zou toch denken dat Jimi en Naz onderhand te oud zijn om elkaar in de zij te stompen en prikkeldraad te geven...' verzucht Fleur. 'Maar verder, best cool, hè?'

'Ik denk dat het niks te betekenen heeft,' zeg ik (terwijl ik echt, echt hoop dat het heel veel betekent).

'Nee, ik denk ook dat het niks betekent...' zegt Fleur, extra-sarcastisch. 'Jij ontzettende dombo! NATUURLIJK betekent het wat! Leg nu de telefoon neer en neem een gezichtsmasker. Je moet er morgen om vier uur als Miss Lekker Ding uitzien.'

'Ik heb een hekel aan gezichtsmaskers –' begin ik te protesteren.

Maar plotseling snakt Fleur naar adem zoals iemand in een horrorfilm die er net achter is gekomen dat de Moordenaar met de Bijl bij haar in het gebouw is.

'O MIJN GOD, IK HOOR VOETSTAPPEN! Doei! Het is mijn vader! Paddygaatmevermoorden. Baaibaai.'

Klik.

Zzzzzzzz.

Ergens diep binnenin was Paddy Swan misschien wel opgelucht – dankbaar zelfs – dat hij nu wist dat de conference call-functie het goed deed, omdat Les Bambinos Dangereuses zo goed waren geweest om die te testen.

We hadden het er verder niet over, maar we waren het er allemaal over eens dat dit niet het moment was om het hem te vertellen.

5 En... start de muziek maar!

Natuurlijk heeft Claude Cassiera brood bij zich.

'Nou, de audities kunnen wel uren duren,' houdt Claude vol, met haar vingers op het deksel van haar Tupperware-doosje trommelend. 'Ik wilde niet dat we honger zouden lijden... Trouwens, Veronica, niemand heeft gezegd dat je ervan moet eten.'

'Eh, wacht even,' verbeter ik haar, kijkend naar de propvolle doos. 'Dat bedoelde ik nou ook weer niet. Wat zit er trouwens op?'

'Kaas en augurk,' zegt Claude trots. 'En ik heb ook chips en chocolademuffins meegenomen. Maar maak je geen zorgen, ik eet alles zelf op.'

'Mmm, muffins,' zeg ik, mijn lippen aflikkend. 'Met stukjes chocola?'

'*Misschien* wel,' plaagt Claude, '*misschien* niet. We moeten gewoon even afwachten hoe lief jullie zijn tegen jullie beste vriendin, hè?'

Claude stopt de doos met een tevreden lachje terug in haar rugzak voordat ze opgewekt door de lege sporthal naar een stoffige toren met stoelen loopt.

'Eh, neem me niet kwalijk,' zegt Fleur een beetje afkeurend, 'sorry als ik jullie belangrijke muffindiscussie onderbreek, maar kan iemand me vertellen wat het plan voor de komende uren is?'

Fleur ziet er zowaar een klein beetje zenuwachtig uit. Dat kan niet waar zijn.

'Ik bedoel, wat voor soort optredens willen we eigenlijk?' vraagt ze.

Het is 15.37 uur. De laatste bel is net gegaan, en op dit moment is de sporthal van Blackwell zo leeg dat onze normale stemgeluiden een enorme echo geven. Behalve de LBD is er een hoop niemand hier. Het is moeilijk voor te stellen dat iemand moeite doet hier naartoe te komen om alsjeblieft auditie te mogen doen. Misschien moeten we die muffins wel eerder dan gepland uitpakken om onszelf op te vrolijken.

'Nou, ik dacht dat we het maar een beetje open moesten laten,' stelt Claude voor. 'Maar we willen in ieder geval niet meer dan zes verschillende optredens.'

'Waarom zes?' vraag ik.

'Nou, dat is volgens mij waar we op die dag tijd voor hebben. En we zoeken ook mensen die, eh... goed zijn.'

'Goed?' zucht Fleur. 'Goed... Hálloooo Claude... Natuurlijk willen we mensen die goed zijn. En wat betekent "goed" eigenlijk? Wat als we het niet met elkaar eens zijn?'

Claude zet haar leesbril recht en ademt lang uit, haar neiging om Fleur met de Blackwell Live-map op haar kop te rammen onderdrukkend.

'Fleur, zijn wij het ooit met elkaar eens?'

'Af en toe,' geeft Fleur toe.

'Precies,' zegt Claude terwijl ze probeert de bovenste drie stoelen van de toren te halen zonder verpletterd te worden door de rest. 'Maar op de een of andere manier krijgen we het toch altijd voor elkaar om een heleboel geweldige dingen te doen, toch? We zullen gewoon een compromis moeten zoeken.'

Claude zet drie stoelen op de gelakte vloer en ziet dan de oude schragentafel achter in de sporthal die de LBD van meneer Gowan, Blackwells conciërge, mochten gebruiken als we 'm niet kapot zouden maken. (Meneer Gowan is zo'n mopperende volwassene die ervan overtuigd is dat jonge mensen het leuk vinden om zomaar dingen kapot te maken. 'Ik heb die tafel sinds het straatfeest voor het zilveren jubileum van 1977. Probeer de poten eronder te laten zitten!' heeft hij ons gewaarschuwd. 'We zullen 'm met ons leven verdedigen,' stelde Claude hem gerust.)

Fleur en Claude beginnen te worstelen met de antieke tafel, draaiend aan de pinnen en schroeven, 'm met zachte dwang overtuigend om rechtop te gaan staan. Ik houd mezelf bezig met het verwijderen van stof en vuil van onze stoelen met mijn papieren zakdoekjes.

'Waar we naar op zoek moeten, denk ik...' zeg ik, terwijl ik me probeer te herinneren wat ik iemand in een televisieprogramma hoorde zeggen. 'Eh, hoe heet het ook alweer...? Ja, dat is het: de x-factor?'

Claude en Fleur kijken me allebei niet-begrijpend aan.

'Bandjes en zangers voor Blackwell Live moeten de x-factor hebben', zeg ik weer.

'Wat bedoel je, zoals bij wiskunde?' vraagt Fleur, een stoffige hand door haar blonde haren halend.

'Nee, sufferd, de x-factor is wat goede artiesten hebben en saaie niet,' leg ik uit. 'Het is dat speciale, die schittering in hun ogen, of de manier waarop iemand beweegt. Dat is wat ze bijzonder maakt, toch? Dat is waarom mensen naar ze willen kijken, in plaats van, eh, nou, iets anders te doen.'

'Ja, ik denk dat ik weet wat je bedoelt,' stemt Claude hevig knikkend in. 'Zoals Spike Saunders!'

'*Precies* zoals Spike Saunders,' zeg ik met een lach. 'Ik bedoel, honderd jongens zouden er in video's bijna net zo uit kunnen zien en zingen als Spike, maar hij heeft iets helemaal, echt eh...'

'x-factorachtigs?' helpt Claude me verder.

'Ja, iets helemaal x-factorachtigs!' grijns ik.

'Ik vind dat hij een mooi achterwerk heeft,' zegt Fleur, die het nog niet helemaal begrijpt.

'Ja, Fleur, we vinden z'n achterwerk allemaal mooi,' zegt Claude hoofdschuddend, 'maar we hebben vorig jaar niet meer dan driehonderd kilometer in de bus gezeten en zakkenvol geld betaald om naar Spike zijn achterwerk te gaan kijken, of wel?'

'Ik wel,' zegt Fleur, en ze knipoogt naar me.

'Lieve hemel,' zegt Claude, die probeert om niet te lachen, omdat we weten dat dat Fleur alleen maar aanmoedigt.

Claude pakt haar notitieblok en schrijft met grote letters 'x-factor?' op een nieuw vel. In stilte heb ik medelijden met een paar van de arme zielen die vastberaden zijn vanmiddag indruk te maken op Claude. Onbedoeld heb ik dat daarnet twee keer zo moeilijk gemaakt.

Uiteindelijk wordt onze 'jurytafel' achter in de sporthal opgezet, met drie stoelen erachter die uitkijken op het enorme, lege vloeroppervlak. Claire heeft het slot opengemaakt van de kast met het nogal krakkemikkige stereosysteem: een kleine cd-, radio en cassettespeler die zo oud is dat hij misschien wel van Jezus is geweest voordat die zo goed was het ding aan Blackwell te schenken. Na een paar valse starts vogelt kleine C. al snel uit hoe ze muziek uit de twee grote luidsprekers moet laten tetteren (een technisch hoogstandje dat meneer McGraw bijna vijf jaar kostte om onder de knie te krijgen).

'Ik hoop wel dat mensen zelf cd's en tapes meebrengen als ze op muziek willen zingen,' maakt Claude zich hardop zorgen terwijl ze langs de wanden van de sporthal loopt, speurend naar stopcontacten voor het geval mensen elektrische gitaren of synthesizers willen bespelen.

'Ja, ik ook,' giebelt Fleur. 'Dan kunnen we altijd gewoon het volume op MAX zetten als ze verschrikkelijk klinken.'

'Schaam je diep, Fleur Swan!' zegt Claude met schuddende wijsvinger.

Eerlijk gezegd heb ik geprobeerd me voor te stellen wat ik in hemelsnaam moet doen als mensen echt heel erg verschrikkelijk slecht zijn; ik heb heel slim bedacht dat ik dan net zal doen of ik iets heel erg belangrijks uit mijn rugzak moet pakken, zoals een nieuwe pen of zo, en dan doe ik mijn hele hoofd erin en ga eens lekker lachen. Wreed maar noodzakelijk.

'Kom op meiden, we moeten tegen iedereen aardig zijn, hoe afschuwelijk ze ook klinken,' zegt Claude, als altijd de stem van de rede.

Ongelooflijk, Claude Cassiera gelooft echt al die onzin als 'het maakt niet uit of je wint, het gaat erom dat je meedoet', wat volgens mij overduidelijk flauwekul is. Er was toch zeker niemand die 'aardig' voor mij was, vorig seizoen, toen ik als laatste van veertig deelnemers binnenkwam bij de vierhonderd meter hardlopen?

Oké, ja, ik heb de laatste twee baantjes gewandeld, en ik ben op een gegeven moment even gaan zitten om uit te rusten, maar niemand zei: 'Goed zo, Ronnie! Je hebt het toch goed gedaan, omdat je in ieder geval bent gekomen en je sportbroekje niet achterstevoren aanhebt! Dat was echt grandioos!' Nee, eigenlijk was iedereen buitengewoon grof, vooral mevrouw Wood, onze gymdocente, die zei dat ze nog snellere driebeenswedstrijden had gezien en toen voorstelde dat ik volgende keer op een brommertje mee zou doen. Iedereen deed het zowat in zijn broek van het lachen.

Als ik wreed was, zou de auditie voor Blackwell Live mijn wraak kunnen zijn op een school die de draak met me steekt.

Geweldig! Ik ben geweldig, hè?

'En nu ik eraan denk,' zegt Claude, 'ik heb iemand nodig die zorgt dat de telefoonnummers genoteerd worden. Wie wil dat doen?'

'Dat kan ik wel doen,' tjilpt Fleur enthousiast. 'Wanneer moet ik ernaar vragen?'

'Nou ik had gedacht,' zegt Claude, terwijl ze de middelste stoel inpikt en drie notitieblokken en pennen neerlegt, 'dat we net voordat een band of zanger optreedt een nummer noteren waar we hen kunnen bereiken. Dan kunnen we later, bij jou thuis, besluiten wie wel en niet meedoen en ze bellen met het goede nieuws. Hoe klinkt dat?'

'Goed idee,' zegt Fleur, en trekt ondeugend één wenkbrauw op. 'En wat nog beter is, we hebben straks ook nog een heleboel telefoonnummers van leuke jongens, toch?'

Nu móet ik wel lachen.

'Ja, inderdaad Fleur,' zegt Claude. 'Maar we zullen dat privilege niet misbruiken door ze later om andere redenen te bellen, toch?'

'Nee, zeker niet, Claudette,' zegt Fleur, met haar hoofd schuddend.

Terwijl Claude naar meer fluorstiften zoekt, knipoogt Fleur nog eens naar mij; er is een ijzeren wil voor nodig om niet te giechelen.

'Eh, neem me niet kwálijk...' echoot een stem vanaf de andere kant van de sporthal.

Onze eerste artiest is gearriveerd!

'Ben ik te vroeg? Zal ik nog even weggaan?'

Ah, het is Chester Walton, een sportieve jongen uit de 10^e, berucht vanwege zijn exorbitante gebruik van haargel, zijn opstaande blazerboordje en de overvloed aan sterk geurende bodysplash. Ik kan Chester op dit moment van een afstand van tweehonderd meter ruiken.

'Nee, Chester, het is 15.58 uur,' zegt Claude goedmoedig. 'We kunnen speciaal voor jou wel iets eerder beginnen. Laat alsjeblieft je gegevens achter bij Fleur en doe dan... nou, doe wat je wilt. Het is jouw feestje.'

'Mooi, mooi,' zegt Chester, en hij lacht al zijn tanden bloot. 'En voor ik begin wil ik graag van de gelegenheid gebruikmaken om jullie dames te vertellen dat jullie er vandaag buitengewoon stralend uitzien.'

'Dank je wel, Chester,' kreun ik. 'Jij ook.'

Chester loopt zwierig naar Fleur toe die onmiddellijk haar hoofd schuin houdt en begint te gorgelen als een afvoer.

'Jij vooral, Fleur Swan,' gaat Chester verder. 'Als jouw ogen nog blauwer werden zou ik in de verleiding komen mijn Speedo aan te trekken en er zo in te duiken. Ze lijken op de Stille Oceaan.'

(Dat heeft hij écht gezegd. Dat verzin ik niet.)

'O, Chester, hou-je-kop, sssssstooooop, doe niet zo idioot!' zegt Fleur terwijl ze alle macht over haar hersencellen verliest. 'Hoehahaa. Maar trouwens, wat is je telefoonnummer?'

'Ach Fleur, waarom wil je mijn telefoonnummer?' plaagt Chester. 'Wil je me een keer mee uit nemen? Bedoel je dat?'

'Nee, hou-op, helemaaal niet, hoehahahaa,' zegt Fleur met een onnozele glimlach. 'We willen gewoon...'

'We willen je telefoonnummer,' onderbreekt Claude haar

nogal wreed, 'zodat we je kunnen bellen in het onwaarschijnlijke geval dat je niet helemaal waardeloos bent.'

Wat zei Claude ook alweer over aardig zijn voor iedereen?

'O, ik begrijp het,' zegt Chester, niet uit het veld geslagen.
'Maar ik denk niet dat het je tegen zal vallen, wat ik je kan laten
zien.'

Chester loopt naar de stereo en stopt halverwege om in de re-
flectie van een ruit vlakbij naar zijn spiegelbeeld te kijken, zich
ervan overtuigend dat zijn boordje extra stijf overeind staat,
voordat hij een cd in de stereo stopt en op PLAY drukt. Plotseling
wordt de ruimte gevuld met het geluid van saxofoons en bekkens; het klinkt als de intro van een nogal ouderwets jazznum-
mer. Na een paar maten haalt Chester een borstel uit zijn zak
en begint hij zacht te zingen.

'Dit nummer is voor alle dames in het publiek vanavond,'
zegt Chester, alledrie de LBD-leden stuk voor stuk aanwijzend.
'En ik voel me ontzettend bevoorrecht om zo'n prachtig nummer voor zo'n prachtig publiek te kunnen zingen. Wat ongeveer zo gaat...'

'Hij mag *niet* meedoen aan Blackwell Live,' kondigt Claude
fluisterend aan voordat Chester zelfs maar één noot heeft gezongen.

'Ooo, wacht nou even, Claude, dit wordt geweldig,' lach ik.
'Hij is nog niet eens begonnen. Geef hem een kans!'

Ruimdenkend en met een zwaar gemoed geven we Chester
'een kans'.

**Sometimes when a man lurrrves a woman. A wooman
like yooooou. It's hard.
Ooo you know it's haaaaaard.**

Het zou niet zo afgrijselijk zijn geweest als Chester Walton echt kon zingen, maar die knul kon geen enkele noot raken, laat staan voor meer dan twee tellen vasthouden.

'Is ie niet geweldig?!' kirt Fleur terwijl ze meeklapt.

Claude en ik wisselen vernietigende blikken uit.

'Dank je wel, Chester,' zegt Claude terwijl hij zijn laatste couplet uitzingt en op de een of andere manier op zijn knieën voor de schragentafel eindigt. 'We nemen contact met je op.'

Chester gaat staan, geeft ons allemaal een kushandje en baant zich dan een weg door de kleine menigte die bij de deur van de sporthal staat, terwijl hij high fives uitdeelt aan een paar van de uiterst gelukkige zielen die getuige waren van zijn optreden.

'O mijn god! Komen al die mensen auditie doen?' zegt Claude. 'Er zijn er massa's. Laat er alsjeblieft een paar beter zijn dan Chester Walton.'

Ik ga staan om het eens goed te bekijken. Claude heeft de lange kronkelende rij niet gezien die door de hele gang loopt, helemaal tot in de garderobe van de lagere school.

'Er staan ongeveer tweehonderd mensen!' zeg ik, ongelovig mijn hoofd schuddend.

'Dat zei ik toch!' zegt Fleur, en ze doet een kopietje van Chesters telefoonnummer in haar zak.

Claude haalt diep adem, hervindt haar kalmte en wenkt de volgende Blackweller binnen.

'Constance Harvey,' kondigt een roodharig meisje uit de 9e aan. 'Ik heb geen cd of zo meegebracht. Ik zing gewoon a capella,' zegt ze zelfverzekerd.

'Oké, begin maar wanneer je er klaar voor bent,' lacht Claude naar haar.

Binnen een paar seconden zit Constance er helemaal vol in en zingt ze uit volle borst een diepgevoelde vertolking van een oud country-en-westernnummer dat 'Stand By Your Man' heet.

Constance, moet ik eerlijk zeggen, geeft honderdtien procent voor deze auditie, dus ik zou niet te hard moeten oordelen. En het is ook niet zo dat ze niet kan zingen, het is alleen dat ze niet zo goed kan zingen. Ik ben niet echt gegrepen. Ik bedoel, je mag me mevrouw Onnodig-hardvochtig noemen, maar ik houd niet van het rare half-Amerikaanse accent dat Constance gebruikt om te zingen (terwijl ik heel goed weet dat ze vier straten verderop woont). Of van het feit dat ze tijdens de coupletten als een gedementeerde windmolen met haar armen blijft maaien.

Jááák! Ik kreeg weer dat hele bibberige drie-uur-'s nachts-gevoel, geholpen en opgestookt door die steeds groeiende rij Blackwellers met xylofonen, trompetten en fluiten.

'Ik wil x-factormensen op Blackwell Live,' mopper ik zachtjes tegen Claude. 'Dit is een ECHT muziekfestival, zoals Astlebury. Geen kermisattractie.'

Gelukkig zingt de rossige diva een kortere versie van 'Stand By Your Man' dan ik ken. Ze kijkt smekend naar de LBD.

'Dank je wel, Constance, dat was echt, eh, bijzonder,' zegt Claude zonder een spoor van valsigheid. 'We zullen erover nadenken en nemen nog contact op.'

'Prima, wat je wilt,' zegt Constance, met haar kleine neusje in de lucht wegstormend.

Claude kijkt hoofdschuddend op haar horloge.

'Oké, meisjes, we zullen iets sneller door deze acts heen moeten...' zegt ze, maar haar gezeur stokt omdat Fleur haar luidkeels onderbreekt, opspringt en beide handen op haar magere handvat-heupen zet. Fleur klinkt razend.

'AAACH! KIJK EENS WAT DE KAT NAAR BINNEN HEEFT GE-SLEEPT!' snerpt Fleur met glanzende ogen van kwaadheid. 'ALS DAT NIET MIJN LANG VERLOREN GEWAANDE VRIEND DION JAMES IS!!'

En hij is het ook.

Het is echt niet te geloven dat Dion, die meer dan een week ge-leden voor het laatst werd gezien terwijl hij Fleur stond te zoe-nen (echt zoenen, met bewegende tong en alles) voor haar huis op Disraeli Road, en haar voor hij van de aardbodem verdween beloofde te bellen om een nieuwe afspraak te maken, de euvele moed heeft om te verschijnen bij de LBD-audities. Maar daar staat hij, met een akoestische gitaar in zijn hand en een schaapachtige grijns bevroren op zijn ongewassen gezicht. Dion James is ofwel véél, véél stommer dan hij eruitziet (onmogelijk), of hij heeft een soort vreemde, ziekelijke doodswens.

'Ooo, hou op Fleur,' kreunt Dion, nerveus van de ene voet op de andere hippend. 'Ik was van plan je te bellen...'

'HOE WIL JE GITAAR SPELEN ZONDER VINGERS?' schreeuwt Fleur.

'Wat? Eh, ik...,' mompelt Dion terwijl hij controleert of zijn acht vingers en twee duimen nog steeds aan zijn handen zitten. 'Fleur, kijk, ik heb mijn vingers nog!'

'O, ECHT WAAR?' gilt Fleur. 'Nou, ze zijn duidelijk buiten ge-bruik geweest de laatste week, aangezien je je mobieltje niet kon gebruiken, of wel? Jij leugenachtig, afschuwelijk stuk vre-ten, Dion. Neem je gitaar en steek 'm ...'

Gelukkig neemt Claude het heft van deze opborrelende, be-zopen en erg publieke LBD-ruzie in handen terwijl ik onder de tafel bescherming zoek. Hordes meisjes en jongens uit de 7e staan te kijken, overweldigd door het zich ontvouwende drama. Dit is beter dan tv.

'Fleur, Fleur, hou je gemak. We moeten professioneel zijn,' zegt Claude terwijl ze zich stijfjes naar Dion draait en met haar vinger haar bril rechtduwt.

'Oké Dion, hoewel je nog minder waard bent dan een wand-luis, en nog gemener dan een slang, heb je wel een gitaar, dus begin maar en hou het kort.'

'Dank je, Claudette,' koert Dion. Hij ziet er nog wezelachtiger uit dan ik me hem herinner en speelt de beginakkoorden van een deuntje dat hij zelf heeft geschreven.

Hij spert zijn mond ver open, waardoor gelige tanden zicht-baar worden, en zingt de eerste regels:

Bab-ee you're the one I want
I wanna take you in my arms,

zingt Dion terwijl hij naar de vloer kijkt, naar het plafond, naar zijn schoenen en naar alles en iedereen, behalve naar Fleur.

I wanna run with you in open fields
And keep you away from harm.

De LBD kijken elkaar ondeugend aan en dan dreigend naar Dion, terwijl we in een spectaculaire uiting van saamhorigheid opgewekt in koor roepen:

'VOLGENDE!'

'Dat was prachtig, Dion. Bel ons niet, wij bellen jou,' glim-lacht Claude.

Hahaha, met de LBD maak je geen geintjes, denk ik stilletjes, trots.

Dion houdt abrupt zijn mond. Althans, voor even, totdat hij iets buitengewoon grofs roept wat ik als jongedame liever niet wil herhalen. Daarna loopt hij stampvoetend naar de deur, iedereen in de sporthal genadeloos lachend achterlatend.

'Bedankt, meiden,' zegt Fleur, oprecht geroerd. 'Ik heb hem toch nooit gemogen.' Dan wenkt ze naar de deur en roept: 'KAN DE VOLGENDE ALSJEBLIEFT KOMEN? KOM OP, HOU DE VAART ERIN, MENSEN!'

Leuk? Misschien. Maar ondanks deze spanning kon je wel zeggen dat het afgelopen halfuur niet eens een kleine belofte voor Blackwell Live had ingehouden. Tenminste, als we niet van plan waren het hele festival lang Fleurs afschuwelijke exvriendjes op het hoofdpodium te roepen en ze dan te vernederen (waarvoor ik, echt, wel een kaartje had willen kopen, maar de rest van Blackwell waarschijnlijk niet).

Dank Jehova voor Christy Sullivan die daarna binnen kwam wandelen.

Trouw aan zijn woord was hij precies zoals hij Fleur in de stomerij had beloofd aanwezig, met een brutale grijns en een cd met georkestreerde Frank Sinatra-liedjes tegen zijn nogal gespierde borst gedrukt.

'Dit is er een die ik elke kerst voor mijn oma moet zingen,' kondigt Christy aan terwijl de intro door de hal blèrt. Een hele vage blos lijkt over zijn wangen te trekken als hij zich realiseert wat hij zojuist heeft bekend.

'Oooo,' roepen de LBD en alle meisjes in de sporthal, 'wat schattig!'

Het punt is, dat Christy niet afgaat door de oma-bekentenis, omdat hij van die prachtige grote bruine ogen heeft en hij... nou, hij is op alle gebieden een soort spetter. Ik bedoel, oké, hij is geen Jimi Steele als je het mij vraagt, maar hé, wie is dat wel? Ik weet zeker dat iemand anders die toegaf dat hij voor zijn oma zong, nogal suf was overgekomen, maar omdat Christy het zei, leek het heel cool. Christy moet zich, heel handig, snel in de wc's hebben omgekleed voor hij hier kwam, waardoor hij er een stuk beter uitziet dan de menigte in zwarte blazers en grijze schoolbroeken die hem omringt. Hij draagt een strak zwart T-shirt met korte mouwen en een nogal duur ogende donkergroene legerbroek die strakke, gespierde dijen laat zien.

Zucht.

Christy heeft absoluut iets heel speciaals. Het is nogal onmogelijk om hem niet aan te blijven staren, zelfs wanneer hij Fly Me To The Moon' zingt, een liedje dat ongeveer in 1802 op nummer 1 stond. En zingen? Christy kan echt zingen! Grote ronde noten en echte melodieën!

'Hij heeft wel een beetje x-factor, toch?' murmelt Fleur, krabbelend in haar notitieblok.

Ik weet zeker dat Fleur in haar krullerige handschrift was gaan oefenen hoe het stond om 'mevrouw Fleur Sullivan' te schrijven, of zelfs de letters van allebei hun namen was gaan optellen om het percentage van Christy's liefde voor haar te achterhalen, als wij niet naast haar hadden gezeten. Oké, Fleur én het hele vrouwelijke deel van de sporthal die allemaal naar Christy kijken met een wazige uitdrukking op hun gezicht. Sterker nog, de meesten zitten zelfs met hun hoofd in hun handen naar Christy te staren alsof ze kijken naar een grote mand zachte kittens.

'Dat was super, Christy!' zegt Claude als hij klaar is, en ze maakt een grote vink naast zijn naam. 'Maar, eh, één ding, zing je ook modern materiaal? Ik bedoel, dat van daarnet is een beetje ouderwets voor ons. Neem me niet kwalijk, hoor!'

'O nee hoor, geen probleem. Ik begrijp wat je bedoelt,' zegt Christy, nu echt blozend. 'Ik kan zingen wat je wilt, echt, dames. Popmuziek, rock, eh, ik heb zelfs wat eigen nummers thuis. Ik en mijn broer Seamus uit de 13^e schrijven onze eigen muziek, zie je. Hij speelt keyboard.'

'Dat is super!' zegt Claude. 'Heel veelbelovend.'

'Ik wist niet dat je een oudere broer had,' zegt Fleur dromerig.

Christy pakt zijn cd en zijn schooltas en knipoogt even naar Fleur terwijl hij ons gedag zegt. Fleur wappert terug met haar vingers. Zoals altijd word ik op raadselachtige wijze onzichtbaar in de nabijheid van mijn langere, rondere, blondere vriendin.

'Bedankt voor je komst, Christy,' voeg ik toch toe. 'We nemen contact op als we eens goed hebben nagedacht over alles.'

Terwijl Christy Sullivan de hal verlaat en in de harten van honderd Blackwellmeisjes in een tere herinnering verandert, draait Fleur zich naar ons toe: 'Het was niks, hè?' zegt ze nogal onovertuigend. 'Ik bedoel, echt helemaal niks...'

'Monsterlijk,' zegt Claude met een grote grijns op haar gezicht.

We beginnen allemaal meisjesachtig te giebelen. Christy Sullivan was inderdaad buitengewoon.

Blackwell Live heeft zijn eerste optreden!

Moet zingen! Moet dansen!

En na Christy kwamen de dansende meisjes.

Tjee. Ik wist niet dat er zo veel Blackwellers naschoolse lessen namen bij de plaatselijke Anouska Smythe's dansschool; echt, ik wist het niet.

Ik dacht dat de meeste kinderen gewoon vanaf vier uur 's middags in elkaars slaapkamers lagen te luisteren naar harde muziek en het maken van hun huiswerk probeerden uit te stellen, zoals ikzelf, Fleur en Claude. Nou, dat was totdat ik zat te kijken naar vier meisjes, de een na de ander, die waren gekleed in strakzittende maillots, dikke beenwarmers en zweetbandjes. Allemaal deden ze pirouettes, sprongen ze en gooiden ze hun benen omhoog op klassieke muziek tot ik er nogal erg humeurig van werd.

Ze zijn zo akelig energiek, dacht ik, ik wil wedden dat zij niet zoals ik worden ingehaald door kinderen met astma wanneer ze de vijftienhonderd meter lopen.

'En mag ik jullie even zeggen,' gooit een klein blond meisje eruit, 'dat ik zó blij ben met deze kans om voor jullie op te treden?!' De zilverkleurige linten die haar krullen omhooghouden, passen precies bij haar glinsterende balletschoenen. 'Ik bedoel, ik heb sinds mijn tweede of zo door het huis gedanst en gezongen!'

'Mooi,' zegt de hele LBD.

'En mag ik ook nog even zeggen dat iedereen in mijn familie, evenals Anouska Smythe zelf, zegt dat ik een wereldster word?' zegt ze.

'Echt?' zegt Claude.

'Echt!' piept Blondie, voordat ze om haar as draaiend in de verte verdwijnt, een woeste kolk van armen, benen en krullen.

'Mooi,' zegt Claude. 'VOLGENDE.'

'Heb je pijnstillers meegenomen?' fluistert Claude terwijl ze haar hoofd aanraakt. 'Volgens mij krijg ik migraine. Dit is best stressen, vind je niet?!'

'Sorry, schat, ik heb niks bij me,' zeg ik en zie Matthew Brown, een jongen uit de 10^e op ons af komen.

'Ik heb wel,' zegt Fleur, wroetend in haar rugzak. 'Maar, eh, wacht even,' zegt ze, haar wenkbrauwen fronsend, 'waarom heeft Matthew Brown een grote teddybeer bij zich?'

We kijken allemaal naar de volgende auditiekandidaat die staat te wachten op zijn beurt: ze heeft gelijk, hij houdt iets heel pluizigs vast. Maar het is niet echt een teddybeer, dat is een veel te schattig woord voor het slordige, smoezelige beest dat Matthew tegen zijn borst gedrukt houdt.

'Eh... Matthew?' begint Claude met een vragende uitdrukking op haar gezicht.

'Goedemiddag, dames,' zegt de jongen. 'Ik ben Matthew Brown, en dit is meneer Jingles, de ongelooflijke, pratende beer...'

'O mijn god, hij is een buikspreker, hè?' zeg ik rillend. Ik heb precies dezelfde gevoelens voor buiksprekers als voor jongleurs: ze deprimeren me.

'Laten we eerst kijken of hij het kan,' giebelt Fleur zwaaiend naar de harige kermisattractie. 'Hallo, meneer Jingles! Hoe gaat het vandaag?' zegt ze.

'Geel goed, Gleur!' zegt meneer Jingles. Verdorie, ik bedoel: zegt Matthew.

Ik weet niet hoe ik in hemelsnaam in de war kan raken. Zelfs mijn oma Tish zou Matthews lippen van een kilometer afstand kunnen zien bewegen, en zij heeft maar één goed oog. Ik heb eerder buiksprekers gezien, en dit is niet wat in het woordenboek bedoeld wordt.

'Meneer Jingles, wat heeft u vandaag allemaal gedaan?' gaat Matthew verder tegen het door motten aangevreten museumstuk.

'Gnou, Gaffjoew,' zegt de beer, 'ik geb telegisie gegegen!'

Gelukkig weet Claude ook genoeg.

'Matthew, dit is een auditie voor een muziekfestival,' onderbreekt ze hem behoorlijk streng. Meneer Jingles heeft duidelijk haar geduld opgebruikt. 'Waarom kom je met een buikspreekact?'

'Ah, maar we zijn nog niet aan het zang- en tapdansgedeelte toegekomen, is het wel, meneer Jingles?' zegt Matthew met een blik op de harige pop.

'Gnee, gnog gniet!' zegt de beer hoofdschuddend.

'Maar Matthew, je tijd is om. Sorry,' zegt Claude, misprijzend op haar horloge tikkend.

En dat alleen al lijkt Matthew Brown heel erg te irriteren. Om precies te zijn kunnen we hem nog steeds horen schelden over 'mensen die geen groot talent herkennen als ze het zien', lang nadat hij met meneer Jingles over zijn schouder zuchtend en steunend de sporthal heeft verlaten. Hij zit daar nu waarschijnlijk, samen met het piepende, krullerige blonde supersterretje een plan te bedenken om het LBD-hoofdkantoor te bestormen en ons dood te knuppelen met zijn beer. Kunnen deze audities nog erger worden?

Claude begint er inmiddels ook een beetje moe uit te zien, dus schrijf ik een chocolademuffin voor om haar op te vrolijken. Kleine C. lacht en begint in haar rugzak te zoeken. En jongens, had Claude ooit iets nodig om haar op te vrolijken, met het oog op de Blackwell Klokkenluidersclub die zojuist *en masse* is binnengekomen en vrolijk en op hun hardst beginnen te dingdongen (een van hen staat zelfs op de bok erop los te rammen) tot de LBD hen om genade smeken.

'Klokkenluiden en migraine gaan NIET samen,' mompelt Claude en ze spuugt chocoladechips over haar papieren heen.

De verloren jongens

Natuurlijk speelt het overduidelijk niet komen opdagen van Lost Messiah (en, belangrijker, Jimi Steele) zo langzamerhand wel door mijn hoofd. De mogelijkheid dat ze me hebben laten barsten is een uur geleden als een klein zaadje van onzekerheid begonnen en met elke tik van de klok in de sporthal uitgegroeid tot een heel woud van gebrek aan zelfvertrouwen.

Lost Messiah die langskomt om voor ons een speciaal nummer te spelen? Pff, túúrlijk.

Jimi die speciaal wilde weten of ik er zou zijn? Ja hoor.

Wat ben ik ook een sukkel.

Ik kan mezelf wel slaan omdat ik de onzin geloofde die Fleur vertelde. Ik bedoel, het is niet dat Fleur liegt, het is gewoon dat je veel van wat zij zegt met een grote korrel zout moet nemen, omdat ze de neiging heeft om te overdrijven. Maar als ze iets zegt wat je dolgraag liever dan wat ook in de wereld wilt horen, is het moeilijk om je vingers in je oren te steken en het 'Ik kan je niet verstaan'-spelletje te spelen, toch?

Ik ga staan en laat hoopvol mijn ogen over de rij glijden op zoek naar Jimi's wilde lokken of Naz' stekelige haaienvinkapsel. Geen Aaron, geen Danny: geen Lost Messiah.

Niks.

Ze hebben me gewoon laten barsten.

Nou ja, het kan me toch niks schelen. Niet zóveel. Het is niet alsof ik speciaal mijn best heb gedaan er vandaag goed uit te zien of zo. Het is niet alsof ik bijna niet geslapen heb omdat ik mijn zogenaamde script doornam van wat ik tegen Jimi zou zeggen als hij binnen zou komen.

Plotseling snakt Claude zachtjes naar adem, waardoor ze me in mijn getob stoort. Er is weer een nieuwe kandidaat gearriveerd, weer een kandidaat die niet Lost Messiah is.

'Liam?' zegt Claude. 'Wat doe jij hier?'

'Dit is toch een auditie, niet?' zegt Liam Gelding, en zijn zilveren oorbel glinstert in de late middagzon. 'Waarom denk je dat ik hier ben?' Liam heeft een elektrische gitaar voor zijn borst hangen. Hij houdt vellen papier vast met daarop iets gekrabbeld wat op songteksten lijkt.

'We zullen snel even alles opzetten,' zegt Liam, gebarend naar de rest van wat zijn bandje lijkt te zijn: Benny Stark (met zijn typische, ontzettend krullerige haar) en een meisje dat een gitaar en een kleine trom vasthoudt.

Ik kan niet voor Claude en Fleur spreken, maar ik ben erg verbaasd om Liam Gelding op de audities voor Blackwell Live te zien. Ik bedoel, Liam zit bij ons in de klas dus we zien hem vaker dan de meeste leerlingen... Maar eh, Liam Gelding die meedoet aan een naschoolse activiteit van Blackwell? Dat past gewoon niet bij hem. Liam is meer het soort jongen dat ons engerds en docenten-kontenlikkers zou noemen omdat we Blackwell Live zelfs maar hebben bedacht. Ik heb vandaag tijdens maatschappijleer een uur lang naast hem gezeten en hij heeft geen woord gezegd, laat staan dat hij vertelde dat hij in een band speelt.

Dat is gek.

'We heten Rioolkwal,' mompelt Benny fluisterend tegen Fleur.

Fleur schrijft de naam netjes in haar notitieblok terwijl Rioolkwals nogal beangstigende, blonde bassiste, die kennelijk Tara heet, een oorverdovend 'Theeeeerwwwwwwwwang' laat horen om te kijken of haar versterker werkt.

Dat doet ie zeker; de schraagtafel stond te trillen.

'Ik ben zover wanneer jullie zover zijn,' kondigt Tara met een plectrum tussen haar tanden aan, terwijl ze behendig haar ranke zwarte instrument stemt.

Wauw. Ze ziet er echt geweldig uit met die gitaar. Ik moet niet vergeten meneer Foxton tijdens mijn volgende muziekles te vragen waarom ik drie jaar heb verspild met een klokkenspel als ik had kunnen leren spelen op de basgitaar? Ik had er nu precies zoals Tara uit kunnen zien: cool, krachtig en indrukwekkender dan welke jongen ook in de hele sporthal. Je krijgt gewoon echt niet hetzelfde effect met twee stampende jongens die 'Old MacDonald Had a Farm' zingen.

Terwijl de rest van de band hun instrumenten in orde maakt, loopt Liam in het midden op en neer, af en toe een akkoord aanslaand en meer dan een klein beetje zenuwachtig.

'Kom op Benny, schiet eens op,' zanikt Liam terwijl de krullenbol aan de volumeknoppen van een versterker draait.

Wat Liam Gelding precies wil bijdragen aan Rioolkwal is me niet helemaal duidelijk. Want weet je, ik weet zo goed als zeker dat hij niet eens echt kan lezen of schrijven, dus ik zou zo denken dat leadgitaar leren spelen ook niet erg hoog op zijn DOEN!-lijstje staat. Ik ben ook niet wreed of zo, voordat je gaat denken dat ik een kreng ben: ik ben eerlijk. Ik vind Liam echt aardig, maar er is iets met hem aan de hand. Hij is gewoon een beetje 'onaangepast', zoals mijn moeder zou zeggen. Want weet je, in de 8e begon Liam min of meer te spijbelen van school, en liever in plaats daarvan in het Westland winkelcentrum rond te hangen. Tot op dat moment wist ik niet dat je er gewoon voor kon 'kiezen' níet naar school te gaan, maar Liam Gelding bewees dat het kon. Ik zou het zelf ook doen als ik niet dacht dat Magda me zou onthoofden. Om eerlijk te zijn, wegblijven van school was niet Liams enige idee, want zelfs als hij wél kwam, deed hij stomme dingen, zoals op het dak van de school klimmen of docenten uitschelden, wat betekende dat meneer McGraw hem er *pronto* weer aftrapte.

'Mij best,' schamperde Liam dan, richting het hek lopend.

Hij smeekte nooit om te mogen blijven, dat is zijn stijl niet.

'Dit snoer zit hier los in de stekker,' moppert Benny tegen Tara. 'Daarom is er geen verbinding. Gooi even die schroevendraaier op, dan kijk ik wat ik eraan kan doen.'

'En schiet even op,' schreeuwt Liam, knipogend naar Claude, 'als het nog langer duurt krijgen we last met Claude Cassiera!'

Claude kent Liam een stuk beter dan ik.

De goede ziel is in de 8^e een paar keer naar Liams flat geweest met speciale opdrachten en huiswerk... Maar Liam was bijna nooit thuis. Op een avond, in het LBD-hoofdkantoor, werd Claude een beetje boos en zei ze dat zelfs als Liam van school getrapt werd er bij hem thuis niemand mee zou zitten.

Maar goed, ik moet niet roddelen.

Dat is zo'n beetje alles wat ik weet over Liam Gelding, Claude zegt niks over wat ze verder weet. Maar het is wel cool dat Liam in de 9e wat vaker naar school komt. Echt, sommige dagen blijft hij zelfs helemaal tot halfvier en alles.

'Dus, eh, zullen we dan maar beginnen, ja?' mompelt Liam terwijl hij aan zijn haar frunnikt.

'Jaaah, als je zover bent,' zegt Claude.

'Oké, da's cool,' zegt Liam, zich omdraaiend naar de rest van de band.

'Oké, a-one, a-two, a-three, four five...'

Allemaal tegelijk beginnen de leden van Rioolkwal te spelen, Liam op zijn leadgitaar, Benny op de trommel en Tara op de basgitaar. Ze zijn een klein beetje trillerig en misschien ietsje vals, maar desalniettemin heel erg goed. Tara gooit er een enorme, volle basdreun uit, haar heupen tegelijk met de muziek naar voren gooiend, terwijl Liam zich ernstig op zijn vingers concentreert... Zich misschien wel meer concentreert dan ik hem ooit heb zien doen. De bittere toon van Rioolkwal is een stuk sterker dan wat we tot nu toe hebben gehoord en is een verademing na zo veel 'vrolijke deuntjes' en 'I Love You'-ballades. En als Liam Gelding uiteindelijk begint te zingen (hoewel het meer een hees gefluister is), gaan alle haren in mijn nek rechtop staan.

> You believed in me
> You didn't believe the hype
> And there's no one really like
> Really like you
> Who
> Well you know what I'm really like...

...is een van de vele coupletten die Liam zingt. Het is absoluut een goed nummer, en ik vraag me onwillekeurig af van wie Rioolkwal het gestolen heeft. En terwijl Liam uit volle borst zingt, is de hele sporthal nu eens helemaal gegrepen door deze blonde jongen met zijn lichtgroene ogen, voor één keer betoverd door zijn stem en zijn aanzienlijke aanwezigheid op het podium, in plaats van door de een of andere idiote stunt waar hij aan meedeed.

'Eh, Claude... Wist jij dat Liam gitaar kon spelen?' fluister ik.

'Nee... Nee, ik wist van niks,' zegt Claude. 'Hij is echt een man van stille wateren en diepe gronden, onze Liam Gelding.' Claude grinnikt een beetje.

'Ze zijn echt goed!' verkondigt Fleur. 'Zelfs beter dan sommige muziek die ik bij de Music Box koop. Wat denken jullie?'

'Ik ben het ermee eens,' zeg ik terwijl ik Tara's behendige vingers met meer dan een beetje jaloezie heen en weer zie gaan. Aan het eind van Rioolkwals nummer begint de hele sporthal te applaudisseren en te fluiten. Liams wangen worden een klein beetje rood, dan gooit hij zijn schouders naar achteren alsof hij deze bijval wel verwachtte.

'Bedankt, eh, jongens,' zegt hij. 'Dit nummer heette "Promise".'

'Het is een nummer van onze nieuwe cd,' gniffelt Benny.

'Ja, onze nieuwe cd, die zal worden uitgebracht zodra we tijd hebben om nog twaalf nummers te schrijven die net zo goed zijn,' voegt Tara er droogjes aan toe.

'Nou, bedankt voor jullie komst vandaag,' zegt Claude, duidelijk nog steeds een beetje in de war van Liams verborgen talent. 'Eh, Liam,' Claude laat haar stem zakken, 'wanneer ben jij begonnen gitaar te spelen?'

'Nou, zit jij me niet altijd op de nek om een hobby te zoeken, Claudie?' zegt Liam.

'Jaaa... ja, zeker,' zegt Claude schouderophalend. 'Maar sinds wanneer luister jij naar wat ik te vertellen heb?' zegt ze grappend.

'Ja, ik weet het. Ik ben vast niet helemaal lekker,' antwoordt Liam, weer bijna zijn verwaande zelf. 'Ik moet mezelf maar goed in de gaten houden om m'n reputatie niet te verliezen en zo, hè?'

'Nou jongens, in ieder geval bedankt dat jullie gekomen zijn,' zegt Claude. 'We hebben Benny's 06-nummer, we nemen wel contact op.'

'Wat jij wilt, man,' mompelt Benny vanonder zijn massa haar.

'O, en Liam,' zegt Claude nu zo zachtjes dat alleen de LBD haar echt kunnen horen, 'ik heb je vandaag niet in de cafetaria gezien. Was je je geld weer vergeten?'

'Ja, ik was weer te laat opgestaan,' zegt Liam, nog zachter. 'Ik had niets bij me.'

'Ik heb brood,' zegt Claude, rammelend met haar trommeltje. 'Kan ik je overhalen?'

Liams ogen worden groot.

'Graag, Claude,' lacht Liam. 'Ik ga dood van de honger. Je bent een engel.' Liam neemt wat te eten voordat hij de sporthal uit kuiert met augurk op zijn gezicht en een zakje chips en een muffin in zijn hand.

Fleur en ik rollen met onze ogen terwijl Claude haar papieren doorbladert en een totaal ander onderwerp aansnijdt.

'Oké!' zegt ze, nogal bazig. 'Meneer Gowan kan elk moment binnenkomen en vervelend gaan doen. Hij zal willen afsluiten. Laten we opschieten, oké? Wie is er nu?'

'Lost Messiah,' kondigt Fleur aan.

'Echt?! Zijn ze er??' zeg ik opvrolijkend en grijpend naar mijn lipgloss terwijl ik op hetzelfde moment mijn staart probeer recht te trekken en mijn nek uitrek om Jimi in het vizier te krijgen.

'Nee. Niet echt,' zegt Fleur giebelend. 'Ze zijn er nog steeds niet, maar er zijn wel wat leerlingen van Anouska Smythes dansschool aan de beurt, als je interesse hebt.'

'Ik haat je, Fleur,' zeg ik.

'Ik weet het,' zegt Fleur, nog harder giechelend.

Net als ik denk dat ik geen enkel hoog opgegooid been meer kan zien, komt er iets heel anders in de vorm van Frank Gillespie, een enorme, 1.80 m lange boom van een jongen die op Blackwell de bijnaam 'Shop' heeft. (Omdat hij elke pauze een pelgrimstocht naar de lokale winkel maakt om snoep en broodjes te kopen. Ja, ik zei toch al dat Blackwellleerlingen wreed zijn?)

Shop heeft een paar felblauwe bordeelsluipers met turkooiskleurige veters aan, en binnen een paar seconden zingt hij voluit – je raadt het al – 'Blue Suede Shoes' van Elvis Presley. Shop heeft dit optreden overduidelijk urenlang voor zijn slaapkamerspiegel geoefend en als zijn tijd om is, kan hij zijn personage nog niet helemaal loslaten.

'Bedankt, Shop! Dat was superrrr!' schreeuwt Fleur. 'Nee echt, écht goed.'

'Nou, thankyouverymuch, jongedame,' zegt Shop temerig met een omgekrulde bovenlip, net als Elvis Presley, de King of rock-'n-roll zelf, voordat hij probeert waardig de sporthal uit te lopen. Geen geringe prestatie voor een jongen van vijfennegentig kilo met felblauwe schoenen die ongeveer vier maten te groot voor hem zijn.

'Die schoenen zijn kolossaal!' gilt Claude. 'Die moeten van Shops vader zijn: hij is de enige in de hele omgeving die groter is dan Shop!'

'Grote schoenen maken nog geen groot artiest, Claudette,' mompelt Fleur met een bezorgde uitdrukking op haar gezicht.

Terwijl de LBD een korte, verhitte discussie voeren over de kwaliteiten van Shop en zijn mogelijke bijdrage aan Blackwell Live (ik zeg dat Shop cool en grappig is en dat de volwassenen die kaarten hebben gekocht hem leuk zouden vinden; Fleur stelt dat Shop gearresteerd zou moeten worden vanwege 'misdaden tegen de muziek' en dat ze liever nog een keer naar Matthew Brown en meneer Jingles zou kijken dan die 'grote gek' mee te laten doen), begint een aanzwellend gegrom van opwinding door de sporthal te rollen. Net als Claude haar geduld dreigt te verliezen en onze hoofden tegen elkaar wil slaan, valt een vrij arrogante stem ons in de rede.

'Ahum. Als jullie niet te druk zijn met jullie gebekvecht, meisjes,' zegt de geaffecteerde, hese stem, 'zouden we graag willen beginnen. Dankjewel.'

We kijken allemaal tegelijk op om de norse blik van de onmiskenbare Panama Goodyear op ons gericht te zien. Panama's steile, bruine, kinlange bob wordt uit haar gezicht gehouden door de kenmerkende roodfluwelen haarband, haar kille, lichtbruine ogen kijken neerbuigend naar de lbd, bijna alsof we maden in haar broodtrommel waren. Zoals altijd is Panama onberispelijk gekleed in een perfecte zwarte lycra broek die stijlvol toeloopt naar de achterkant van haar ongelooflijk dure Prada-gymschoenen, het bijpassende voorgevormde strapless topje klevend aan elke welving van haar volle borsten en gestroomlijnde bovenlijf.

'Of zullen we hier gewoon blijven staan terwijl jullie verder kwetteren?' gaat Panama verder, zich omdraaiend naar Catwalk, haar bandje.

'Huhuh!' giebelen Abigail en Leeza, allebei net zo chic, gekleed in designer dansstudio-setjes en bijpassende gympen.

'Ik bedoel, ik weet niet hoe het met jullie zit,' zegt Panama zodat de hele sporthal het kan horen, 'maar ik ben razend nieuwsgierig of deze meisjes ons zullen toestaan op te treden op hun concertje, jullie niet?'

Fleur rolt met haar ogen en doet het dopje terug op haar pen.

'Ik heb de hele nacht liggen draaien. Jij niet, Abigail, lieverd?' grapt Panama.

'O, absoluut,' zegt Abigail, zwaaiend met haar witblonde, supersteile haren.

'Mooi, we zijn nu klaar voor jullie,' zegt Claude, en ze probeert niet geïntimideerd te klinken.

'Mooi, mooi,' zegt Panama hautain. 'Nou, we hadden gedacht vandaag het nummer te spelen dat we op de Wicked fm Roadshow "Search for a popband"-kwartfinale hebben gedaan.'

Kreun. Ik vroeg me al af hoe lang het zou duren tot Panama zou beginnen over de Wicked fm-wedstrijd. Minder dan elf seconden, misschien wel een wereldrecord.

'Ik bedoel, *iedereen*, zelfs alle dj's en de bobo's van de platenmaatschappijen die die dag in het publiek zaten, vond dat een geweldig nummer, toch Zane?' pocht Panama.

'O ja, ze vonden het geweldig. Iedereen vond het geweldig,' blaat Zane, één van de mannelijke leden van Catwalk. Zane is zich vandaag helemaal te buiten gegaan aan het nepbruin. Hoewel zijn nek vrij bleek is, heeft zijn hoofd een vreemde, streperige mandarijnkleur.

Ik durf niet te grinniken.

'Ach, iedereen vindt Catwalk gewoon super. Dat is een feit,' begint Derren, Panama's andere armzalige volgeling: een jongen met een dansbroek die zo strak zit dat ik kan zien welk merk onderbroek hij draagt.

Jammergenoeg, en ik vind het moeilijk om te zeggen, hebben Zane en Derren waarschijnlijk gelijk wat betreft de enorme populariteit van Catwalk. Iedereen in de sporthal, buiten de LBD, staat te kwijlen en vecht om een plaatsje vooraan om deze lokale mini-beroemdheden te zien optreden.

'En de plaatselijke *Daily Mercury* vindt ons ook geweldig,' zegt Leeza helemaal uit eigen beweging, wat me verrast omdat ik altijd bang was dat ze op batterijen liep en pas bewoog als Panama haar afstandsbediening gebruikte.

'We stonden toch op hun voorpagina, niet?' zegt Leeza tegen niemand in het bijzonder. 'Met de kop "Catwalk op weg naar supersterrenstatus!"'

O, hou je kop!! HOU JE KOP! wil ik schreeuwen. Jullie zijn verdorie alleen maar tot de kwartfinale van een stompzinnige lokale danswedstrijd gekomen, jullie irritante kleine muppets. En jij, Zane Patterson, jij mag niet opscheppen, je hoofd ziet eruit als een mandarijn!

Maar dat schreeuw ik natuurlijk niet. Ik zit alleen maar stilletjes te wachten tot ze ophouden met wauwelen.

'Zoals ik al zei, we zijn er klaar voor,' herhaalt Claude, zonder dat haar irritatie op haar uitdrukkingsloze gezicht zichtbaar wordt.

'Oké,' zegt Panama en ze pakt een cd uit haar Gucci-rugzak. Ze doet hem in de cd-speler en verzamelt haar kleine gezinnetje om zich heen voor een groepsknuffel voor het optreden.

'Succes, allemaal. Break a leg!' gilt Panama aanmatigend.

'Of je nek,' moppert Fleur fluisterend.

En dan beginnen ze. Vanaf de allereerste noot van het nummer begint Catwalk helemaal te zingen en te swingen, terwijl Panama gelijk alle aandacht opeist met haar meest adembenemende danspassen en hoogste noten. Ik kan het niet ontkennen, Catwalk kan écht dansen, precies als de mensen die je op MTV ziet, en ze kunnen ook zingen, zelfs als Panama een beetje de aandacht wegkaapt door haar draaiende billen en de oorverdovende schreeuwen die ze er zo nu en dan uitgooit.

Helaas heb ik Catwalk dit nummer, dat 'Running To Your Love' heet, al heel vaak zien uitvoeren. Na Catwalks succes in de Wicked FM-wedstrijd arrangeerde mevrouw Guinevere talloze schooloptredens zodat we allemaal 'in hun blijdschap konden delen'.

Het enige wat ze bereikt heeft, wat mij betreft, was dat Catwalk nóg zelfingenomener werd.

Ooo Baby. I'm floating in the sky!
Like a big love pie!
You make me feel real high!
O my o my
Tra La La La!

...zingt Panama terwijl de rest van Catwalk op zijn plaats hardloopt en met gespreide armen en benen opspringt.

'Zie je wel, ik zei al dat Shop talent had,' fluister ik tegen Fleur.

Maar hoe de LBD ook denken over Catwalk, het is een on-weerlegbaar feit dat de rest van Blackwell helemaal weg is van ze. Als je even snel de sporthal rondkeek zag je iedereen mee-klappen en fluiten (ook een paar docenten die op weg naar hun auto moeten zijn geweest toen ze de beginnoten van 'Running To Your Love' hoorden en hun koffertjes lieten vallen en terug kwamen sprinten). Iedereen verslond Catwalks perfect uitge-voerde danspasjes en vijfstemmige harmonieën.

'Ze zijn super,' koert een meisje, haar ogen glanzend van op-winding.

Op de laatste noten barst een denderend applaus los dat de hele sporthal vult. Panama kijkt om zich heen naar het publiek met een bescheiden, o zo nederige, ietwat verblufte lach, terwijl ze hoogdravend tegen haar fans zegt, 'O alsjeblieft, please, stop! Zo is het genoeg. Dank jullie, allemaal!' voordat ze een diepe buiging maakt en doelbewust naar onze tafel loopt. Ter-wijl ze dichterbij komt verandert Panama's gezichtsuitdruk-king razendsnel van een nederig lachje in een dreigende blik.

'Oké, jullie kleine etters,' zegt Panama zachtjes zodat alleen de LBD het kunnen horen, 'laat ik heel duidelijk zijn: jullie heb-ben Catwalk *nodig* voor jullie pathetische concertje, laten we dat niet vergeten, oké?'

We staren Panama allemaal aan, met stomheid geslagen.

'En we zullen zaterdag de twaalfde ook als hoofdoptreden ge-programmeerd staan. Geen tegenspraak,' gaat Panama verder. 'En we spelen geen sets die minder dan een uur duren, dus als jullie een ander optreden moeten laten vallen om extra ruimte voor ons te maken, nou ja, dat moet dan maar...'

'Maar –' begint Claude, om gauw haar mond te houden als Panama's gezicht dichtbij komt.

'En je kan maar beter zorgen dat mijn naam, eh, ik bedoel

Catwalks naam het grootst op alle posters staat, want we zullen tenslotte de grootste trekker zijn.'

Om Claude recht te doen moet ik zeggen dat ze echt probeert om Panama van repliek te dienen. Geen gemakkelijke taak, want Panama Goodyear is behoorlijk beangstigend.

'Luister, Panama, we zijn niet wanhopig,' zegt Claude beleefd maar duidelijk. 'Als wij vinden dat je goed bent, mag je meedoen, zo werkt de selectie.'

Panama's gezicht wordt rood van woede, ze knijpt haar ogen samen en ze tuit haar gezwollen lippen in een boze en kwaadaardige uitdrukking.

'Luister Maud, of Fraud of wat voor zielige, truttige naam je ook hebt, laat me je er nog eens aan herinneren,' Panama port nu tegen Claudes schouder met een pruimkleurig gelakte vingernagel, 'je hebt Catwalk NODIG. Je hebt ons heel erg hard NODIG. Net zo erg als je enge girafachtige vriendin hier moet ophouden met groeien om te voorkomen dat ze op de kermis terechtkomt.' Panama knikt wreed naar Fleur, die recht voor zich uit staart en Catwalk niet het plezier van een reactie gunt.

Panama gaat verder.

'Bovendien heb ik gepraat met mevrouw Guinevere en meneer Foxton. Die zijn het er allebei over eens dat Blackwell Live een verschrikkelijke aanfluiting zal zijn zonder mijn ongelooflijke talent.' Panama giechelt nu, omdat ze weet dat het voor ons de doodslag is dat ze Blackwelldocenten achter zich heeft staan. 'Dus, gedraag je, meiden.'

'Of anders?' zegt Claude nogal moedig.

'Daar kom je nog wel achter,' dreigt Panama. 'Ik zal ervoor zorgen dat ieder van jullie heel erg spijt krijgt me ooit te zijn tegengekomen.'

Dan trekt Panama zich iets terug en lacht een beetje naar ons, bijna alsof ze ons net heeft uitgenodigd om bij haar te komen logeren of zoiets.

Nu word ik pas echt bang.

En ik geloof wel in Panama's dreigementen; maar ik heb geen tijd om na te denken over de mogelijke wraak die ze kan nemen, omdat Panama op dat moment mevrouw Guinevere in het oog krijgt. Die is even in de sporthal komen kijken. In een fractie van een seconde verandert Panama's gezicht van uitgesproken boosaardig in stralend.

'Oooo, mevrouw Guinevere! Joehoeoe!' schreeuwt Panama, zwaaiend met haar hand. 'Wat leuk dat u er bent! Ik ben zo blij dat u kon komen!'

Mevrouw Guinevere geeft Panama een brede lach en slaat haar armen om de schouders van Leeza en Abigail terwijl ze hen beiden feliciteert met alweer een geslaagd optreden.

We zijn *vervloekt*, denk ik bij mezelf.

'Onthoud wat ik gezegd heb,' zegt Panama, zich op haar hakken omdraaiend en wegparaderend.

Ik kijk naar Claude en probeer mijn onderlip in bedwang te houden, onderwijl vurig hopend dat ze in haar Blackwell Live-map een vel papier heeft waarop de perfecte moord en het in moten hakken van een 11^e-jaars pestkop staan beschreven. Of ten minste een slim idee om Panama Goodyear met geslijm over te halen niet Blackwell Live over te nemen. Maar ik heb geen geluk.

En als ik me weer omdraai heeft Fleur zich verontschuldigd en is ze naar de wc verdwenen... waar ze blijft tot ze geen dikke ogen meer heeft.

6 Een heel speciaal nummer

Nu moet ik je denk ik wel vertellen wat er gebeurde met 'mijn speciale nummer'.

Weet je nog? Dat nummer dat Jimi voor mij zou moeten zingen.

Nou, uiteindelijk kwam er nog wel een optreden van Lost Messiah, maar het was niet precies het hoogtepunt van mijn leven waar ik op hoopte. Zo werkte het gewoon niet. Maar zo werkt het leven nooit, toch?

'Mik laag en je wordt nooit teleurgesteld,' zei een van de grote filosofen ooit. Ik ben vergeten welke. O, wacht even, het was geloof ik Oude Bert die me dat vertelde. Bert is de man die elke morgen bij de voordeur van de Fantastic Voyage wacht tot papa opendoet zodat hij een grote pils kan bestellen. Maar misschien moet ik mijn leven niet op Berts wijsheid bouwen; soms vergeet hij zelfs zijn tanden in te doen.

In ieder geval zal ik je snel even vertellen wat er gebeurde nadat Catwalk ons de oren had gewassen, maar ik zal niet te diep op dingen ingaan, omdat Claude dat liever niet wil...

Dus, terwijl Panama ervandoor ging om te babbelen met mevrouw Guinevere, en Fleur was teruggekeerd naar haar plaats, zeggend dat ze last had van haar maag en helemaal niet gehuild had, kwam er in de vorm van Ainsley Hammond een engel binnen. Ondanks zijn zwarte kleren, zijn bleke gezicht, haar met lila plukken en zijn voorliefde voor kruisjes-oorbellen is Ainsley Hammond uit de 11^e echt de liefste, niet-enge jongen die je ooit kunt tegenkomen.

'O, dus we doen precies na Catwalk auditie! Wat opwindend!' zei Ainsley sarcastisch toen hij ging staan. 'Als ik dat van tevoren had geweten, had ik mijn handtekeningenboekje meegenomen.'

Ainsleys groepje Wurggreep, met hun versleten kleren, slordige lippenstift en uitgelopen eyeliner, zag eruit alsof ze van de set van *Attack of the Killer Zombies* kwamen gestrompeld. Maar toen Claude Ainsley in vertrouwen nam over Panama's eisen, werd het hele groepje snel één spookachtig steunfront voor de LBD.

'Wie denkt ze in godsnaam dat ze is?' vroeg Candy, een lang hippiemeisje met slingerende vleermuisvormige oorbellen.

'Ach joh, maak je niet druk,' zei een jongen met vreemde duivelshoorntjes in zijn verder kortgeknipte haar meelevend. 'Je zou sommige van de rotdingen moeten horen die ze tegen mij zegt.'

'Laten we die boze heks in ieder geval niet het genoegen doen over haar te praten,' zei Ainsley. Dat van die boze heks was nogal ironisch, omdat hij zelf voordurend op weg lijkt naar een Halloweenfeest.

'Vind ik ook,' zei Claude.

Was het maar zo makkelijk om Panama te laten verdwijnen, dacht ik.

'En wat ga je voor ons spelen, Ainsley?' vraagt Fleur.

'Nou, het is nogal experimenteel,' zegt Ainsley, doodserieus. 'Maar we noemen het Nu-goth Speed Reggae.'

'Oké,' zeggen de LBD gezamenlijk.

'Vooruit dan,' zegt Claude. 'Wij zijn er klaar voor.'

Wurggreep was gauw gegrepen door de muziek, ze speelden een bizar nummer met de titel 'The Dead Can Dance': een vreemde mengeling van steeldrums, snerpende elektronische geluiden, basgitaren en melodieuze fluiten.

Freaky disco, denk ik bij mezelf.

Wurggreep is absoluut niet aan mij besteed, geef ik toe; maar te zien aan de manier waarop elke jongere met geverfd haar, een piercing of een hennatatoeage uit een straal van zevenenhalve kilometer van Blackwell hier in de sporthal met zijn hoofd stond te schudden en in de lucht stond te stompen, was ik duidelijk in de minderheid.

'Nou, ze lijken wel populair, hè?' zei Fleur.

'Zeker,' bevestigde Claude.

'Wat vinden we ervan?' schreeuwde Claude naar een 7e-klasser met haar dat in honderd mini-vlechtjes was verdeeld.

'Super!' schreeuwde het meisje. 'Wurggreep rrrrockt! Die moet je zeker laten optreden.'

Onofficieel was dát dus besloten: als we Wurggreep niet lieten optreden, zouden we gelyncht worden. Het werd op dit moment nog niet uitgesproken, maar we hadden alle vrienden nodig die we konden krijgen.

'Oké, jullie hebben je kans gekregen,' zei meneer Gowan die zojuist naast ons was verschenen. Dat doet hij wel vaker, meneer Gowan; hij ís er gewoon opeens, zonder waarschuwing. Hij moet wel een geheim gangenstelsel of zoiets onder Blackwell kennen.

'Het is acht uur en het is tijd dat jullie vertrekken. Denken jullie dat ik niks anders te doen heb?' bromde meneer Gowan.

De hele sporthal staarde hem nietszeggend aan en probeerde

zich voor te stellen wáár hij dan precies naartoe moest. Laten we wel wezen, hij woont godbetert op het schoolterrein, hij viert vakantie op een camping vijf kilometer verderop; hij is nou niet bepaald een enorme wereldreiziger.

'Sorry, meneer Gowan, maar mogen we nog vijf minuutjes?' smeekte Claude.

'Nou, als je er maar voor zorgt dat het er niet meer dan vijf zijn,' zei Gowan, verslappend onder Claudes extreem beleefde houding. 'Maar zorg ervoor dat ik niet moet terugkomen om de stekker eruit te trekken. Gesnopen, meisjes?'

'We snappen het!' riepen de LBD in koor.

'Wij snappen het ook, meneer Gowan,' riep een koor van diepere, mannelijke stemmen.

HET WAS LOST MESSIAH. Althans, drie leden ervan: Naz, Aaron en Danny.

Halleluja!

'We zijn godzijdank nog net op tijd,' zei Naz opgewonden, zoekend naar een stopcontact voor zijn versterker. 'Het spijt me heel erg, meisjes, duizend excuses. We hadden een beetje, eh, tegenslag namelijk.'

'Nou, jullie zijn er nu, dat is het belangrijkst,' zei Claude, en ze klonk buitengewoon blij om hem te zien. Tjeetje, als je er als jongen goed uitziet, kun je echt alles maken, hè?

Maar waar was Jimi? Dat vroeg ik me af.

'Zijn jullie je leadzanger niet kwijt?' vroeg Fleur.

'Precies,' zei Naz. 'Onze domme, onhandige leadzanger. Hij is, eh, onderweg.'

En net op dat moment zwaaiden de deuren van de sporthal open en strompelde Jimi Steele naar binnen met Bess, zijn skateboard, onder zijn arm en zijn linkerbeen achter hem aan slepend als een gewonde soldaat.

'Jimi!' gilde ik (niet zo erg cool, nu ik erover nadenk.) 'Wat is er met je gebeurd?!'

Eén pijp van Jimi's donkerblauwe legerbroek was gescheurd en hij hield zijn rechterpols tegen zijn borst.

'Ach, niets. Eigenlijk niets. Ik viel min of meer,' zei Jimi, met zijn hoofd schuin naar één kant en licht blozend. 'Het is, eh, erger dan het eruitziet.'

Jimi deed zijn pols omhoog en toonde ons een griezelig schouwspel van bloed en kapotte huid.

'Bwaaaah!' riepen de LBD in koor (o ja, en ook alle andere meisjes in de sporthal die plotseling geïnteresseerd waren in Jimi Steeles algemene gezondheid).

Snap je wat ik bedoel met er goed uitzien en een speciale behandeling krijgen? Meneer Gowans hele arm had eraf kunnen vallen, maar alleen omdat hij er een beetje uitziet als een aardappel, zou geen enkel meisje ook maar een vin verroerd hebben.

'Ja, Slimme Sam hier heeft net ruzie gehad met een trap en een skateboard,' ging Naz hoofdschuddend verder. 'En de trap heeft gewonnen.'

Jimi bloosde weer, en kromp toen ineen omdat zijn pols langs de bovenkant van zijn broek schuurde.

'Het was jouw schuld, Naz,' zei Jimi. 'Jij had me niet moeten vertellen over de nieuwe railing.'

'O, nu is het míjn schuld dat jij een volslagen idioot bent?' gniffelde Naz.

Uit de discussie die volgde tussen de leden van Lost Messiah, bleek dat het gemeentebestuur in zijn onmetelijke wijsheid een nieuwe vrijstaande leuning had laten plaatsen bij de trap van het Westland winkelcentrum. Niks spannends, denk je misschien? Nou nee, behalve als je weet dat Naz de leuning had gezien en Jimi erover had verteld. Hij had Jimi verteld dat het nieuwe geval niet alleen erg steil was, en pas in de was gezet (en ojee, dat is voor een skateboarder wat een rode lap is voor een stier), maar toen had hij ook nog met Jimi gewed dat hij niet de zevenendertig treden af kon skateboarden én op Bess kon landen zonder het tegemoetkomende fileverkeer te raken.

'Wauw!' kreunden alle meisjes in de sporthal.

'Hij is zó sexy,' fluisterde een meisje uit de 8e íets te hard tegen haar vriendin, en ze werd donkerrood.

Het is een vreemd feit dat hoe gevaarlijker jongens doen, hoe aantrekkelijker ze voor ons meisjes worden. Het was zelfs zo dat, door zijn leven te wagen voor vijf minuten roem, de hele sporthal in aanbidding aan Jimi's voeten lag.

De meisjes wilden met hem zoenen; de jongens wilden hem zíjn.

'En het was me nog bijna gelukt ook,' zei Jimi. 'Tenminste, de eerste keer. Toen ik het de tweede keer probeerde werd het nogal een rotzooitje.'

'We dachten dat hij er geweest was,' zegt Naz. 'Nadat hij viel lag hij daar maar, minutenlang, zonder te bewegen. We werden helemaal gek.'

'Knap hoor,' zei Claude, nogal sarcastisch.

'Kun je wel zingen, Jimi?' vroeg Fleur.

'Ja, ik denk het wel; het is wel oké, ik weet alleen niet of ik met deze pols gitaar kan spelen,' zei Jimi. 'Maar ik wil het wel proberen.'

Jimi liep naar de plek waar Aaron zijn gitaar had gestemd en probeerde de band over zijn hoofd te doen. Alleen verloor hij zijn evenwicht een beetje en struikelde hij, waarbij hij zijn gewonde knie nogal onhandig tegen een versterker stootte.

'Auauauauawwww!' kreunde Jimi. 'Dat deed zeer!'

Hij zakte met zijn hoofd in zijn handen op de vloer en zag er nu echt afschuwelijk uit. Er ging een geschrokken gemompel door de zaal. Ik wilde alleen maar naar hem toe rennen en hem even flink knuffelen... maar ik was te laat.

'O, mijn hemel, is alles oké? Moet je naar het ziekenhuis?' vroeg een bezorgde stem die plotseling de leiding over de situatie nam.

De stem was van Panama Goodyear.

Ik dacht dat ze naar huis was.

'Kweetniet,' zei Jimi, omhoogkijkend naar Panama's op en neer bewegende borsten en grote bruine ogen en zich waarschijnlijk een stuk beter voelend. 'Ik ben gewoon een beetje draaierig.'

'Nou, laat me eens even naar je kijken,' zei Panama terwijl ze op haar hurken naast Jimi ging zitten. 'Laten we even kijken of je iets gebroken hebt, goed?'

Domme ik, die er geen idee van had dat Panama ook nog een gediplomeerd verpleegster was, maar daar zat ze, MIJN Jimi Steele te betasten, hem zijn knieën te laten buigen en zijn armen en benen omhoog en omlaag te laten bewegen, zodat ze hem haar eigen 'diagnose' kon geven. Ik beloofde mezelf dat ik haar zou slaan tot ze beurs was als ze Jimi zou vragen kledingstukken uit te trekken zodat ze de situatie beter kon bekijken.

'Ik denk dat het wel in orde komt,' verklaarde dokter Goodyear uiteindelijk, onderwijl over Jimi's arm wrijvend. 'Je hebt gewoon een beetje een shock, dat is alles.'

'Shock? Shock!' mopperde ik zachtjes. 'Natuurlijk heeft ie een shock! Jij snol! Je deed zijn hoofd bijna tussen je tieten! Ik haat je, Panama Goodyear!'

'Oehoe, bedankt Panama, ik voel me al een stuk beter,' zei Jimi.

'Graag gedaan,' zei Panama met een onnozele glimlach, waarna ze opstond en de LBD een kleine zelfvoldane lach toewierp, alsof ze wilde zeggen, 'de hemel zei gedankt dat ik er ben'.

'Panama de reddende engel,' mompelde Fleur.

Kort daarna herstelde Jimi wonderwel; sterker nog, hij liep met een lach om zijn lippen heen en weer te huppelen. Toen begon Lost Messiah aan een nummer dat ze een paar avonden daarvoor hadden geschreven, met de titel 'The Girl with the Golden Mouth', wat ging over een lastig meisje dat Jimi altijd tegensprak en helemaal gek maakte. Eerlijkheidshalve moet ik wel zeggen dat Jimi het liedje rechtstreeks naar de LBD zong, en bij gebrek aan meer mensen werd een hoop tekst direct aan mij gericht, terwijl hij me recht in de ogen keek... Maar ik weet zeker dat hij alleen maar aardig wilde doen.

Dus misschien was het toch wel een speciaal nummer.

Maar ik denk niet dat het speciaal voor míj was.

Oproep voor het gevecht

'Zo blijft het nog eens staan, Ronnie, daar heb ik je al vaker voor gewaarschuwd,' zegt Claude opkijkend van haar aantekeningen.

Fleur kijkt op van haar spiegel en pincet.

'Wat?' vraag ik.

'Je gezicht. Als de klok slaat blijf jij voor altijd met die frons zitten,' zegt Claude berispend, alleen omdat ik het laatste kwartier een gezicht als gesmolten rubber heb gehad.

'Ze zou Botox kunnen doen, als dat gebeurt,' stelt Fleur behulpzaam voor. 'Mijn moeder heeft dat vorig jaar laten doen. Het helpt heel goed tegen fronsrimpels.'

'Ze zou in plaats daarvan ook gewoon kunnen ophouden met fronsen,' stelt Claude voor. 'Dat is goedkoper en minder pijnlijk, denk je niet?'

'Ja, zal wel,' zeg ik.

'Kom op, vertel me maar wat er aan de hand is,' zegt Claude. 'We hebben een geweldige lijst van mensen om uit te kiezen,' ze zwaait haar papieren voor me heen en weer. 'Het probleem is, wie we moeten overslaan. Waarom kijk je zo somber?'

'Dat weet je wel, Claudette,' zeg ik, weigerend om mee te doen met Claudes belachelijke optimisme. 'Ik maak me een beetje druk over Panam—'

'Ooo Panama Shmanama!' spuugt Claude eruit. 'Catwalk Shatwalk. We laten die wandelende etalagepop heus niet onze plannen torpederen!'

Claude is gaan staan en blaast zichzelf op tot een volle 1 meter 53 verschrikking.

'Ik bedoel, wat kan ze ons eigenlijk maken?' zegt Claude sceptisch. 'Wat zou ze in hemelsnaam kunnen doen?!'

'Eh... ons in elkaar slaan?' suggereert Fleur, te veel weg epilerend van één wenkbrauw, waardoor die in een permanent verbaasde boog komt te staan.

'Ja... oké, ze kan ons in elkaar slaan, maar ze kan ons niet echt verminken of vermoorden. Dat zou tegen de wet zijn,' zegt Claude grijnzend. 'Verder nog iets?'

'Ons uitschelden?' zeg ik.

'Ja, ja, dat zou ook kunnen,' gaat Claude akkoord, 'maar omdat ze ons heeft uitgescholden sinds het begin van de 7e, word ik daar ook niet echt bang van. Telkens als we Panama zien, zegt ze iets tegen een van ons... ik bedoel, ik voel me gewoon vereerd dat ze nog steeds de moeite neemt na al die jaren.' Ze klinkt bijna overtuigend. 'We zijn duidelijk nog niet onze lbd-betovering kwijt, toch?'

Claude staat met twee handen op haar heupen te wachten op de volgende reden die ze in het grote zwarte gat kan laten verdwijnen.

'Ze kan leugens over ons vertellen,' zegt Fleur. 'Dat doet ze altijd over mensen.'

'Tja, als het leugens zijn, dan zijn het leugens,' gaat Claude ertegenin. 'Alleen domme mensen geloven roddels zonder ze op waarheid te onderzoeken, toch?'

Was dat maar waar, denk ik bij mezelf.

We kijken elkaar in stilte aan. Eindelijk kom ik met mijn grootste angst.

'Nou... waar ik mee zit is dat Panama het hele festival zou kunnen ruïneren als ze haar zin niet krijgt,' zeg ik. 'Ik zweer je Claude, die griet is in- en inslecht.'

Die laatste opmerking was net te veel voor Claudette.

'OKÉ, IK HEB ER GENOEG VAN!' schreeuwt ze, alle geduld verliezend. 'Panama Goodyear zit me tot híer!'

Claude wijst naar een denkbeeldig punt in de lucht boven haar hoofd. 'Ik ben niet van plan nog langer naar deze onzin te luisteren.'

Claudes diepbruine huid glanst best majesteitelijk, verlicht door de modieuze spotjes aan het plafond van Fleurs slaapkamer.

Fleur gaat onmiddellijk geschrokken rechtop zitten. Ik laat verstijfd mijn tijdschrift vallen.

'O, mooi. Fijn om jullie aandacht te hebben,' lacht Claude. 'En luister nu naar wat ik ga zeggen, omdat ik mezelf niet graag herhaal: dit moet echt ophouden. Het moet nú ophouden!'

Claude laat een lange pauze vallen.

'Wat?' zegt Fleur uiteindelijk.

'Al dat gedoe over Panama Goodyear. Ik ga er gewoon niet

mee akkoord,' zegt Claude, en verbetert zichzelf snel. 'Ik bedoel, *wij* gaan er gewoon niet mee akkoord.'

'Hmmm,' zeg ik.

'Wat bedoel je, hmmmm? Ik geloof mijn oren soms niet met jullie twee,' zegt Claude. 'Ik bedoel, denk je dat ik bang ben voor wat die groep hopeloze eencelligen die zich Catwalk noemt, kan doen tegen de LBD en Blackwell Live? Denk je dat?'

Ik vind dat Claude er geërgerd uitziet, maar op een boze, opstandige manier, niet gedwee en verslagen zoals ik.

'Omdat ik me verdorie helemaal GEEN zorgen maak,' gaat Claude verder. 'Daarvoor ken ik de LBD te goed.'

'Ja, ik begrijp wat je bedoelt, Claude,' zeg ik. Het klinkt slap en niet overtuigend. 'Ik weet dat we beter zijn dan zij.'

'Is dat zo?' zegt Claude. 'Of wil je graag dat ik nog eens precies met je doorneem waarom wij de LBD zijn?!'

'Als je wilt,' zeg ik, met een beginnende lach. Claude is echt heel grappig als ze eenmaal op gang komt.

'Toe maar!' schreeuwt Fleur. 'Kom op, doe 't!!'

We zijn allebei gek op Claudes korte 'Waarom wij de LBD zijn'-speech. Het is een scherpzinnige, krachtige tirade die iedere keer dat er tegenstand dreigt, uit de kast wordt getrokken. Na drie jaar samen is het een beetje een traditie geworden; sterker nog, ik zou niet weten wat ik zonder moest, helemaal in tijden zoals deze.

'De LBD... of Les Bambinos Dangereuses,' begint Claude, terwijl ze op een stoel klimt om haar speech te beginnen. 'Ja, ik weet wat jullie denken. Jullie denken, Claudette, wat is de LBD? Wat betekent het precies?'

'Zeg het, sister!' schreeuwt Fleur.

'O, dat zal ik doen... maak je geen zorgen,' zegt Claude, met haar vuist voor haar borst als een Romeinse keizer.

'Allereerst,' begint Claude, 'hebben we het woord "Les", wat een meervoudig voorzetsel is. En ik ga jullie nu niet vervelen met een grammaticales dames, maar volsta met te zeggen dat er meer dan één van ons is.'

'Precies!' zegt Fleur, om de een of andere reden opeens met een Amerikaanse tongval.

'En in ons geval zijn er drie van ons,' gaat Claude verder. 'Dus hoe je je ook voelt, als je deel uitmaakt van de LBD, ben je nooit alleen, omdat er drie mensen zich net zo voelen. Een gedeeld probleem is een probleem gedeeld door drie... driemaal recht is scheepsrecht... dat soort dingen allemaal.'

'Samen staan we sterk?' suggereert Fleur, die denkt aan andere clichés.

'Drie musketiers?'

'Een ongeluk komt altijd in drieën...?' voeg ik toe.

'Ja, dat ook,' zegt Claude. 'Maar wat er ook gebeurt, de LBD blijven niet lang in de put zitten. Dat is gewoon niet zo Dangerous Bambino-achtig. We zetten onze schouders eronder en doen er wat aan.'

Claude zwaait inmiddels met haar handen; ze vindt het echt heerlijk om te speechen, zelfs als het publiek heel erg beperkt is.

'En wat betreft "Bambino", gaat Claude verder. 'Nou, *bambino* is een cool, grappig, Italiaansig woord voor baby, toch? En ik denk dat je zonder discussie akkoord gaat met het feit dat wij heel erg coole, hippe jonge *babes* zijn, met meer levenswijsheid en charisma in onze linkerbil dan die grijnzende idioot Panama Goodyear in haar hele lijf heeft. Is dat niet zo, dames?'

'Je hebt geen ongelijk,' stemt Fleur in. 'Ga door... ik vind dit leuk.'

'"Dangereuses",' roept Claude terwijl ze bijna van haar stoel

valt maar zichzelf overeind houdt aan een dichtbijzijnde deur-
post. 'We zijn om zo ontzettend veel redenen gevaarlijke *bambinos*. We laten ons door niemand op de kop zitten, zeker niet
door Catwalk. We hebben altijd wel een idee en we geven nooit
op. Sterker nog, niemand weet ooit precies wat onze volgende
zet is; we zijn zo geslepen als vossen.'

'Hahaha, als je het maar weet!' lacht Fleur.

'We zijn zo sluw als coyotes,' schreeuwt Claude, waarmee ze
waarschijnlijk Boosaardige Paddy beneden irriteert omdat hij
probeert om in stilte van een James Bondfilm te genieten.

'We zijn zo gevaarlijk als *bambinos*!' schreeuw ik nóg harder,
wat op zichzelf al gevaarlijk is als je weet hoe kwaad Paddy
wordt wanneer hij wordt gestoord terwijl hij voor de zeventiende keer *Goldfinger* kijkt.

'Gevaarlijk als *bambinos*!' zeggen we in koor, uitzinnig giechelend.

(Je vraagt je waarschijnlijk af waarom het allemaal een soort
zelfbedacht half-Frans/half-Italiaans werd – dus 'Les Bambinos Dangereuses' – maar hé, als jij met Fleur, Claude en mij de
hele 7e door had geluisterd naar Madame Bassett, die maar
doorratelde over Monsieur Boulanger uit La Rochelle... nou, geloof me, dan bedacht je ook een stompzinnige naam voor je
clubje...)

Is dit een soort straatoptreden?

Ik voel me nu een stuk beter.

Algauw zitten de LBD op Fleurs slaapkamervloer met allemaal
papieren om hen heen, en voeren we een goede, verhitte discussie over wie er wel en niet meedoet en wie de vereiste x-factor heeft om op Blackwell Live te mogen optreden. Dankzij

Claudes ongelooflijk oppeppende speech, is het bijna alsof het Catwalk-probleem zich niet heeft voorgedaan, hoewel dit nog niet het eind van de onrust van vandaag is. Natuurlijk vindt iedereen Christy Sullivan aardig, twee van ons vinden zelfs Shop leuk... Maar net zoals Claude nu haar best doet om Rioolkwal op de lijst te krijgen, heb ik te doen met Chester Walton en speelt Fleur advocaat van de duivel door voor te stellen dat we de show kunnen beginnen met meneer Jingles, de ongelooflijk slechte, pratende beer. De discussie gaat maar door en door, in cirkeltjes en met heel veel harde stemmen en lange stiltes, totdat we worden gestoord door een vreemd geluid.

Petjang klinkt het geluid dat lijkt op een steentje dat tegen Fleurs raam wordt gegooid.

'Wat was dat?' zegt Fleur.

'Kweetniet, het komt daarvandaan,' zeg ik.

'Het klonk alsof er iets gegooid werd,' zegt Claude.

Petjang.

'Ja, ik denk dat we bezoek hebben. Als het dat varken Dion James is, zorg dan dat het waterpistool gevuld is,' zegt Fleur terwijl ze overeind springt, met mij en Claude achter zich aan.

Terwijl de LBD vechten om een plaatsje om hun neus tegen Fleurs raam te duwen, slaakt Fleur een gilletje.

'Ieeep,' zegt ze, 'er staan zes vreemde mannen onder mijn raam! Super, toch? Doe gauw het raam open, Claude.'

En ze heeft gelijk: er staan er zes. Buiten, op Disraeli Road staan zes jongens van ongeveer vijftien allemaal omhoog te kijken. Ze zien er allemaal erg hiphop uit, met afgezakte broeken, hippe gymschoenen en gouden kettingen. Eentje heeft zelfs een rode bandana om zijn hoofd, alsof hij net uit South Central LA is gekomen en niet op een mountainbike door High Street is gereden, wat me toch aannemelijker lijkt.

'Wie zijn jullie?' roept Claude.

'En wat willen jullie?' roept Fleur.

Als mijn omi hier was, zou ze zoiets tactvols zeggen als 'Wooee, het lijkt verdorie de UN wel daar beneden,' omdat het groepje bestaat uit twee witte jongens, een Chineesachtige jongen, twee zwarte jongens met héél uiteenlopende huidskleur en een Grieks uitziende jongen met heel bijzondere bruine ogen en uitstekende jukbeenderen.

'Ben jij Fleur Swan?' schreeuwt de Griekse jongen.

'Ja, dat ben ik,' zegt Fleur, haar wenkbrauw optrekkend.

'Mooi, wij zijn de EZ Life Syndicate,' zegt de Griek terwijl de andere jongens achter hem vreemde 'gangsta'-handbewegingen maken. 'We willen meedoen aan jullie festival.'

'O?' zeggen de LBD. We zijn een beetje van ons stuk gebracht; we hebben deze jongens nog nooit eerder gezien. Hoe hebben ze ons in hemelsnaam gevonden?

'Waar komen jullie vandaan?' roept Claude, de leiding nemend.

'We zitten op Chasterton School, aan de andere kant van de stad,' zegt een van de zwarte jongens, die sterke, brede schouders heeft.

'Ik weet waar Chasterton is,' zegt Claude. 'Waar wonen jullie?'

'We wonen allemaal in Carlyle estate,' zegt de zwarte jongen, gebarend naar de hele groep en vervolgens naar twee knappe Latijns-Amerikaans uitziende meisjes op de muur achter hen.

'Fffff, EZ Life? Ja, natuurlijk hebben ze een makkelijk leven. Die buurt is behoorlijk rijk vergeleken met deze,' zegt Claude zachtjes tegen de LBD.

'Dat maakt niet uit,' zegt Fleur. 'Wat doen jullie dan?' schreeuwt ze naar beneden. 'Rappen jullie of zo?'

'Nou, we zijn meer een soort club...' zegt de Chinese jongen. 'We rappen en we, nou eh, sommigen van ons zijn dj en sommigen dansen en één van ons zingt... het is een groepsoptreden. Het is een EZ Life-ding. Snap je wat ik bedoel?'

Meer vreemde handbewegingen.

'Eh, jaaa,' zeggen de LBD niet overtuigend.

'De jongens bij de Music Box vertelden ons waar jullie mee bezig zijn, dus toen vonden we dat we jullie moesten opzoeken,' zegt een van de witte jongens die een ring aan elke vinger heeft en een dikke zwarte jas met hoge boord draagt.

'Nou, jullie hebben ons in ieder geval gevonden,' zegt Claude. 'En nu?'

'Nou, hebben jullie tien minuten om ons te horen rappen?' vraagt de Cypriotische jongen terwijl hij een cd in een draagbare gettoblaster doet die hij in zijn ene hand heeft.

'Ja!' schreeuwt Fleur, met weinig respect voor de rest van Disraeli Road, die waarschijnlijk lekker wat rustige, vroege avondtelevisie zit te kijken.

De buren zullen dit helemaal niet leuk vinden.

'Oké!' zegt de EZ Life-groep in koor, terwijl ze een bass-line laten beginnen en het geluid voluit zetten. Binnen een paar seconden vergaat de straat van een angstaanjagend, dreunend, 132 beats-per-minute ritme. Een paar jongens dreunen om de beurt onnavolgbaar snelle rijmzinnen op, chagrijnig sjokkend en vreemde gebaren makend, terwijl de meisjes wild dansen in hun strakke, zwarte broeken en T-shirts die hun middel bloot laten. Eén jongen draait rondjes op zijn rug terwijl anderen ernstig stilstaan, wachtend op hun beurt om een regel of zelfs maar een woord van het nummer te roepen. Overal bewegen gordijnen en verschijnen er gezichten voor de ramen.

'Ga bij mijn Volvo weg!' schreeuwt de kerel van nummer 42

met alleen een badhanddoek om. 'Anders bel ik de politie!'

'Oooo, is dit een televisieprogramma met verborgen camera?' roept het kleine oude vrouwtje van nummer 52 naar de twee dansende en zingende EZ Life-meisjes. 'Word ik nu gefilmd? Wat spannend! Ik kom op televisie!' zegt ze, met haar handen zwaaiend naar de niet-bestaande camera's in haar heg.

Als ik mijn favoriete moment in het Blackwell Live-gedoe moet noemen, is dit het misschien wel: de LBD die schreeuwend en lachend uit het bovenste raam van Disraeli Road 39 hangen met de EZ Life-groep rappend en dansend alsof hun leven ervan afhangt op het asfalt beneden... En Paddy Swan die tussen hen in heen en weer rent, zwaaiend met zijn vuist, dreigend dat hij de politie zal bellen of de geluidsoverlastcommissie als EZ Life niet onmiddellijk ophoudt met die 'duivelse herrie'. Paddy is zó kwaad dat zijn kale kop precies op een rode biet lijkt.

Onbetaalbaar.

Gelukkig begreep EZ Life al snel wat er bedoeld werd en begonnen ze te vertrekken, met hun muziekinstallatie en alle acht leden.

'Maar hoe moeten we jullie nu vinden?' schreeuwt Fleur uit haar slaapkamerraam, waardoor ze Paddy nog kwader maakt.

'Waarom wil je ze vinden?' schreeuwt Paddy naar boven.

'Sms me!' schreeuwt de Cypriotische jongen, en hij roept voor de hele straat het nummer van zijn mobieltje. 'Schrijf me maar even wanneer je erover nagedacht hebt,' gaat hij verder.

'Maar hoe heet je?' schreeuwt Fleur.

'Killa Blow,' schreeuwt de jongen zonder een teken van gêne.

'O mijn goede god,' zegt Paddy.

LAATSTE NIEUWS BLACKWELL LIVE

IEDEREEN DIE AFGELOPEN MAANDAG AUDITIE HEEFT
GEDAAN VOOR BLACKWELL LIVE, BEDANKT

DE VOLGENDE OPTREDENS ZIJN TOEGEZEGD:
- CHRISTY SULLIVAN
- WURGGREEP
- LOST MESSIAH
- RIOOLKWAL
- CATWALK
- THE EZ LIFE SYNDICATE
- BLACKWELL KLOKKENLUIDERSCLUB

WE VERZOEKEN ALLE ARTIESTEN DONDERDAG 26 JUNI
OM 4 UUR 'S MIDDAGS VOOR EEN ALGEMENE
VERGADERING NAAR HET TONEELLOKAAL TE KOMEN.

BLACKWELL LIVE KAARTEN WORDEN VERKOCHT OP DE
GANG BIJ HET TONEELLOKAAL TIJDENS PAUZES OP
WOENSDAG 2 JULI.
– € 4,50 –

7 Nog een briljant idee

Er wordt gezegd dat ik vroeger een buitengewoon vreugdeloos kind was.

Volgens de Ripperton-familiekronieken werd ik gedurende mijn jongste jaren nooit ergens enthousiast over, tot grote ergernis van mijn ouders, die verwachtten, nee, eisten dat ik de dingen die ze voor me deden volledig terugbetaalde met kinderlijke verbazing.

Uitstapjes naar het park? Zakken snoep? Met helium gevulde ballonnen? Tot na bedtijd op mogen blijven om het eind van een televisieprogramma te zien? Al die dingen, en nog veel meer, werden hooguit beloond met een schouderophalen en een nietszeggende gezichtsuitdrukking.

'Ronnie,' zei mijn vader een keer nadat ik in mijn eentje een gezinsuitje naar Chessington World of Adventure had getorpedeerd, 'het is nogal demotiverend voor een vader als zijn zesjarige dochter geforceerd een slappe glimlach voor hem op haar gezicht tovert.'

En dat geloof ik direct, vooral als dat lachje vergezeld ging van mijn korte verklaring: 'Dat klinkt leuk, pap. Maar misschien is het meer iets wat jij en mama leuk vinden. Gaan jullie maar samen, ik blijf wel thuis.' (Wat voor hen aanleiding was om met de binnenkant van hun hand tegen hun voorhoofd te slaan en te dreigen dat ze me naar het dichtstbijzijnde weeshuis zouden brengen.)

Maar ik was geen onaardig kind. Eerder het tegenovergestelde.

Ik weigerde alleen de vereiste hoeveelheid blijdschap te tonen die, bijvoorbeeld, een lange ballon in de vorm van een worstenhond of een schaal met geleipudding en ijs moesten ontlokken. En geloof me, daar worden ouders heel kwaad om. Eigenlijk was kerstavond het enige waar ik echt enthousiast over werd, maar ja, het feit dat een gepensioneerde oude kerel één keer per jaar met toestemming van mijn ouders inbrak om €300 aan speelgoed en chocola achter te laten... nou, daar moet iedereen om lachen.

Maar, nou ja, dit is niet een of ander duf uitstapje naar weet-je-nog-land. Ik vertel dit omdat het erop lijkt dat ik nu, op veertienenhalfjarige leeftijd, problemen heb omdat ik 'té blij' ben. Volgens mij is dat sluitend bewijs dat je, om ouders te zijn, een beetje schizofreen moet zijn, of ten minste last moet hebben van enorme geheugenstoornissen en waanvoorstellingen.

Mijn ouders kunnen bijna niet geloven hoe opgewekt ik deze week ben, sinds Blackwell Live van de grond begon te komen. Ik heb aan één stuk door gelachen en iedereen de oren van het hoofd gekletst. Ik was positief over het leven en de toekomst. Ik heb niet één keer gewezen op de mogelijkheid van een bacteriële oorlog (soms raak ik een beetje geobsedeerd door dingen die ik op het nieuws zie). Ik ben een paar ochtenden vroeg de deur uit gerend naar Blackwell, omdat de LBD bergen dingen moeten regelen. Het was geen bewust besluit om opgewekter te worden, maar aangezien de oorspronkelijke reden van de LBD om Blackwell Live te organiseren was om, eh, misschien 'jongens te ontmoeten'... en we slechts een paar weken later een hele stortvloed van mannen over ons heen krijgen die met ons wil kletsen en naar onze huizen wil komen... Nou, ja, ik ben denk ik wel een beetje opgewekt! Ik bedoel, we hebben zelfs de EZ Life Syndicate ontmoet, die van een heel andere school komt! Ja, we *importeren* nu dus jongens uit andere gebieden, haha! En, oké, natuurlijk hebben we de laatste dagen een paar keer last gehad van Panama wc-pot en haar kabouters, maar ik heb toch mijn hoofd rechtop gehouden.

'Je gebruikt drugs, hè?' stelt mijn moeder terwijl ze met veel kabaal een schaaltje brij voor me op de keukentafel plant. Ik vermoed dat deze zooi Frosted Krispies was toen ze het een uur geleden voor me klaarmaakte.

'Wat?' zeg ik.

'Je gebruikt drugs,' gaat ze verder. 'Ik kan het zien. Ik kom er alleen niet achter wat voor drugs. Je houdt maar niet op met glimlachen.' Mama pakt mijn gezicht en trekt een onderooglid naar beneden. 'Zie je wel? Roodomrande ogen. Drugs,' zegt ze.

Mijn moeder moet hetzelfde artsendiploma als Panama Goodyear hebben gehaald.

'Mam, kan je tenminste je tanden poetsen voor je 's ochtends zo dichtbij komt,' sputter ik, terwijl ik haar afschud vóór ze een puistje ziet dat ze gelijk ook nog even wil uitknijpen.

'Ik kan het gewoon niet geloven,' piep ik. 'Je hebt me de laatste veertien jaar steeds op mijn kop gezeten om meer te lachen en er enthousiaster uit te zien, en nu geef je me op mijn donder omdat ik te veel lach! Jij bent gek, jij. Jullie zijn een stel gevulde pasteitjes op zoek naar een buffet, jullie.'

'Pfff, *jij* bent gek,' zegt mama.

'Nee, dame, ik denk dat je er wel achter komt dat *jij* gek bent.'

(Sinds ik een tiener ben hebben onze ruzies een heel andere wending genomen.)

'Veronica, maak je moeder niet voor gek uit,' schreeuwt mijn vader uit een andere kamer.

'En bij hem zit er ook een steekje los,' zeg ik, knikkend in de richting van mijn vaders stem.

'Helaas kan ik je daar geen ongelijk in geven,' geeft mijn moeder toe, haar neus optrekkend in mijn vaders richting. 'Jij kreeg je slechte genen van zijn kant van de familie, maar laten we je vader erbuiten laten.'

Mijn vader, die weet wat goed voor hem is, besluit stilletjes met zijn kopje thee in de woonkamer te blijven en niet te proberen zich te verdedigen.

Ik dacht gisterenavond heel eventjes dat mama en papa dat vreemde probleem van ze misschien hadden opgelost. Toen ik uit school kwam, zaten ze samen in de keuken best wel beschaafd te praten over café-zaken. Met *elkaar* te praten zelfs. Ze zeiden niet tegen mij dat ik dingen tegen de ander moest zeggen. Het was bijna alsof ze gewoon vrienden waren. Nou ja, totdat papa zei dat volgend jaar een goed jaar zou zijn om de achtertuin van de Fantastic Voyage te doen. Papa droomt er al bijna vijf jaar van om de achtertuin te veranderen in een 'biertuin', maar dat zal volgens de aannemer megamiljoenen gaan kosten.

'Er zijn wel dringender zaken om ons spaargeld aan te besteden dan aan een stompzinnige biertuin, Lawrence,' snauwde mama.

'Ik dacht dat je er wel voor zou zijn, Magda. Ik zou er een tent kunnen opzetten en er kunnen gaan wonen. Dan hoefde je niet meer naar me te kijken,' schreeuwde papa.

Gelukkig had ik met de LBD afgesproken bij Fleur. We zouden een grote roerbakschotel maken en Blackwell Live bespreken. Het was fijn om het huis te kunnen verlaten en iets te doen wat niets te maken had met mijn ouders.

Als ik weer opkijk van mijn Frosted Brij zit mama me aan te staren, wachtend tot ik mijn enorme drugsprobleem opbiecht.

'Laat me nou eens met rust,' zeg ik hoofdschuddend. 'Het gaat gewoon heel, heel goed met me op dit moment. Alles gaat van een leien dakje met Blackwell Live, het loopt gewoon allemaal...'

Mama zit me nog steeds aan te staren.

'Ik bedoel, ja, misschien zat ik vorige week heel erg in de stress...' ga ik verder.

'In de stress en depressief,' verbetert mama me terwijl ze een zilverui eet.

'Oké, ja, in de stress en depressief, maar nu ben ik blij en...'

'Blij en hyper?' vraagt mama, en ze trekt een wenkbrauw op.

'Ja!'

'Hmmmmm,' zegt ze.

'Maar ik gebruik GEEN drugs. Ik zou ook niet weten hoe ik eraan moest komen, dus hoe zou ik ze dan kunnen gebruiken?' zeg ik, helemaal naar waarheid.

'Nou, je hebt al die drugsdealers die elke middag voor jullie school staan, leurend met hun spul,' zegt mama, die de laatste tijd heel intensief de *Daily Mercury* is gaan lezen.

'Mijn god, mam, die drugsdealers bestaan niet eens!!' kreun ik. 'Claude en ik zijn in de 8^e zelfs eens een keer na school blijven rondhangen, speciaal om een echte drugsdealer in actie te kunnen zien. De enige die er was, was mevrouw Baggins, de klaarover!' zeg ik.

'En die is *zeker* aan de drugs,' zegt mama terwijl ze opgelucht begint te lachen.

'O ja, absoluut, ze is zo gek als een deur,' zeg ik instemmend, blij dat mijn verhoor voorbij is. Maar zoals altijd wil mama het laatste woord.

'Nou ja, wat ik wil zeggen: ik houd je in de gaten, Veronica Ripperton,' geeft ze zich gewonnen. 'Ik houd je in de smiezen en als ik iets zie wat me niet aanstaat, ben je nog niet klaar met me...' Mama priemt met haar uitgestoken wijsvinger in mijn richting.

'Je kijkt maar raak, gek oud wijf,' zeg ik zachtjes tegen mijzelf terwijl mama aan een nieuwe zilverui begint. 'Want ik ben niet aan de drugs.'

'En ik wil wedden dat die Fleur Swan hier ook iets mee te maken heeft...' gaat mama verder, tegen niemand in het bijzonder. 'Zij is de aanstichtster van alle misdrijven. Als ik Patrick Swan was had ik haar al lang geleden opgesloten op zolder.'

'Waarom Fleur?' vraag ik terwijl ik mijn schooltas pak. 'Waarom niet Claude? Misschien is zij wel mijn drugsdealer,' voeg ik er grappend aan toe.

'Hahaha! Laat me niet lachen, Ronnie,' snuift mama tegen me. 'Claude zou zich nooit inlaten met zoiets. Die is veel te verstandig. Claude is zo'n leuke meid...'

(Let wel, als Claudette Cassiera geen totaal andere huidskleur had en niet mevrouw Cassiera had om voor haar te zorgen, zou mijn moeder doen alsof Claude haar eigen vlees en bloed was nadat ze mij langs de snelweg had achterlaten. Mam houdt van Claudette als van de dochter die ze eigenlijk had willen hebben. Hoe doet Claude Cassiera dat?)

'Oké. Ik kan hier niet blijven rondhangen,' zeg ik opgewekt. 'Ik ga maar eens naar school, lekker high worden.'

Mama kijkt op van de pot zilveruien waaruit ze de azijn in haar mond lepelt.

'O nee, vergeet dat maar,' ga ik verder. 'Ik ga in plaats daarvan waarschijnlijk alleen naar natuurwetenschappen, om mezelf dood te vervelen en daarna als lunch een gepofte aardappel eten.'

'Brave meid,' zegt mama.

'Tot straks, mafketel,' zeg ik, en ik geef mama een kusje.

'Nee, jij bent maf,' zegt ze, en ze doet snel de deur van het café achter me dicht zodat ik niet kan antwoorden.

Mijn moeder is zó kinderachtig.

De vergadering

Ik ben gek op de lucht in het toneellokaal.

Meneer Gowan gebruikt een ongelooflijk lekker ruikend donkerbruin poetsmiddel om de eikenhouten vloer glad en glanzend te houden. Het ruikt geweldig.

Ik denk dat als ik de een of andere vreemde substantie moest snuiven om mijn moeder de drugscrisis te bieden die ze zo wanhopig zoekt, ik waarschijnlijk gewoon in het toneellokaal ging zitten, om het heerlijke, volle, vernisachtige aroma in te ademen... totdat ik omver werd gelopen door een stel 7^e klassers die op het ritmische geluid van een tamboerijn doen alsof ze 'ontluikende bomen' of 'hoogvliegende vogels' zijn.

Ik had nooit gedacht dat als we alle uitverkoren Blackwell Live-bands in het toneellokaal uitnodigden voor een 'Algemene Vergadering' (zoals Claude het nogal officieel noemt) ze ook allemaal gewoon zouden komen, zonder gezeur.

Al die leerlingen? Van wie er een heleboel elkaar niet eens aardig vinden? Met allemaal andere roosters en na-schoolse afspraken?

Dat zijn veel mensen om samen te krijgen.

Er is altijd wel een jongen die zich een dringende afpsraak met zijn Nintendo Gamecube herinnert (bijvoorbeeld Aaron), of een meisje dat voor haar pony moet zorgen (bijvoorbeeld Abigail van Catwalk). Maar met Claude als kapitein die tussen de lessen door naar de garderobes sprint en muzikanten dreigt met de doodstraf en zegt dat ze om precies vier uur in het to-neellokaal MOETEN zijn, is het allemaal voor elkaar gekomen.

'Ik heb ze precies gezegd hoe het ervoor staat,' zegt Claudette terwijl de LBD onderweg zijn naar het toneellokaal. 'No show betekent "No Show": wie niet op komt dagen, mag niet optre-den. Als ze vanmiddag niet komen, kan ik er ook niet op reke-nen dat ze er twaalf juli wel zijn.'

'Claude, je bent soms echt een manwijf,' zegt Fleur.

'Ja, ik weet het,' lacht Claude. 'Maar je doet net alsof dat iets slechts is... ik bedoel, kijk, ik heb ze toch allemaal bij elkaar ge-kregen, niet?'

'Ja, kleine C.,' grinnikt Fleur, en ze steekt haar hoofd om de hoek van de deur en ziet een massa hoofden terugkijken. 'Dat heb je zeker.'

Alle negenentwintig hoofden zijn aanwezig. Wat een mooi gezicht!

Dus we hebben het vijfkoppige Wurggreep, Blackwells Nu-goth Speed Reggae pioniers, net naast Rioolkwal, de drie man sterke drum- en gitaargroep. Terwijl Liam geduldig wacht tot de vergadering begint, zit Tara, Rioolkwals blonde bassiste te klet-sen met de enorme bos haar die Benny Stark heet. Benny is er als altijd in geslaagd zijn Blackwell uniform te dragen als een soort ironisch *fashion statement*. Ik weet niet hoe hij het doet, maar hij doet het. Het heeft ermee te maken dat Benny's strop-das altijd iets dunner is dan die van anderen, en zijn over-hemdboorden zijn net iets puntiger en zijn broeken net iets strakker dan die van andere jongens (ze komen ook altijd uit tweedehandswinkels, maar Panama laat Benny om de een of andere reden altijd buiten schot). Een rijtje buttons op Benny's revers, die New Yorkse gitaarbandjes aankondigen waar nie-mand anders van gehoord heeft, maakt Benny's 'Too cool for school'-uiterlijk compleet. Om eerlijk te zijn, weet ik niet zeker of Benny nou eigenlijk zijn best doet om cool te zijn of niet... hij is zo ongelooflijk kalm dat hij eruitziet alsof hij al een hele week moe zou worden van het openmaken van een pot bieten.

'Ja... nou, ik heb de nieuwe single van 'The Divines' gehoord,' mompelt Benny tegen Tara, 'maar bij de Music Box kunnen ze hun nieuwe cd pas eind augustus uit Amerika laten komen, en dat is klote.'

'Die jongens bij de Music Box zijn niks waard,' hoor ik Tara boven het geklets in het lokaal uit verzuchten. 'Ik bestel al mijn import-cd's via het internet, dat gaat zoveel sneller.'

Langs het verhoogde 'podium' van het lokaal zitten de negen bilpartijen van Catwalk en Lost Messiah. Panama Goodyear en Jimi Steele zitten in het midden, schouder aan schouder. Ik kan het niet helpen dat ik steeds zie hoe Panama Jimi's knie aanraakt en haar haren naar achteren gooit wanneer ze praat, en belachelijk hoog giechelt wanneer Jimi alleen maar z'n mond open doet.

Ik kom tot de conclusie dat Jimi Panama een lange rits 'Klop klop'-moppen vertelt... óf dat Panama echt Fleur Swan verslaat als het gaat om het veranderen in een weekdier in het gezelschap van een knappe jongen.

Catwalks Abigail en Leeza roepen naar de alleenzittende, donkerharige, donkerogige Christy Sullivan, die er absoluut fantastisch uitziet op een stoel bij de deur.

'Joehoe! Christy!' piept Leeza, kloppend op de plek tussen haar en Abigail. 'Je kan hier bij ons komen zitten, Christy! Je hebt maar kleine billen, toch?'

'Eh, o, nee, het is prima zo, meisjes, echt,' roept Christy. 'Ik zit hier best lekker, voorlopig. Maar bedankt en zo.'

Abigail en Leeza laten Christy's afwijzing gauw achter zich

en zijn verdiept in hun favoriete onderwerp naast zichzelf: step aerobics.

Maar boven het algemene geluid kan één stem overal gehoord worden.

'En ik zei: "Papa, je kunt gewoon *niet* die Gucci schoenen *en* die bikini voor mijn verjaardag kopen, dat is een afschuwelijke hoop geld!"' vertelt Panama nogal luid aan Jimi. 'Maar mijn vader zei dat hij maar één kleine meid heeft en dat hij zijn geld mag uitgeven zoals hij wil. Nou, Jimi, wat kon ik daar nou op zeggen?!'

'Eh, nou, kweetniet, eh...' zegt Jimi.

'Precies!' piept Panama. 'Dus ik liet hem allebei die dingen kopen! Hahahaha!'

Jimi probeert mee te lachen, maar om eerlijk te zijn lijkt hij meer gegrepen door Panama's borsten, die in een soort ultra-bh hangen waardoor ze tot ergens ter hoogte van haar oren zijn 'gelift en gespreid'. (NB Ik kan nauwelijks een eierdopje vullen met de mijne, laat staan een D-cup. Dat is een andere reden waarom Panama vernietigd moet worden. Het liefst in een stomtoevallig stoomwalsongeluk.)

'Maar, nou ja, ik zit maar weer over mezelf te kletsen,' zegt Panama, met iets zachtere stem nu. Maar ik zit nog steeds af te luisteren, dus ik kan iedere lettergreep verstaan. 'Hoe voel jij je na je ongeluk? Het was je arm en je been, hè?' zegt ze, best meelevend. Ze steekt haar hand uit en wrijft zacht over Jimi's rechterhand. 'Ik maakte me zorgen om je, mafketel.'

'O, maak je om mij maar geen zorgen,' zegt Jimi licht blozend. 'Ik heb altijd wat.'

'Nou, als je steeds ongelukken blijft maken, moet ik me zorgen blijven maken. Ik heb geen keus,' plaagt Panama, terwijl ze hem min of meer in zijn buik port. 'Ik zal je vanaf nu goed in de gaten moeten houden.'

Jimi port Panama terug in haar overdreven platte buik en samen giechelen ze. Panama is goed in dat geflirt, dat moet ik 'r nageven.

'Oké, iedereen,' gilt Claude. 'Met alle respect: hou je kop! Ik moet een paar punten doornemen en daarna mogen jullie alles vragen wat je wilt. Goed?'

'Ja,' zegt de groep in koor.

'EZ Life Syndicate, zijn jullie allemaal present?' vraagt Claude.

'Yep!' schreeuwt een kakafonie aan stemmen achter in het lokaal.

'O, en bedankt, EZ Life, dat jullie helemaal van de andere kant van de stad zijn gekomen. Dat waarderen we,' zegt Claude, terwijl ze hun best wel aantrekkelijke leider Killa Blow een respectvol knikje geeft.

'Graag gedaan,' zegt Killa. 'We zijn er, Claude.'

En ze waren er, alle acht de leden van het Syndicate, en nog twee of drie anderen die er gewoon leken te zijn voor wat morele steun. Ik kan ze niet kwalijk nemen dat ze versterking meegenomen hebben, het moet best wel eng zijn om van Chasterton naar Blackwell te komen. De LBD waren er eigenlijk zeker van dat het EZ Life Syndicate niet zou komen opdagen, vooral omdat de twee scholen een lange geschiedenis van vechtpartijen tegen elkaar hebben, maar we zijn hartstikke in onze sas dat ze er toch zijn.

O, trouwens, als je je afvraagt hoe we meneer McGraw hebben overgehaald om een niet-Blackwellband mee te laten spelen op Blackwell Live, nou, dat is allemaal te danken aan Claudette, natuurlijk; zij voerde het woord...

'Dus EZ Life doet mee,' zei Claude gisteren, toen ze terugkwam uit McGraws hol. 'Maar we moesten, eh, een compromis sluiten.'

'Wat voor soort compromis?' vroeg ik voorzichtig.

'Nou, je weet wel hoe goed meneer McGraw de Blackwell Klokkenluiders vindt, toch?'

'Jaaa?' vroeg ik bezwaard.

'Nou... zucht... McGraw zei dat we het een niet zonder het ander konden hebben,' ging Claude zuchtend en steunend verder.

'Ding-dong!' zei ik, en ik begon te lachen.

Claudes terneergeslagen uitdrukking was zo grappig dat Fleur en ik gewoon wel moesten lachen. Om eerlijk te zijn moet ik hier in het toneellokaal nog steeds proberen om niet te giechelen terwijl Jemima en George van de Blackwell Klokkenluidersclub precies naast Claude gaan zitten, hun klokken in de aanslag, klaar om een kleine voorstelling te geven als dat nodig is.

Uiteindelijk begint Claude de vergadering door wat betrekkelijk algemene zaken te bespreken; iedereen wordt bedankt voor het auditie doen en ze zegt dat 'we moeilijke keuzes moesten maken', blablabla. Claude vergeet natuurlijk te melden dat we afgelopen maandagavond om tien uur zo doodziek waren van het discussiëren, met name over de goede kanten van Shop en zijn 'Blue Suede Shoes', dat ik me genoodzaakt voelde om zowel haar als Fleur met een kussen om de oren te slaan. We zeggen ook niet dat de Blackwell Klokkenluiders hier door doodgewone omkoperij zitten, omdat dat privé-aangelegenheden van de LBD zijn.

Ze hoeven niet alles te weten.

'Jullie hebben waarschijnlijk het gevoel dat het festival pas over maanden is,' gaat Claude verder, 'maar ik vertel jullie nu dat dat niet zo is. Vandaag is het donderdag 26 juni en we moeten vóór 12 juli het hele circus op touw hebben. Dat is over iets meer dan twee weken.'

'Wat? Twee weken? O, mijn god,' mompelt de hele club.

Tjemig, als Claude het zo brengt word ík zelfs niet lekker.

'Dus in het kort: het is aan jullie wát jullie spelen en hóe jullie het spelen,' zegt Claude. 'De enige regel is: kom op tijd en zorg dat het goed is.'

Iedereen kreunt, ook Panama, die Leeza aanstoot en dan grijnzend tegen Claude moppert, 'Goed? Hoe kunnen we het NIET goed doen?!'

'O, en nog één ding: probeer het netjes te houden...' gaat Claude verder. 'En dat is niet ons verzoek. Ik heb hier een briefje van meneer McGraw waarop staat dat hij geen 'godslastering en obsceniteiten' tolereert, dat is, eh, vloeken en je edele delen te voorschijn halen, in gewone taal.'

'Jakkes,' zegt Killa Blow. 'Ik wilde juist mijn...'

'Bespaar ons de details, meneer Blow, we willen het niet hebben!' onderbreekt Claude hem lachend.

'O, en als er iemand niet precies weet welke woorden wel of niet gebruikt mogen worden van meneer McGraw,' voegt Fleur eraan toe, 'kom dan naar mij, want ik heb vaak genoeg moeten nablijven om het te weten.'

Iedereen grinnikt, behalve de klokkenluiders, die elkaar walgend aankijken. In wat voor soort verdorven nachtmerrie hebben Jemima en George zich begeven?

'Komt meneer McGraw wel op de twaalfde?' vraagt Ainsley van Wurggreep.

'Goeie vraag,' zeg ik. 'De laatste keer dat we met McGraw spraken, leek hij zich net te hebben herinnerd dat hij familieleden uit Buiten-Mongolië op bezoek kreeg, dus misschien kan hij niet komen...'

'Eeeh... heeft McGraw familie in Buiten-Mongolië?' vraagt Ainsley.

'Dat weten wij net zomin als jij,' zeg ik. 'We zullen gewoon moeten afwachten of hij komt.'

Omdat iedereen pijn in zijn billen krijgt, zet Claude er een beetje haast achter.

'Om eerlijk te zijn is een van onze grootste hordes voor Blackwell Live het geld. We moeten echt kaarten verkopen om het te kunnen betalen.' Claude duikt in haar map en komt met wat getallen.

'Volgens mijn berekeningen hebben we minstens vijftienhonderd euro nodig om Blackwell Live te kunnen organiseren; daarvoor kunnen we een klein buitenpodium huren, een paar speakers, en ook een grote tent voor drankjes en een dansvloer – dat soort dingen,' zegt Claude. 'Dus als we alle driehonderdvierendertig kaarten voor € 4,50 kunnen verkopen, redden we het wel.'

'En het zou natuurlijk nog beter zijn als we er meer verkopen!' voegt Fleur eraan toe.

'Maar, het is wel zo,' zeg ik, 'dat er duizend leerlingen op Blackwell zitten, en nog eens duizend op Chasterton. En natuurlijk hebben al die mensen familie en vrienden die misschien ook wel willen komen. Dus, wat ik zeg is: we moeten echt zorgen dat iedereen mensen gaat lastigvallen om kaarten te kopen.'

Iedereen knikt me instemmend toe, wat hartstikke leuk is, want ik ben niet zo goed in spreken in het openbaar; om eerlijk te zijn, mijn handen trillen terwijl ik dit zeg.

'En als we wat publiciteit kunnen krijgen in bijvoorbeeld de *Daily Mercury* of op Wicked FM, zou dat natuurlijk geweldig zijn,' zegt Claude, een slim valletje opzettend. 'Eh, heeft iemand toevallig contacten daar?'

Claude trekt vragend een wenkbrauw op.

Eindelijk! Dit is de zuurstof die Panama's ego nodig heeft om op te bloeien. Onmiddellijk zit ze met haar armen door de lucht te zwaaien.

'Jaaa, ik! Ik! Ik bedoel, wij!' gilt ze. 'Heb ik jullie verteld over die keer dat Catwalk de kwartfinale van "Search for a popband" van de Wicked FM Roadshow haalde?'

'Ja,' kreunt de hele groep.

'O. Nou ja, die hebben we in ieder geval gehaald,' gaat Panama blatend verder. 'En ik ken daar mensen en ook bij de *Mercury* en zij denken dat ik, sorry, ik bedoel *wij* keigoed zijn, dus ik zal ze wel bellen en kijken of ik wat aandacht kan regelen.'

'Dank je, Panama,' zegt Claude met buitengewoon strak op elkaar geklemde kaken. 'Dat zou echt heel fijn zijn.'

Panama leunt achterover en laat haar grote, gezwollen hoofd nog meer zwelgen in de aandacht die het krijgt, waarna ze zich onmiddellijk naar Catwalks Derren en Zane draait en keihard bekende namen laat vallen.

'O, Warren wil ons wel helpen, denk ik, en Frankie ook...' zegt Panama wijsneuzig, alleen met de voornamen refererend aan twee beroemde ontbijtprogramma-dj's van de lokale radio, zodat wij toch vooral begrijpen dat ze zo'n beetje hun beste vriendin is.

'Nou, dat is het wel min of meer,' besluit Claude. 'We organiseren weer een vergadering wanneer er wat meer te bespreken is...'

'Ik heb nog een laatste vraag,' zegt Zane, zwaaiend met een door het nep-bruin verkleurde hand.

'Ga je gang, Zane, roep maar,' zegt Claude, een klein beetje bezorgd.

'Wie doet het hoofdoptreden?' vraagt Zane.

Verdorie.

Plotseling kijken alle tien de kwaadaardige ogen van Catwalk indringend naar Claude, samen met alle andere ogen in het lokaal. Claude haalt diep adem en bladert door haar papieren om zichzelf iets meer tijd te geven. Dan zegt ze een beetje aarzelend: 'Sorry, daar zijn we nog niet helemaal uit.'

O hemel, nu is alles verpest.

Onmiddellijk wordt de uitdrukking op Panama's gezicht er een van pure giftigheid. Ik bedoel, hoe DURFT Claude Cassiera zo onbeschoft te zijn na de eisen die Panama maandag heeft gesteld? Dit is duidelijk onbegrijpelijk gedrag voor haar, en ik vraag mezelf af wanneer de donkerharige bullebak voor het laatst haar zin niet kreeg.

Als dat al ooit was.

Eerlijk gezegd zou het makkelijker zijn als Catwalk gewoon opstond, naar de LBD toeliep, ons naar buiten sleurde en een tijdje heen en weer schopte door de garderobe van de lagere school. Dan waren we er tenminste vanaf. In plaats daarvan staren ze ons gewoon nog wat langer aan, voordat ze iets tegen elkaar mompelen en er een brede grijns op hun gezichten verschijnt. Daarna staan ze rustig op en verlaten ze het toneellokaal terwijl ze ondertussen een zogenaamd vriendelijk 'Tot ziens en bedankt voor alles!' roepen.

Je zult het er wel mee eens zijn dat dat veel beangstigender is.

Ik probeer Claudes blik te vangen om haar een 'Nu hebben we de poppen aan het dansen'-blik te sturen, maar Claude klemt haar lippen gewoon op elkaar en doet net alsof ze wordt afgeleid door haar aantekeningen. Ze houdt haar schouders naar achteren en haar hoofd uitdagend omhoog, maar ondanks haar houding weet ik dat ze doet alsof.

Thuis, maar niet eenzaam

Ik ben halverwege Lacy Road, op weg van school naar huis, en bij hoge uitzondering zonder de LBD.

Claude bleef vanmiddag na de vergadering kletsen met Liam Gelding, en Fleur ging via GAP om een rokje terug te brengen dat ze toch niet leuk vindt. Ik heb me gedrukt en ben niet meegegaan met Fleur, maar ga in plaats daarvan naar huis. Ik kon het gewoon niet opbrengen om nog eens te zien hoe Fleur het personeel van GAP tot waanzin drijft door het complete bedrag terug te eisen voor een rok die ze naar talloze feestjes heeft gedragen voordat ze besluit dat hij niet meer in de mode is. Ze zal me trouwens toch niet missen; Killa Blow heeft aangeboden met haar mee te gaan 'omdat hij toch al die kant op moest'. Je begrijpt dat Fleur de deur al uit was, onderwijl opnieuw pruimkleurige lippenstift aanbrengend op haar grijns van oor tot oor, voordat ik zelfs maar tijd had om er nog over na te denken. Heel aardig.

Dus ik loop naar huis, nadenkend over de dag, en probeer niet overreden te worden op kleine kruisingen, als ik voel dat er achter me iemand steeds dichterbij komt.

'Eh, Ronnie...' zegt een jongensstem. 'Ronnie, ben jij dat? Wacht even.'

Ik draai me om en zie Jimi Steele, op Bess, over het trottoir naar mij toe rollen.

O, mijn god!

O, mijn god. Dit is zo'n beetje waar ik over heb gedagdroomd sinds ik me kan herinneren. Het. Gebeurt. Nu.

Ik en Jimi Steel, één op één! Ik heb 'm helemaal voor mezelf: een goede kans om onomstotelijk aan te tonen waarom ik precies het soort meisje ben waar hij niet zonder kan.

Dus waarom voel ik me misselijk? En waarom voelt het niet

net zo heerlijk en dromerig als wanneer ik er een heel uur over nadenk tijdens natuurwetenschappen? In plaats daarvan voel ik me onhandig en slonzig, en meer dan een klein beetje bezorgd dat mijn deodorant me niet echt helpt.

'O hai, Jimi,' zeg ik. 'Waarom volg je me naar huis? Ben je me aan het stalken?' voeg ik eraan toe, in een poging om een grapje te maken.

'Ja, ik ben je aan het stalken,' zegt Jimi instemmend. 'Ik volg je iedere middag naar huis. Maar meestal draag ik een baard.'

'Aaah, ik dacht al dat jij dat was,' zeg ik nu, en ik probeer me te concentreren op een nonchalant loopje. Ik houd mijn buik in en steek mijn kleine boezem naar voren en ik houd mijn hoofd naar Jimi gebogen, zodat hij mijn gezicht van voren ziet en het hem niet opvalt hoe enorm mijn neus is. Als ik mezelf in een etalageruit zie, realiseer ik me dat ik eruitzie alsof ik lucht heb ingeslikt, dus besluit ik weer normaal te gaan lopen.

'Oké, ik was je niet echt aan het stalken,' zegt Jimi, 'maar ik volgde je wél. Ik wilde je iets vragen.'

'O, wat?' zeg ik, en ik hoop vurig dat hij zal zeggen: Ik wil weten of je verkering met me wilt, want ik ben hartstikke verliefd op je.

Maar dat is het natuurlijk niet, het is: 'Ik wil vragen of je me even in het zaaltje van jullie café wilt laten. Ik geloof dat ik mijn Quicksilver-vingerhoedje daar vorige week na het oefenen heb laten liggen.'

'Ja, natuurlijk mag dat,' zeg ik, een beetje teleurgesteld dat dit niet de aanloop naar een zoenpartij was. 'Je mag nu wel even gaan kijken als je wilt. Maar ik heb het niet gezien. Ik zou denken dat de schoonmaakster het wel afgegeven zou hebben.'

'Verdorie,' zegt Jimi, en hij trekt een gezicht. 'Ik hoop dat het er wel is. Mijn moeder heeft het pas vorige week voor me gekocht; ze krijgt een rolling als ik het kwijt ben.'

'Maak je niet druk, we gaan in ieder geval even kijken,' zeg ik. 'Onze schoonmaakster is waardeloos; ze heeft het vast over het hoofd gezien,' stel ik hem gerust, in stilte god dankend dat de schoonmaakster Jimi's hoedje NIET heeft gevonden. Ik zou niet weten hoe ik dat had moeten uitleggen: als we bij het café waren gekomen en we het ding in mijn slaapkamer onder mijn kussen hadden gevonden – waar ik het ongetwijfeld zou hebben geknuffeld en bewaard, omdat ik zo'n sapje ben.

We lopen in stilte Lacy Road af, allebei proberen we iets te bedenken om te zeggen. Nogal ironisch voor een meisje dat meestal de hele dag door loopt te kletsen en soms zelfs bijna niet lekker wordt van haar eigen stem – iemand op wiens rapport elke keer staat: 'Een intelligent meisje, maar veel te kwebbelig' – ik weet plotseling niet één enkel ding te vertellen.

Waarom gebeurt dit telkens als ik iemand ontmoet die ik echt héél leuk vind? Ik bedoel, ik ben de dochter van een café-eigenaar, godbetert! Het zit me in het bloed om de hele dag onzinnige gesprekken met vreemden te voeren! Maar zet iemand als Jimi Steele voor me, met zijn lange wimpers, azuurblauwe ogen en gespierde bovenarmen... en ik ben opeens al mijn luchtige geklep kwijt.

'Warme dag vandaag, hè?' zeg ik uiteindelijk.

O nee. Drie minuten stilte en dan begin ik te kletsen over het weer. Ik ben waardeloos.

'Ja, best wel,' zegt Jimi, en hij klinkt opgelucht dat een van ons de stilte heeft verbroken. 'Het is warmer dan gisteren, hè?'

'Ja, bloedheet,' zeg ik.

'Best wel lekker na zo'n regenachtig weekeinde, toch?' voegt Jimi eraan toe.

'Jaaa...' mompel ik.

Begrijp je nu waarom ik geen vriendje heb?

'En... Heb je het afgelopen weekeinde nog iets bijzonders gedaan?' vraagt Jimi.

'Nee, ik heb alleen...'

O mijn god, ik kan hem niet vertellen dat ik in mijn slaapkamer televisie heb gekeken met de gordijnen dicht! Gatverdamme, pap, je had gelijk! Als ik 'lekker naar buiten was gegaan' had ik een goed verhaal kunnen vertellen. Snel, Ronnie, bedenk wat leuks!

'Ik... was Blackwell Live aan het organiseren. Je weet wel, kostenplaatje van het festival maken, dat soort dingen. We hebben het hartstikke druk op het moment.'

'Ja, dat kan ik me voorstellen,' zegt Jimi en hij geeft me snel een prachtige lach, en daarna raakt hij mijn elleboog min of meer aan terwijl hij aan zijn volgende zin begint. 'Ik, eh, wou gewoon even zeggen dat ik het echt heel erg cool vind wat jullie doen. Ik bedoel, ik heb er echt heel veel respect voor dat jullie McGraw hebben overgehaald en audities hebben gehouden en dat soort dingen...'

Jimi kijkt recht in mijn ogen terwijl hij dit zegt, en hij meent duidelijk elk woord.

'O eh, goh,' zeg ik. 'Eh, ja, bedankt. Ik bedoel, het is eigenlijk vooral Claudes werk hoor, maar ik help zo'n beetje waar ik kan...' zeg ik, en ik blijf maar doorzeveren...

Ik zou willen dat ik een compliment kon aannemen zonder dat ik de persoon die het me gaf ga uitleggen waarom ik het niet verdiend heb. Dat is echt een slechte eigenschap.

'Nou, jullie lijken mij *allemaal* hard te werken, niet alleen Claude,' verbetert Jimi me vriendelijk.

'Bedankt, Jimi, ik denk dat je wel gelijk hebt,' zeg ik terwijl een heerlijk warm gevoel door mijn lichaam trekt.

En daarna kletsen we non-stop tot we thuis zijn. Eigenlijk denk ik dat Jimi Steele een van de makkelijkste jongens in de hele wereld is om mee te praten.

Het hele volgende uur, terwijl we zoeken naar Jimi's vingerdopje, kletsen we over Blackwellschool en de mensen die we daar kennen, en wie we wel en niet aardig vinden. En voor ik het weet vertel ik hem alles over die vreemde *vete* tussen mijn vader en moeder. Over de stiltes die worden onderbroken door gebekvecht en dat soort dingen, en dat ik daardoor liever bij Fleur ben.

Het is gek hoe makkelijk het is om dat tegen Jimi te vertellen. Hij lijkt gewoon te begrijpen wat ik zeg, zelfs zonder dat ik hem heel veel details vertel; en dan vertelt hij mij dat zijn ouders twee keer uit elkaar zijn gegaan en weer terug bij elkaar zijn gekomen.

'Beide keren dachten we allemaal dat het voor altijd was... maar dat was niet zo,' zegt Jimi, en dat stelt me een beetje gerust. 'Ik denk dat er altijd hoop is; ik bedoel, er is heel wat voor nodig om echt te besluiten voor altijd uit elkaar te gaan, toch?' zegt hij.

Ik zeg niks terug. Ik weet het niet zo zeker meer.

'Nou, ik denk het in ieder geval wel,' gaat Jimi verder.

Op dat moment voel ik tranen opkomen, maar ik slaag erin ze terug te dringen. Als Jimi, door een wonder, op dit moment met me had willen zoenen, had ik veel liever een grote, stevige knuffel gewild. Ik voel me hartstikke shit door al dit gedoe van m'n vader en moeder.

En ik vertel hem dat ik het helemaal niks vind dat ik enig kind ben (Jimi heeft drie oudere broers en dat vindt hij ook helemaal niks) en zelfs dat ik zo'n ontzettende hekel aan wiskunde en natuurwetenschappen heb (Jimi moest voor wiskunde uit niveau 1 omdat hij geen vierkantsvergelijkingen kon maken).

'Alleen lijperiken houden van wiskunde en vierkantsvergelijkingen,' stelt Jimi.

'Absoluut. Ik heb eigenlijk wel zin in een baantje als straatveger,' grap ik. 'Wie heeft diploma's nodig?'

'Wij niet, godzijdank,' zegt Jimi.

Ik maak hem zelfs aan het lachen, heel vaak, ik bedoel écht aan het lachen, vanuit zijn buik... en dat is volgens *Glamour Magazine* een heel goed teken als je probeert het andere geslacht te versieren.

Tegen de tijd dat hij weggaat, met zijn skateboard en het rode vingerhoedje onder zijn arm, voel ik me alsof ik net een snelcursus vriendinnetje-van-Jimi-Steele-zijn heb gedaan. Ik ben voor de theorie geslaagd, weet alles over wat hij leuk en niet leuk vindt, en ben klaar om verder te gaan met het praktijkgedeelte, waarbij hij mij in zijn armen sluit en gaat zoenen.

Maar dat doet hij niet.

Hij zegt alleen, 'O, neeee! Is het al zo laat? Ik heb tegen mijn ouders gezegd dat ik vanavond met ze mee zou eten. Ik moet gaan, Ronnie. Bedankt dat je me hebt geholpen het vingerhoedje te vinden... Je bent een kanjer. Doei!'

En dan is hij weg.

En hoewel we uren met elkaar hebben gepraat, lijkt het net alsof we ieder de hele tijd een ander gesprek hebben gevoerd.

8 Slecht nieuws

'Dus wat je me eigenlijk vertelt is,' begint Fleur Swan terwijl ze de salami van haar pizza Americano plukt en in haar mond propt, 'dat Jimi Steele bij jou thuis was, en dat je hem helemaal voor jezelf had, bijna een uur lang...'

'U-huh,' mompel ik.

'En jullie kletsten en lachten en vertelden elkaar jullie gruwelijkste geheimen?'

'Mmmm, ja zoiets.'

'En toen gebeurde er NIETS? Geen zoen? Niet eens elkaars telefoonnummer opgeschreven?!'

Fleur kijkt me aan en schudt haar hoofd van de ene naar de andere kant. 'Je bent echt een ramp.'

Opeens wordt ze afgeleid door een behoorlijk knappe Italiaan die met een schaal Parmezaanse kaas zwaait. 'Oooo! Joehoe! Gianni! Mag ik nog wat van die kaas alsjeblieft?' giechelt ze, wild met haar ogen knipperend.

Fleur staat er altijd op dat de LBD op zaterdagmiddag naar Paramount Pizza op High Street gaan voor het lunchbuffet: niet alleen is het 'Eet zoveel je wilt voor € 6,-', maar Carlos, de eigenaar, is ook werkgever van al zijn Italiaanse zoons en neefjes, die bedienen en pizzadeeg in de lucht gooien. Dat doen ze in zwartzijden overhemden en strakke broeken en met veel sterk ruikende aftershave op. Geen wonder dat we hier vandaag voor onze Blackwell Live zakenlunch zitten, zoals Claude het steeds noemt.

'Deze pizza is gewéééldig, Gianni,' zegt Fleur tegen de Italiaanse spetter die bij ons tafeltje rondhangt. 'Heb jij 'm gemaakt?'

'Ah, nee, mijn vaa-de, Gianni senior, is vandaag de kok,' bloost Gianni junior, terwijl hij nerveus van de ene voet op de andere hipt.

'Nou, dit is echt een heel lekkere pizza. Vergeet niet dat tegen je vader te zeggen,' gaat Fleur verder.

'Dat zal ik doen. En zorg jij er maar voor dat je nog eens terugkomt. Ik ben er volgende week ook. Misschien kom je dan wel langs, hè eh....? Ik niet weet jouw naam,' probeert Gianni junior moedig.

'Ik heet Fleur... en misschien kom ik wel!' plaagt ze.

'Nou, ik hoop het, Fleurrrr,' zegt Gianni ernstig, en hij draait zich om zijn as om een andere klant te bedienen.

'Goeie genade,' mompelt Claude terwijl ze eerst naar Fleur kijkt en dan naar haar onaangeraakte pizza. Het is zo'n beetje het eerste wat ze gezegd heeft sinds we zijn gaan zitten. 'Kunnen jullie twee het misschien nog iets duidelijker maken dat je elkaar aantrekkelijk vindt? Waarom laten jullie geen T-shirts maken?' moppert ze.

Fleur besteedt totaal geen aandacht aan Claude.

'Zie je, Veronica, zó doe je dat! Je moet het heel duidelijk maken. Pff. Laten we eerlijk zijn, al die betekenisvolle blikken en kleine hints helpen geen zier bij Jimi, of wel? Of wel?'

'Eh, nou... niet echt.'

'Precies. Goed. Ik heb Jimi's telefoonnummer van de audities. Laten we hem bellen en een afspraak voor je regelen,' kondigt Fleur aan, en ze trekt haar mobieltje uit haar zak.

'Als je het maar laat!!' gil ik verschrikt, en ik trek 'm uit haar bemoeizuchtige hand. 'Claude, zeg wat!'

Maar Claude is afgeleid, ze staart naar haar papier met cijfers en bijt op haar lip. Een frons rimpelt haar voorhoofd.

'Claude! Fleur wil mijn Jimi gaan bellen! Vind jij dat ze dat moet doen?' vraag ik.

'Mmmm, nou,' zegt Claude, opkijkend naar haar kibbelende vriendinnen, 'als ik dacht dat jullie tweeën zouden ophouden over Jimi als jij een afspraakje met hem had, dan zou ik ja zeggen, maar...'

'Maar wat?' zeggen Fleur en ik in koor.

'Maar wat er ook gebeurt, jullie zullen waarschijnlijk alleen maar nog meer over hem kleppen... dus ik zeg tegen jullie allebei HOU JE KOP, omdat ik jullie iets behoorlijk ergs over Blackwell Live moet vertellen.'

'Oké,' zegt Fleur, en ze klapt haar telefoontje dicht. 'Kom op, kleine C., breng ons het slechte nieuws maar.'

'Wat is er?' vraag ik.

Dit klinkt ernstig.

'Ik heb er een zootje van gemaakt,' zegt Claude met een beetje verstikte stem. 'Ik ben van een paar dingen uitgegaan voordat ik ze echt gecheckt had. En nu ken ik de feiten, en het is niet goed... Ik ben bang dat we Blackwell Live misschien zelfs wel moeten afblazen.'

Claude staart weer naar haar papieren, haar onderlip trilt.

'Claude, zo erg kan het niet zijn. Vertel ons eens even het hele verhaal,' zegt Fleur, haar pizza wegduwend en haar arm om Claudes smalle schouders leggend.

'O, ik ben zo'n idioot. Echt waar,' zegt Claude, met een strakke blik naar ons allebei. 'Weten jullie nog dat ik zei dat we vijftienhonderd euro nodig hadden voor Blackwell Live? Nou, ik nam aan dat we later konden betalen...'

'Ja... en dat kan ook!' zeg ik. 'Dat bedrag halen we makkelijk binnen, toch? We beginnen komende woensdag al met de kaartverkoop.'

'Jawel, maar zie je, het enige bedrijf dat ons alle apparatuur kan verhuren die we nodig hebben voor twaalf juli is Luchtkastelen, je weet wel, die lui die meestal helpen bij het Blackwell Zomerfestival?'

'De mensen van dat springkasteel dat ik ruïneerde met mijn naaldhakken?' zegt Fleur ineenkrimpend.

'Ja,' zegt Claude, en ze probeert niet te huilen, 'maar dat was niet het enige wat ons vorige zomer een slechte naam gaf bij hen. Ik heb vanmorgen met Cyril, hun baas, gesproken. En het blijkt dat er allerlei kleine schade was vorig jaar. Blackwellscholieren zijn onhandig. Maar, in ieder geval, Cyril laat me niets reserveren tenzij ik de volledige vijftienhonderd euro vooruit betaal.'

'De hele vijftienhonderd euro?!!' zeg ik, naar adem snakkend.

'Ja. Het volle pond,' zegt Claude. 'Jij hebt zeker geen vijftienhonderd euro, hè Ronnie?'

'Nee,' zeg ik, een beetje verbijsterd. 'Ik heb drieënzestigvijfenzeventig op mijn rekening. Daar hebben we niet zoveel aan, hè?'

'Maar we kunnen het over een paar weken geven, als het geld voor de kaarten binnenkomt,' zegt Fleur. 'Heb je dat tegen hem gezegd?'

'Ja, dat heb ik gezegd,' verzekert Claude ons. 'Maar hij wil het nu hebben.'

'Wat een varken,' zeg ik, in een poging iets positiefs bij te dragen.

'Hij probeert zich gewoon in te dekken, neem ik aan. We zijn een beetje een riskante klant, denkt hij in ieder geval...' zegt Claude die gewoontegetrouw probeert een eerlijk oordeel te geven.

'Wacht even, ik heb een klein geldbedrag dat mijn oma voor mij apart heeft gezet,' biedt Fleur lief aan. 'Ik weet zeker dat dat meer dan vijftienhonderd euro is... Maar eigenlijk denk ik dat ik er niet aan mag komen tot mijn eenentwintigste... O mijn god, dat duurt nog zeven jaar, hè?'

'Jammer, Fleur. We hebben tot maandag negen uur, anders annuleert hij onze reservering,' voegt Claude er somber aan toe. 'Hij geeft ons podium en de speakers zelfs aan de Eeuwig Lichtkerk, die houden die dag hun jaarlijkse reünie. Zij willen ook een luidsprekersysteem reserveren.'

Hierna zeggen we lange tijd niks.

Zelfs Gianni junior die om ons heen danst in een zwartzijden overhemd, kan ons niet opvrolijken.

'Sorry meiden,' zegt Fleur, en ze pakt haar mobieltje en wandelt het restaurant uit. Claude en ik rollen met onze ogen; mooi moment heeft Fleur uitgekozen om eens lekker te gaan bellen.

'We zouden de bank een tijdelijke lening kunnen vragen,' stel ik voor, maar ik weet dat we weinig kans maken.

'Geen enkele bank geeft drie tieners een grote lening. Althans, in elk geval niet op zaterdagmiddag...' fluistert Claude. Ze heeft die mogelijkheid al overwogen.

'Ik heb zelfs bedacht dat we auto's konden wassen om het geld te verdienen,' zegt Claude, 'maar dan zouden we binnen vierendertig uur bijna vijfhonderd mensen moeten vinden die bereid zijn meer dan vier euro uit te geven. Dat gaat nooit lukken, wel?'

'Eh, nee,' zeg ik.

Weer stilte.

Dit keer is het zelfs een oorverdovende stilte, alleen onderbroken door de rekening voor onze pizza's, die met een harde 'plonk' op onze tafel wordt gelegd.

Nog meer schuld. Ironisch.

'Hoe moet ik het iedereen vertellen? Hoe moet ik het Liam en Ainsley vertellen?' mompelt Claude, terwijl ze haar neus snuit in een Paramount Pizza-servetje.

'O, kom op, Claude, dat hoeft helemaal niet,' zeg ik, wetende dat we het misschien wel moeten zeggen. Fleur loopt voor het raam van het restaurant op en neer, kletsend in haar mobieltje en met haar handen zwaaiend terwijl ze praat. Plotseling klapt ze de telefoon dicht en komt ze terug naar binnen.

'Nou, ik zal het ze al snel moeten vertellen,' zegt Claude. 'Ze zijn allemaal keihard aan het oefenen. Wat moet ik in godsnaam zeggen?'

'GOED!' zegt Fleur. 'Ik heb nagedacht... o, wacht even, de rekening... Oké, ik trakteer vandaag.'

Fleur pakt haar pinpas en gooit 'm op tafel.

'Bedankt, Fleur,' zeggen we allebei, en we proberen te lachen. Fleur is soms echt geweldig met dit soort dingen.

'We hebben een sponsor nodig, denken jullie niet?' gaat Fleur verder, en ze gooit haar blonde haren naar achteren. 'Iemand die ons een helpende hand toesteekt totdat we op eigen benen staan.'

'Ja, precies,' zegt Claude.

'Iemand die de LBD en haar werk een warm hard toedraagt. Je weet wel, iemand die ons kent en die weet dat we *cool bambinos* zijn die dit hele Blackwell Live wel kunnen organiseren...'

'Dat is precies wat we nodig hebben,' zeg ik, een wenkbrauw optrekkend.

'Nou, kom dan mee. Ik heb een afspraak met onze potentiële geldschieter gemaakt voor over twintig minuten,' kondigt Fleur aan, en ze zet trots in zwierige letters haar naam, Fleur Gabrielle Swan, onder aan het pinpasbonnetje.

Onze held, min of meer.

'Dus wat jullie eigenlijk zeggen,' begint Paddy Swan, achteroverleunend in zijn zachte zwartleren studeerkamerstoel, 'is dat ik jullie onmiddellijk zonder onderpand een heel riskante lening moet verstrekken? En jullie vragen vijftienhonderd euro?'

Fleur rolt met haar ogen, Claude en ik grijnzen nerveus nu we ons realiseren hoe belachelijk het klinkt.

'Je *weet* dat dat is wat we willen, pap. We hebben het nu al twee keer besproken,' zegt Fleur.

'Oké, oké. Ik weet dat dat is wat jullie willen,' geeft meneer Swan toe. 'Ik vind het gewoon leuk om te vragen, omdat het echt het grappigste is wat ik deze hele week heb gehoord.'

'Ha ha, en nog eens, ha ha,' kreunt Fleur.

Achter meneer Swans kale hoofd hangt een groot ingelijst certificaat waarop staat:

Patrick Arthur Swan
James Bond Official Fan Club Member Number 872

Er hangen zelfs ingelijste foto's van Paddy die acteurs uit James Bond-films omhelst tijdens de laatste Bond-conventie die hij bijwoonde.

En hij vindt *ons* grappig?

'Maar laat me dit even controleren,' gaat Paddy verder, 'want misschien krijg ik sneller dan verwacht last van dementie. Jullie zijn toch echt van plan dat geld uit te geven aan dorpsgekken als die "Killa Blow", o, en die homo die op High Street rondhangt met zijn moeders make-up op?'

'Ainsley Hammond,' zegt Fleur.

'Ainsley Hammond! Die bedoel ik!' zegt Paddy spottend. 'En die mafketel die vorig jaar op het dak van de school klom en door de politie naar beneden moest worden gehaald.'

'Liam Gelding,' zucht Claude geduldig.

'Ha ha! Die bedoel ik!' grinnikt Paddy, en hij pakt een grote tissue en begint nogal theatraal zijn ogen te deppen. 'Dus jullie vragen me geld om een rockconcert te organiseren waar zij kunnen spelen. O mijn lieve tante Betje! Jullie meisjes worden steeds gekker!'

Dit klinkt niet goed.

'Oké, pap, nou is het genoeg,' zegt Fleur best streng. 'Je klonk behoorlijk onder de indruk toen ik het je een halfuur geleden over de telefoon vertelde. Je zei dat je niet kon geloven hoe volwassen en verantwoordelijk we waren omdat we Blackwell Live organiseerden.'

'Pûûûh,' sputtert Paddy. 'Dat was voordat ik wist dat jullie me arm wilden maken. Goeie god, dat is het enige wat de familie Swan in me ziet, hè? De Koninklijke Bank van Paddy.'

'We geven het terug,' houdt Fleur vol.

'Wanneer?' wil Paddy weten.

'Zondag dertien juli,' zegt Claude vrolijk, zelfverzekerd.

'Hmmm,' zegt Paddy en hij grijpt naar de grote rekenmachine op zijn bureau.

'Dus laat me eens even kijken,' zegt hij, en hij begint met zijn dikke vingers toetsen in te drukken. 'Vijftienhonderd euro. Uitgeleend voor korte termijn op basis van Koninklijke Bank van Paddy's rentepercentage van negen procent op jaarbasis.'

Claude snakt naar adem. Ze had er niet eens aan gedacht om 'rente' te betalen over een lening.

'Ehm, dat is zestienhonderdvijfendertig euro die jullie me op de dertiende schuldig zijn,' verkondigt Paddy. 'Jullie zullen het met me eens zijn dat dat een koopje is, dames. En ik reken niet eens afsluitprovisie... Maar ik denk wel dat we moeten kijken naar de voorwaarden voor de lening voor het geval jullie op problemen stuiten.'

'Dat gebeurt niet,' zegt Fleur.

'Misschien wel,' kaatst Paddy terug. 'Jullie kunnen wel alles verliezen. En in dat geval willen jullie een lening voor de lange termijn en betalen jullie langzaam terug, zoveel als jullie zakgeld toelaat.'

We kijken hem nietszeggend aan. Paddy vermaakt zich nu kostelijk.

'Goed, laten we mijn verukkelijke dochter Fleur nemen als afsluiter van de lening,' gaat Paddy door, woest cijfers intikkend. 'Fleur Swan, met een zakgeld van achttien euro per maand, wil een ongedekte lening van vijftienhonderd euro tegen mijn langetermijn-rentepercentage van zevenentwintig procent per jaar.'

Nu kreunen we allemaal.

'Nou, niet vergetend dat juffrouw Swan de Koninklijke Bank van Paddy al vijfhonderdentwintig euro vijftig schuldig is voor haar laatste British Telecom rekening,' zegt Paddy, en ook nog zeshonderdeenendertigvijftig voor de schoolskivakantie in de 8e die ze me plechtig beloofd heeft terug te betalen...'

Kraak. Prr. Bedrroem gaan de toetsen van Paddy's calculator. Er wordt een rol papier vol cijfers uit de machine gespuugd.

'En ook in aanmerking genomen dat Fleur elke maand elke cent van haar zakgeld uitgeeft en mij smeekt om meer, denk ik dat ze me drie euro per maand zou kunnen terugbetalen. Wat betekent dat het zou duren tot...'

Paddy tikt een laatste toets in en bekijkt de halve meter calculatorpapier die opgerold voor hem ligt.

'...Fleur negenendertig jaar en vijf maanden oud is voordat ik mijn poen terug heb.'

We kijken Paddy allemaal somber aan.

'En tussen jullie en mij gezegd, meisjes, hoop ik van harte dat ik tegen die tijd dood ben en niet nog steeds bekvecht met mijn dochter over zakgeld en leeghoofden die zich Killa Blow noemen!'

Paddy grijnst, maar als hij ziet hoe triest wij allemaal kijken, wordt zijn gezichtsuitdrukking iets attenter.

'Luister meiskes, verdwijn uit mijn kantoor en ga van de zon genieten, oké? Ik kom hier straks nog wel op terug,' zegt hij. 'Ik heb belangrijke dingen te doen, jullie bezorgen me een rommelige dag.'

Hoewel Paddy wegwuivende bewegingen met zijn armen maakt, beweegt niemand. We zijn niet brutaal, ik denk gewoon dat we geen van allen weten wat we nu moeten doen. Als dit betekent dat Blackwell Live voorbij is, heb ik niet zo veel zin om buiten in Fleurs tuin met een bal te gaan spelen.

Plotseling klinkt uit Claudes mobieltje een klein piepje, wat betekent dat er een voicemailbericht is. Zé kijkt naar het nummer.

'Het is Wicked FM,' zegt ze tegen niemand in het bijzonder, met een stem die zo vlak is dat het duidelijk is dat ze vindt dat ze alleen maar meer zorgen heeft als de lokale radiozender haar belt.

'Wat willen ze?' vraagt Fleur.

'Nou, ze zijn geïnteresseerd in Blackwell Live. Ze willen ons interviewen... net als de *Daily Mercury*,' zegt Claude zachtjes.

'Kom jij op de radio en in de krant?' vraagt Paddy.

'*Wij*,' verbetert Claude hem. 'En ik heb gisteren met iemand van *Look Live* gesproken, een lokaal nieuwsprogramma voor tv. Die leken ook interesse te hebben...'

'Hmmm,' zegt Paddy weer, en hij denkt er duidelijk nog eens over na.

'Zie je wel, pap, je zou een hoop goede publiciteit krijgen als je erbij betrokken was, hè?' zegt Fleur. 'Ik zie de koppen al: Plaatselijke zakenman Patrick Swan steunt goed doel. Dat soort dingen.'

'Plaatselijke zakenman?' herhaalt Paddy, duidelijk gecharmeerd van die betiteling.

'Je zou ook sommige bands kunnen aankondigen!' zegt Claude, hem nog meer paaiend. 'We hebben iemand nodig met zelfvertrouwen en een goede voordrachtstem. Je weet wel, iemand die autoriteit uitstraalt.'

'Autoriteit...' herhaalt Paddy, en hij trekt zijn das recht.

'Ja, we hebben echt een volwassene nodig die op de tv en de radio kan uitleggen waarom Blackwell Live zo'n geweldig idee is,' voegt Fleur toe, best wetend dat Paddy heel, heel, héééél graag een beroemdheidje zou willen zijn.

'Dat zou ik wel kunnen, hè?' zegt Paddy stralend. 'Ik zou jullie officiële sponsor kunnen zijn... o, ik zie het al voor me... "Blackwell Live wordt u aangeboden in samenwerking met Paddy Swan". Dat klinkt best goed...'

'Je zou een beetje een donkere, mysterieuze, machtige man zijn, voor wie iedereen respect heeft,' zegt Fleur tegen haar vader. 'Je weet wel: Patrick Swan, reddende engel! Patrick Swan, de lange, knappe held die dames in nood uit de brand helpt. Een beetje als –'

'Een beetje als James Bond,' verklaart Paddy Swan zonder een spoor van zelfspot.

'Heel *erg* als James Bond,' zeggen de LBD in koor, heftig knik-kend.

Paddy lijkt bijna opgewonden van plezier, maar hervindt dan zijn kalmte.

Hoofdschuddend, alsof hij niet kan geloven wat hij doet, opent meneer Swan langzaam de bovenste la van zijn bureau en pakt hij een in leer gebonden chequeboekje.

'Zorg dat ik er geen spijt van krijg, dames,' waarschuwt hij ons terwijl hij zijn zilveren vulpen pakt en even stilhoudt, om op te kijken naar drie monden die hem toestralen.

'Oké,' vraagt hij, 'aan wie zal ik deze laten uitbetalen?'

Een totaal wicked morgen

Dingen die ik niet wist over Wicked FM's *Wake up met Warren en Frankie Breakfast-feest* van zes tot negen, totdat ik naar de stu-dio ging:

(1) 'Wacky Warren' Hart en 'Fun-Time Frankie' Foster zijn niet half zo sexy als ze eruitzien op de foto's die Wicked FM stuurt als je een in-belwedstrijd wint. Ze zijn allebei op zijn minst veertig. En ze dragen oude trainingspakken naar hun werk en roken Belinda Ultra sigaretten tussen de plaatjes door.

(2) De 'Wake-up crew' is niet echt een grote groep lachende, schreeuwende, idiote vrienden die in de studio geperst is, zoals ik me had voorgesteld. Het is maar een opname van mensen die juichen. War-ren drukt gewoon op 'PLAY' als hij dat nodig vindt. Ik zeg niet dat Frankie en Warren geen echte vrienden hebben. Het is uit praktisch oogpunt, omdat...

(3) ...de Wicked FM studio net zo groot is als mijn slaapkamer. Mini.

Het is zelfs zo dat de LBD, Ainsley Hammond, Liam Gelding, Jimi, Christy Sullivan, Panama en Killa Blow in de tochtige gang moeten rondhangen tot wij aan de beurt zijn om in de uitzending te komen om het festival te promoten. Panama is extra-irritant. Ze doet zangoefeningen voor het geval ze gevraagd wordt om op te treden. 'Doo-ree-mie-fah-soo-laa-tie-dóóóó!' riedelt ze, knipperend met haar ogen naar alles wat een broek aan heeft en smekend om wat warme honing en citroensap om haar 'oesofagus te smeren'. Grrrr. Jimi, het leeghoofd, gaat ervandoor om een kop thee voor haar te zoeken.

(4) Frankie en Warren kennen Panama echt; ze zat het niet te verzinnen. En ze vinden haar fantastisch.

'Eèèèn daar zijn we weer! Goedemorgen! Het is woensdag 2 juli! En, hé, luisteraars, het is echt fantastich om de Blackwell Livers deze ochtend bij ons te hebben voor het Wicked 86.4 FM *"Wake up met Warren en Frankie Breakfeast-feest"*!' zegt Warren. 'Vind je niet, Frankie?'

'Het is suuuper!' zegt Frankie, en hij drukt op 'PLAY' bij de WAKE-UP CREW tape.

'Woehoe!!!' roept de 'crew'.

Op de opname hoor je een feestknaller afgaan en iemand blaast vrolijk op een kazoo. Het klinkt allemaal een beetje belachelijk nu ik ernaast sta.

'Ja, het is zeven uur zevenenveertig en we zijn dolblij dat we deze geweldige scholieren bij ons in de studio hebben,' gaat Warren verder. 'Ze organiseren op twaalf juli op het terrein van hun middelbare school een gewéldig cool livemuziekevenement dat met de rockevenementen van Astlebury en Reading rivaliseert, en ze willen er bekendheid aan geven. Klopt dat, jongens?'

'Ja,' mompelen we allemaal, ons bewust van het feit dat we

'live' in de lucht zijn en dat de hele stad luistert. Jimi heeft zich achter in de groep verscholen met Liam, wiens gezicht bietenrood is. Ainsley staart naar 'Fun-Time' Frankie alsof hij een buitenaards wezen is.

Fleur en ik zijn ook al niets waard. Wij staan alleen maar te grijnzen.

'Fijn dat we hier mogen zijn! We zijn blij dat jullie ons hebben uitgenodigd!' begint Panama.

'Ja, heel, heel blij,' onderbreekt Claude haar.

'En, Panama Goodyear, we hebben je het laatste jaar veel gezien met je getalenteerde groep Catwalk. Blackwell Live moet voor jullie een geweldige kans zijn om op te treden?' zegt Warren.

'O, ja, geweldig!' spint Panama. 'Ik bedoel, nadat we de kwartfinale van de Wicked FM Sterrenstrijd wonnen, zeiden we allemaal dat er gewoon niet genoeg live-muziek in onze stad is.'

'Inderdaad,' stemt Warren in.

'Dus zo kwamen we op het idee voor Blackwell Live...' zegt Panama.

Dit is echt de meest schokkende, flagrante leugen die ik heb gehoord sinds Fleur beweerde dat haar laatste zuigzoen een allergische uitslag was.

'Spl peguh!' gromt Claude, terwijl ze een beleefde manier probeert te bedenken om Panama live op de radio een snotterige kleine leugenaarster te noemen.

'Fantaaaastisch!' gilt Frankie, een beetje zinloos, terwijl hij gelijktijdig een hele klonter slaap uit zijn ogen wrijft.

'Maar er is voor elk wat wils op Blackwell Live,' verklaart Claude. 'Ik bedoel, naast Catwalk hebben we vijf andere geweldige plaatselijke bandjes zoals Lost Messiah en Wurggreep...'

'Ja, ik zie dat jullie aardig wat op het programma hebben

staan. Hebben jullie allemaal geoefend, jongens?'

'Mmww, mmm, jaa,' mompelt ons groepje, en onze verlegenheid geeft Panama motormuis alleen maar meer kans om eindeloos door te tetteren.

'Catwalk oefent é-lle-ke dag!' snerpt Panama. 'We zijn ontzettende perfectionisten wat betreft onze *muziek*.'

'O, pûûûhlease,' moppert Ainsley, eindelijk zijn stem vindend.

'Nou, we zijn blij dat te horen, Panama,' zegt Frankie. 'En nu moeten we weer terug naar de muziek, dus later meer over de Blackwell Livers.'

'Woehoe! Jay!! Feeeeesten!!' roept de denkbeeldige bende.

'Maar nog één snelle vraag,' tjirpt Warren. 'Ik neem aan dat Catwalk, omdat ze lokaal beroemd zijn, het hoofdoptreden zal doen op de twaalfde?'

Warren grijnst naar het Blackwellclubje, zich niet bewust van de ernst van zijn vraag.

Na vier seconden stilte – wat heel erg lang is als je live in de lucht bent – begint zowel Panama als Claude op precies hetzelfde moment te praten.

'Ja, natuurlijk!' piept Panama, en ze zwaait haar glanzende bruine haar naar achteren.

'Nee, niet per se,' spreekt Claude haar tegen. 'We hebben zo veel getalenteerde groepen om uit te kiezen dat we het op dit moment echt nog niet weten.'

Claude en Panama kijken elkaar dreigend aan.

Auw.

'Oooo, luisteraars! Een beetje onenigheid om op je beschuitje te doen. Het lijkt erop dat ze het hier niet met elkaar eens zijn!'

'Er is geen onenigheid,' zegt Panama. 'Claudette is gewoon in de war. Catwalk zal WEL het hoofdoptreden verzorgen, dus niemand hoeft zich daar zorgen te maken...'

'Nou eigenlijk...' begint Claude, 'denk ik dat je erachter zult komen...'

'O, laat me alsjeblieft niet naar je toe moeten komen om je een klap te verkopen...' snauwt Panama.

'Waag het niet me te bedreigen, bullebak...' snauwt Claude terug.

'Nou, dat is echt geweldig jongens, maar we hebben geen tijd meer!' komt Warren ertussendoor, aanvoelend dat er een ruzie aan zit te komen. 'En dit is op 86.4 FM het geweeeldige geluid van de Happy Clappers met "La La La Love"!'

En dan zijn we uit de lucht.

Ik denk dat ik net, samen met de hele stad, heb kunnen horen hoe Claude Cassiera bijna verloor van deze intrigante.

Verpletterend verloor.

Het is een ongelooflijk lange, stille reis terug naar Blackwell.

Warren en Frankie zijn nooit 'bij ons teruggekomen' na de Happy Clappers. Sterker nog, we werden snel de studio uit gewerkt door een Wicked FM-researcher.

In een poging Jimi 'duidelijk' te maken dat ik hem leuk vind, aasde ik op een plaatsje naast hem in het minibusje. Maar Panama's mini-achterwerk zat al naast hem op die plaats. Deze ene keer praatte ze niet. Ze zat simpelweg naar zichzelf te kijken in de weerspiegeling van het minibusraampje, en opnieuw glinsterende roze lipgloss op haar dikke, volle lippen aan te brengen. En zo'n beetje naar zichzelf te lachen.

Gek genoeg heeft zich bij de ingang naar Blackwellschool een groep 7e-klassers verzameld om te zwaaien en te roepen terwijl we voorbij komen. Panama fleurt op als ze wat fans ziet en wuift majestueus. Midden in de groep staan twee onwaarschijnlijke Catwalk-aanhangers: Benny Stark en Tara van Rioolkwal hangen rond bij de stoeprand, grijnzend van oor tot oor.

'Goed zo, dames!' zegt Tara, en ze slaat me op de schouder terwijl ik uit de bus kom vallen.

Claude zucht.

'Iedereen praat vandaag over Wicked FM, jongen –' begint Benny.

'Jaa, het was echt grappig. Helemaal goed!' draagt Tara haar steentje bij.

'Mmm, ja misschien,' moppert Claude. 'Maar ik ben bang dat we het niet zo goed gedaan hebben.'

'Nawww... best wel,' werpt Benny tegen, en hij wenkt ons om hem te volgen richting het toneellokaal. 'Dat is wat we jullie kwamen vertellen. Kom maar eens kijken wat er gebeurt... het is geweldig.'

We kijken hem allemaal niet-begrijpend aan.

'Die twee klokkenluiders,' mompelt Benny, 'die jullie vanmorgen hadden achtergelaten om kaarten voor Blackwell Live te verkopen... zijn een beetje, eh, gestrest. Mevrouw Guinevere heeft al kopjes zoete thee voor ze gezet en geprobeerd een beetje orde te scheppen daar...'

'Hoe bedoel je?' vraagt Fleur.

'Nou, heb je ooit gehoord van het gezegde "Alle publiciteit is goede publiciteit"?' vraagt Tara terwijl ze haar hoofd nogal cool opzij buigt.

'Huhuh.'

'Nou, sinds jouw ruzietje met Panama vanochtend hebben ze al vierhonderdzevenentachtig Blackwell Live-kaarten verkocht...'

'Vierhonderdzevenentachtig!' zegt Claude zonder geluid.

'Het is allemaal nogal wild geworden,' gniffelt Benny, en hij grinnikt zo dat zijn pijpenkrullen heen en weer schudden.

'Wat?' zeggen we allemaal naar adem happend, als we de rijen leerlingen zien die helemaal uit het toneellokaal en tot voorbij de sporthal komen.

En als ik omkijk zie ik dat Liam met een gillende Claude rondjes draait, en Fleur... Nou Fleur staat aan de grond genageld, voor het eerst volledig de ernst beseffend van wat de LBD hebben aangericht.

9 Op de voorpagina

Het was schokkend hoe het *Look Live* tv-team een hele dag filmen rond Blackwell kon samenvatten tot *drieënhalve miezerige minuten.*

En ze hebben ons verhaal ook nog tussen een filmpje over plaatselijke otters en de pollen-verwachting ingeperst!

Wat een lef.

Ik had gedacht dat we ten minste hoofdnieuws zouden zijn. Het is mijn verdiende loon, zoals ik de hele dag met een klembord rondliep en probeerde professioneel te lijken, en mijn sjenável in elk shot te krijgen. Ondanks al mijn dramatische pogingen, wist de crew van *Look Live* uiteindelijk het hele Blackwell Live-verhaal terug te brengen tot wat beeld van Catwalks Leeza en Abigail dansend in strakzittende fuchsia leggings, een beetje Wurggreep met Ainsley Hammond en Candy, loeiend en steeldrums bewerkend met houten lepels, en twee seconden Claude die zegt: 'Eh, koop alsjeblieft een kaartje. Het wordt echt vet gaaf, echt!'

'Zo heb ik het niet gezegd!' kreunde Claude. 'Ik maakte daar maar een grapje. Ik heb het daarna nog tien keer heel fatsoenlijk gezegd. Ik kan gewoon níet geloven dat ze deze opname hebben gebruikt...'

Jehova zij gedankt dat Paddy Swan zijn hoofd in het item wist te krijgen. Er kwam geen eind aan zijn gezanik nadat we helemaal vergeten waren hem te noemen bij Wicked FM.

'De inkt op die cheque is nog niet eens droog of jullie zijn mij al vergeten!' bromde hij.

Gelukkig vulde Paddy's gezicht bijna twaalf seconden lang het beeld aan het eind van het *Look Live*-item (ja, hij heeft ze geteld). Hij werd afgeschilderd als 'een plaatselijke zakenman en fanatiek muziekliefhebber', en getoond terwijl hij bleef zwetsen over 'iets terugdoen voor de gemeenschap die zoveel aan hem had gegeven'.

Hahaha. Fanatiek muziekliefhebber? We hebben het over de man die letterlijk *de stekker afsneed* van Fleurs stereoset toen ze weigerde te studeren voor de examens van de 8^e.

'Ik zie er fantastisch uit, niet?' verkondigde Paddy tegen mevrouw Swan, terwijl hij de video terugspoelde en ons allemaal voor de tiende keer naar hem liet kijken.

'Ja, schat. Je ziet er ongelooflijk knap uit,' stemde Saskia Swan in.

'Zullen we het nog een keer bekijken?'

'Ja, laten we dat doen!' zei mevrouw Swan overdreven uitbundig.

De LBD konden ontsnappen door net te doen of we huiswerk hadden.

En toen kwam er later deze week een verslaggever van de *Daily Mercury* samen met een fotograaf om een foto van de LBD te maken voor een vooruitblikkend artikel over Blackwell Live. Spannend, hè?! En nu, met maar drie gezichten op de foto, was het heel eenvoudig om wat meer op de voorgrond te treden... Hoewel ik er spijt van had op het moment dat de krant vanavond op de deurmat van de Fantastic Voyage viel, met de LBD groot op de voorkant. Ik had er onmiddellijk spijt van.

Ik was best nerveus, weet je, over er goed uitzien in de plaatselijke krant. Zo nerveus, eerlijk gezegd, dat ik mijn hele lunchpauze besteedde aan het mooier en luchtiger maken van mijn haar... en toen van gedachten veranderde en het weer plat kamde. Daarna probeerde ik een hippe zijscheiding uit. Dáárna spoot ik er *ultra-fine hair serum* over om het een beetje netter te maken... en uiteindelijk probeerde ik er weer een beetje leven en beweging in te brengen. Tegen die tijd lag mijn haar plat en keihard tegen mijn hoofd, zoals het kapsel van een vijftigjarige zakenman. Op dat moment stapte Fleur Swan, die ooit deelnam aan een modeshow-modellencursus (die Paddy stapels geld kostte en die Fleur beloofde een supermodel van haar te maken zodra ze haar eindexamen haalt) binnen met geweldig advies.

'Maak je niet druk over je haar,' zei ze. 'Als je gefotografeerd wordt, moet je de gouden regels van het modellenvak volgen als je er fantastisch uit wilt zien...'

'En die zijn?' zei ik, terwijl ik probeerde een kam te verwijderen die achter in mijn haar vastzat.

'Oké, allereerst moet je je kin iets omhooghouden zodat niemand je onderkin kan zien.'

'Oké,' zei ik, en probeerde het te onthouden.

'Ten tweede, draai je heupen opzij met je handen op je middel. Daardoor zie je er slanker uit en het benadrukt ook je welvingen,' zei Fleur terwijl ze de pose voordeed.

'Wauw,' zei ik naar adem happend. Fleur was echt heel aantrekkelijk als ze dat deed.

'Ten derde, houd je je bovenarmen iets weg van je lichaam,' adviseert Fleur. 'Daardoor voorkom je het dikke spekbovenarmenprobleem.'

'Maar ik heb geen...' begon ik.

'Maar dat zul je wel krijgen als je je hier niet aan houdt, geloof me,' kondigde Fleur aan.

'En ten slotte, het allerbelangrijkste,' ging Fleur verder, 'houd je tong zachtjes tegen je boventanden, doe je mond een ietsiepietsie open en LACH!!!'

Het leek me een enorme hoop gedoe voor één foto, maar ik wilde het wel proberen. Helemaal omdat Jimi hem natuurlijk ook zou zien.

Natuurlijk stonden Fleur en Claude volkomen normaal op de foto toen de *Daily Mercury* vanavond uitkwam. Ik, daarentegen, zag eruit als een soort verwrongen, ernstig gestoorde tweederangs kermisattractie die haar pruik achterstevoren op had.

'Ik ga 'm naast de kassa bewaren. Het zal mensen ervan weerhouden mijn inkomsten te jatten,' zei mijn vader voor hij mij stevig omhelsde.

Ik heb soms echt een hartgrondige hekel aan Fleur.

Maar ergens deze week, tussen het kletsen met de reporters en de tv-ploegen door, tussen de oefensessies van de bands en de veldslagen met Panama, tussen het flirten met Jimi en het discussiëren met meneer McGraw over 'worst-case scenario's', en vijftienhonderd euro aftroggelen van Paddy en een heleboel fantaseren over de twaalfde juli door... lijk ik iets overduidelijks over het hoofd te hebben gezien.

Ik heb mijn moeder al vier dagen niet gesignaleerd.

Eerlijk gezegd is het pas nu, terwijl ik door de cafédeuren naar binnen loop en Muriel de souschef met een meelijdende blik naar mij zie kijken voor ze me aanbiedt om wat van die 'lekkere gepocheerde eieren voor het avondeten te maken', dat ik besef dat er iets mis is.

'Waar is mijn moeder, Muriel?' vraag ik.

'O... eh, ik weet het niet precies, lieverd,' liegt Muriel. 'Misschien moet je het aan je vader vragen.'

'Waarom vertel jij het me niet gewoon?' zeg ik.

'Omdat, ik weet het niet, lieverd... wat betreft die eieren...' Muriel draait haar hoofd weg en doet net alsof ze een koekenpan zoekt.

'MURIEL!'

'Oké! Oké!! Ze is bij je oma. Ze is vertrokken. Eh, denk ik. Maar ik weet het niet zeker. O, Veronica, ga het aan je vader vragen. Ik zou je dit allemaal niet moeten vertellen, dat hoort niet,' zegt Muriel vriendelijk maar beslist.

'Waar is hij? Is hij ook vertrokken?! Wat ben ik dan? Een wees?' zeg ik met hoge stem.

'Nee, hij is boven. Ga met hem praten, Veronica; je moet lief voor hem zijn. Hij is aangeslagen.'

'Hij is aangeslagen? En ik dan? Ik ben degene die haar moeder mist!!'

Ik storm naar boven en ren de zitkamer voorbij, waar ik extreem droevige blues uit de stereo hoor komen.

Mooi moment om een beetje naar muziek te gaan liggen luisteren, denk ik. Dan herinner ik me dat ik vorige week zo verdrietig was toen Jimi me niet mee uit vroeg nadat hij zijn vingerhoedje had opgehaald, dat ik tweeëndertig keer achter elkaar luisterde naar het nummer 'Merry Go-Round', het droevigste liedje van Spike Saunders' cd.

Misschien is papa toch wel echt verdrietig.

Ik storm mijn slaapkamer binnen, gooi de deur stevig dicht en laat mezelf op mijn bed vallen, waar ik bijna twintig minuten blijf liggen, brainstormend over de reden die mijn ouders kunnen hebben om uit elkaar te gaan.

Ik kan eigenlijk niets bedenken wat hout snijdt.

Ik bedoel, ze bekvechten vaak, maar dat is niet echt verrassend, omdat ze allebei behoorlijk irritant zijn.

Natuurlijk klaagt mama altijd dat papa's familie van veel lagere sociale komaf is dan de hare, en dat een hoop van hen 'beroepscriminelen' zijn, terwijl papa altijd rotopmerkingen maakt dat mama's familie 'zich heel wat voelt' en eigenlijk afstamt van zigeuners.

Maar dat kan het toch niet zijn, wel?

Dat is vooral een grapje, toch? Tenminste, dat dacht ik.

En ze hebben ook vaak ruzie over geld. Bijvoorbeeld als papa vergeet de rekeningen te betalen en ons vlees niet wordt bezorgd. Of als mama een nieuwe jurk gaat kopen en thuiskomt met een Smeg koelvriescombinatie van € 3000. Ja, die ruzie was het toppunt.

Maar ze maken het altijd weer goed.

Toch?

Ik zet Spike weer op om het geluid uit de woonkamer te overstemmen.

Misschien heeft een van de twee een ander?

O god, dat kan niet waar zijn.

Nee, dat zou betekenen dat iemand letterlijk een oogje op ofwel mijn moeder ofwel mijn vader heeft laten vallen en dacht: O, wacht even, dat ziet er best goed uit. Dat wil ik wel. Voordat diegene begon mijn gelukkige gezinsleven te ruïneren.

(Gek dat je niet doorhebt wat je had, tot je het kwijt bent, hè? We waren best een gelukkig gezin.)

Maar dat slaat nergens op.

Ik bedoel, als ik, Ronnie Ripperton, in de bloei van mijn leven, terwijl ik mijn uiterste best doe om er fantastisch uit te zien geen enkele jongen op me kan laten vallen, hoe kan een psychotische kokkin met bizarre eetgewoonten of een man die voortdurend ruikt naar oud bier en asbakken dan iemand van de andere sekse veroveren?

Hoe?!

En dan voel ik me plotseling koud en eenzaam in mijn kleine kamertje.

Want misschien was dit allemaal mijn schuld.

Ik bedoel, ik ben niet zo'n leuke dochter, toch? En ik doe altijd dingen die een van hen irriteert. En dan begint degene die zich aan me ergert tegen me te tieren... waardoor de ander het voor me gaat opnemen. En dan krijgen ze een enorme ruzie met elkaar.

Het is de laatste tijd absoluut veel erger geworden.

Mama zit me altijd op mijn nek voor kleine dingetjes, en papa probeert het meestal glad te strijken door te zeggen: 'O, kom op, Magda, laat haar, ze is nog maar een klein meisje!' wat mijn moeder helemaal tot waanzin drijft omdat ze heel goed weet dat ik veertien ben, en helemaal geen klein meisje. Ik ben best in staat mijn eigen slaapkamer schoon te maken of eraan te denken de achterdeur op slot te doen wanneer ik 's avonds thuiskom. Of al die andere stomme, onattente dingen die ik (niet) doe.

Dus misschien is dit allemaal mijn fout.

Nu vind ik mezelf helemaal niet meer zo cool.

'Mama?'

'O, hallo, lieverd,' zegt ze. 'Dus eindelijk bel je me. Had je geen schone onderbroeken meer, of zo?'

Oeps.

'Ik had niet in de gaten dat je weg was.'

'Precies,' zegt mama.

'Ben je daarom weggegaan?' vraag ik, besluitend om direct

verder te gaan met de reden voor dit telefoongesprek, en formaliteiten achterwege te laten. 'Omdat ik niet attent ben en je mijn broeken moet wassen en heel veel voor me moet doen?'

Mijn stem trilt nu helemaal.

'O! O god, nee, Ronnie. Nee, helemaal niet,' zegt mama, zich realiserend dat ik één en één heb opgeteld en uitkom op honderzevenenvijftig. 'Ik meende dat laatste niet. Ik weet dat je het op het moment heel druk hebt. Ik ben niet echt boos dat je niet in de gaten had dat ik weg was.'

'Wanneer kom je weer thuis, mam? En waarom ben je daar? En wat is er aan de hand...' zeg ik, al mijn belangrijke vragen achter elkaar mompelend.

'Het komt goed, Ronnie, rustig aan,' zegt mama.

'Rustig aan?! Wat doe je bij oma thuis?' vraag ik, en ik begin harder te praten.

Lange stilte.

'Ik denk een poosje na.'

'Waarover?'

'Over wat ik wil.'

'Over of je hier nog wilt wonen? Waarom zou je niet bij mij en papa willen wonen?' vraag ik.

Mijn moeder is duidelijk gek geworden.

'Nee, ik moet over de toekomst nadenken,' zegt mama.

'Maar dat kan je ook hier doen!' snauw ik.

'Nee, dat kan niet,' zegt mama beslist. 'Je vader en ik willen verschillende dingen.'

'Zoals wat?'

'Nou, op dit moment wil hij dat ik terugkom naar de Fantastic Voyage. En ik, nou, ik wil bij je oma wonen...' zegt mama. Daarna begint ze zacht te grinniken.

Ik ben niet in de stemming voor haar vrolijkheid.

'Mama, heb je gedronken?'

'Was het maar waar,' zucht ze.

'Mama, ik raak nu echt geïrriteerd,' zeg ik, hoewel irritatie niet precies is wat ik voel. Ik kan niet uitleggen wat ik voel. Een beetje gevoelloos ben ik eigenlijk. Het is een beetje alsof het leven zoals ik het gewend was zonder plichtplegingen de nek om is gedraaid en ik te dom ben om te begrijpen waarom.

'Vertel me nou gewoon wat er aan de hand is,' zeg ik uiteindelijk. En deze keer, door de voor de hand liggende vraag te stellen, lijk ik een heel klein beetje informatie te krijgen.

'Oké. Oké,' zucht mama. 'Ik weet dat ik niet eerlijk ben, dat *wij* niet eerlijk zijn. Maar ik zag gewoon niet in waarom we jou erbij moesten betrekken. Laten we het er gewoon op houden dat er iets belangrijks is gebeurd. En je vader en ik hebben verschillende ideeën over hoe we, eh, hét aan moeten pakken.'

'Wat, is er een grote rekening gekomen? Zoiets? Of wil jij iemand ontslaan en hij niet?'

'Eh, nee. Niet zoiets. Het is iets belangrijkers. Hé, maak je er nou maar geen zorgen over...'

'O, oké, ik zal me er wel geen zorgen over maken,' snauw ik.

En daarna zeggen we allebei heel lang niks. Ik kan mijn oma's koekoeksklok op de achtergrond horen tikken.

'Luister, Ronnie, ik ben heel erg kwaad over iets wat je vader gisterenavond zei. Ik wil op het moment gewoon niet naar hem kijken,' zegt ze. 'Ik heb gewoon een paar dagen nodig...'

'Dagen?' herhaal ik.

'Of weken. Maanden. Ik weet het nog niet. Jij redt het wel, wat we ook besluiten. Jij bent heel belangrijk voor ons, Ronnie,' zegt mama. 'Ik moet gaan. Ik moet naar de wc, Ronnie. Ik bel je wel.'

En dan hangt ze op.

Ik weet echt niet wat ik hier allemaal van moet vinden. Dus ik kies ervoor om 'kwaad' te worden. En in overeenstemming met de universele wetten van rothumeuren, besluit ik de dag te verpesten van de eerstvolgende persoon die ik tegenkom. Wat toevallig mijn vader is.

'Hmpf,' zeg ik terwijl ik de kamer binnenstorm en de deur zo hard achter me dichtsla dat die met een enorme klap een vrijstaand kastje raakt.

Ik heb hier pas zevenbiljard keer voor op mijn kop gekregen.

'Hallo, lieffie,' zegt mijn vader, nogal zwaarmoedig. Hij is omringd door bergen oude lp's, koffiekopjes en bomvolle asbakken. Het is bijna alsof hij is vergeten dat het vrijdagavond is en honderden bierverslaafden op weg zijn naar de Fantastic Voyage voor plezier en door bier veroorzaakte lichtzinnigheid. O nee, dat heeft geen prioriteit, hij heeft het te druk met luisteren naar oude bluesplaten.

'Waarom woont mama bij oma? Wat heb je gedaan?' begin ik, zo subtiel als een wervelwind.

'Ik heb niets GEDAAN,' zegt papa, en hij kijkt diep beledigd. 'Althans, niet zoveel. Je moeder heeft besloten ergens anders te gaan wonen. Tijdelijk. Eh, tenminste, dat hoop ik, tijdelijk. Bij je oma heeft ze meer ruimte om na te denken.'

'Ruimte om na te denken?' sputter ik. 'Waarom praat iedereen in raadsels?'

'Hmmm,' zegt papa, en hij staart voor zich uit. 'Daar heb je eigenlijk wel gelijk in, Ronnie. Ik weet ook niet precies wat het betekent.'

'Geweldig,' zeg ik sarcastisch.

'Maar ze komt wel terug,' zegt papa goedmoedig, en hij plukt een beetje opgedroogde tikka massalasaus van zijn overhemd. Hij heeft zich ook al dagen niet geschoren. 'Als ze weet wat goed voor haar is.'

Als je het mij vraagt ziet hij er niet echt uit als een 'Welkom Thuis'-bonus.

'Je bent echt boos op me, hè?' vraagt hij, heel scherpzinnig opmerkend dat ik hem aanstaar en zit te neusvleugelen.

'Nou, ja. Ja! Ik bedoel, ik word er zó boos om dat niemand hier me wat vertelt...'

'Je hoort de meeste dingen...'

'En ik bedoel, we zijn maar met z'n DRIEËN hier in huis, dus het is niet te veel gevraagd dat ik geïnformeerd word over de recente vertrek- en aankomstdata...'

'Nou, dat zou ik niet te snel zeggen...' mompelt papa.

'Maar op de EEN OF ANDERE MANIER,' zeg ik, papa's gemompel negerend, 'word ik nog altijd als een BABY behandeld!!! En ik ben geen BABY. En ik wil niet meer zo behandeld worden!!' verkondig ik met mijn vinger naar hem wijzend.

'Dat is eigenlijk wel goed, want...' begint papa, maar hij onderbreekt wat hij wilde gaan zeggen omdat er tranen over mijn wangen beginnen te stromen.

'Ronnie, je hebt heel veel op je bordje momenteel. Dat schoolfestival is toch over ongeveer zeven dagen, niet?'

'Snzeven dagensn vanaf snmorgen,' zeg ik, terwijl ik snot en tranen ophaal, terug mijn neus in.

'Luister. Ik heb daarover nagedacht. Weet je nog wat je woensdag zei? Dat meer mensen een kaartje hebben gekocht dan je ooit had kunnen dromen? En dat Claude problemen had om spullen te huren, en dat soort dingen?'

'Ja. Maar het is nu allemaal in orde. Fleurs vader heeft ons vijftienhonderd euro geleend. Dat had ik je toch ook verteld?'

Papa werd een beetje wit toen ik dat tegen hem zei.

'O. Nee. Nee, dat wist ik niet. Je kunt het toch wel terugbetalen, hè?' vraagt hij, waarop ik alleen met mijn ogen begin te rollen en mijn lippen op elkaar klem.

Een toereikend antwoord als je het mij vraagt.

'Nou, in ieder geval, ik zat gewoon te denken, je weet dat ik ook in de muziek rommelde voor jij werd geboren en ik ken nog steeds een hoop oude vrienden die onderweg met toerende rockbands werken.'

'Huhuh,' zeg ik. Natuurlijk weet ik dat. Daar kletst hij altijd over.

'Nou, omdat dat hele Blackwell Live zo groot begint te worden... Wat denk je ervan als ik wat van mijn oude vrienden bel en kijk of zij een handje kunnen helpen?' zegt hij, grijnzend alsof hij het beste idee in de wereld heeft bedacht.

Ik kijk mijn vader een halve minuut lang ongelovig aan zonder met mijn ogen te knipperen.

'Nou, wat denk je?' vraagt hij, duidelijk blij dat hij vijf minuten aan iets anders kan denken dan aan mijn verdwenen moeder. 'Goed idee of niet?'

Ik sta op en loop naar de deur, zorgvuldig mijn speech voorbereidend. Papa heeft het deze keer echt te bont gemaakt.

'Dat is nou weer echt typisch iets voor jou! Echt typisch iets voor jou!!' begin ik, met een nogal harde stem.

'Wat?' schreeuwt mijn vader.

'DIT! Jij denkt dat ik een of ander dom kind met domme vriendinnen ben en dat we niets alleen kunnen. Alsof ik jou en nog wat andere gerimpelde oude sukkels nodig heb om onze problemen op te lossen? Ik kan het gewoon niet geloven!' schreeuw ik.

'Ronnie, doe niet zo idioot. Ik bedoel het helemaal niet zo. Ik dacht alleen –'

'Ja, toe maar, noem me maar idioot! Ik ben een idioot. Ik ben echt stom, hè? Ik ben zo stom dat jij en mama gaan scheiden en niemand me zelfs maar vertelt waarom.'

'Ronnie, kalmeer nou even. Waar ga je naartoe?!'

'Ik ga weg. Het kan toch niemand schelen waar ik heen ga!' schreeuw ik. En tegen die tijd zeg ik zo'n beetje het eerste wat er in mijn hoofd opkomt zonder dat ik precies weet waarom, maar gewoon omdat het schreeuwen me oplucht. Wat absoluut geen excuus is voor de volgende pareltjes van redevoering die uit mijn mond komen rollen.

'En omdat ik je haat. Ik haat jullie allebei. Ik haat mijn leven. Ik wou dat ik nooit geboren was... sterker nog, ik weet dat jullie tweeën ook wensten dat jullie me nooit gekregen hadden!! Doei!!'

KLABAMM!

Ik heb zo veel schokkende dingen gezegd in die laatste zin dat ik op het moment dat ik de deur dichttrek zie dat mijn vader eruitziet als een konijn dat is gevangen in het licht van de koplampen.

Dus ik gooi het hek van de Fantastic Voyage open, trap tegen de vuilnisemmer, sis tegen de kat van de buren die me uit lijkt te lachen vanaf het dak van de garage, en begin dan High Street op te stampen, richting Fleurs huis.

Ik voel me verbazingwekkend kwaad, en als gevolg daarvan, voel ik me best verbazingwekkend goed.

Ha. Ik heb hem eens flink de waarheid gezegd, niet?! denk ik, terwijl ik elk moment van mijn uitbarsting de revue laat passeren. *Nu weet hij hoe ik over 'm denk, hè? Hè?*

En ik ploeter verder... Maar nu word ik me met iedere winkel die ik passeer en elke meter die ik afleg een beetje meer bewust wat voor een ontzettende idioot ik ben geweest.

Als de tijd verstrijkt en ik bijna halverwege Fleur ben, begin ik me te realiseren hoe gekwetst papa eruitzag en hoe onaardig ik tegen hem was terwijl hij waarschijnlijk alleen maar aardig probeerde te doen. En hoe graag ik terug naar huis zou rennen, als mijn trots dat toeliet, om hem te vertellen dat ik niet kwaad op hem ben, dat alleen al de gedachte dat mama ons wil verlaten me bijna van angst doet kotsen, en dat ik in de stress zit over het festival en dat ik niet weet waarom ik al die dingen heb gezegd.

En dat het me echt heel erg spijt.

Maar ik draai me niet om, omdat dat moeilijk lijkt, in tegenstelling tot naar Fleurs huis gaan en hem een tijdje afkraken en daarna een video kijken. Dus ik loop verder.

En dan zie ik ze.

Jimi Steele en Panama Goodyear.

Achter het raam van Paramount Pizza. Jimi heeft zijn arm om Panama's schouders, terwijl Panama hem een verlokkelijk hapje tiramisu voert. Binnen een fractie van een seconde krijgt Panama me in de gaten en zit ze te zwaaien terwijl ze Jimi aanstoot, die opkijkt en probeert te glimlachen maar er alleen maar ontzettend schaapachtig uitziet. Panama is inmiddels afgeleid, omdat ze teder Jimi's wang kust.

En ik wil het uitschreeuwen. Maar al mijn adrenaline is weggevloeid, en ik sta eenzaam op straat, met een knoop in mijn maag en een hart dat is gekrompen tot het formaat van een stukje oude kauwgum.

10 Speciaal bezoek

Gisteren ben ik niet uit bed gekomen.

In plaats daarvan heb ik me de hele zaterdag met de gordijnen dicht onder mijn dekbed verscholen en een roman die ik van mama had gejat gelezen met de titel *Een zeker taboe*.

Het is rommel. Als dit het soort gezever is dat mijn moeder leest, is het geen wonder dat ze altijd te veel Margerita's drinkt en op het strand in slaap valt met een boek op haar gezicht.

Ik heb me gisteren ook niet aangekleed.

Ik heb de hele dag mijn ondergoed aangehouden en alleen een trui aangetrokken als ik naar de wc moest. Het leek geen enkele zin te hebben.

Om op te staan en me aan te kleden, bedoel ik.

Of om te leven.

Ik sms'te gelijk naar Claude en Fleur en loog dat ik bij mijn oma was, daarna deed ik mijn deur op slot en het NIET STOREN-kaartje aan de deurklink. Telkens als papa klopte deed ik net of ik lag te snurken tot ik hem zuchtend over de overloop hoorde weglopen. Ik voelde me behoorlijk asociaal. Er was, en er is nog steeds, niets wat wie dan ook kan zeggen om me een beter gevoel te geven. Vooral omdat mijn moeder nog steeds niet thuis is, of me zelfs maar op mijn mobieltje heeft gebeld, zoals ze beloofd had. Oké, ik had haar ook kunnen bellen, maar daar gaat het niet om, wel? Ik bedoel, ik ben haar dochter. Het zou haar moederinstinct moeten zijn om te bellen en te controleren of ik wel heb ontbeten en genoeg geld heb voor vandaag, in plaats van te luieren bij mijn oma en 'tijd te nemen om na te denken'. Mijn maatschappelijk werker, als ik die krijg, zal hier nog over horen, let maar op. Over de dag dat mijn moeder mij verliet, onder het mom van 'tijd nodig hebben om na te denken', en ik een hele dag alleen doorbracht, in mijn ondergoed, stervend van de honger.

En waarover moet ze precies 'nadenken'? Je hoeft toch niet na te denken over of je wel of niet met je man en je dochter wilt wonen, toch? Hè? Nee, je hebt 'tijd nodig' om na te denken over dingen zoals of je dat T-shirt dat je hebt gepast in blauw *of* in zwart wilt kopen. Of je hebt 'tijd nodig' om na te denken wat je lekker vindt van de menukaart in een restaurant. Je hoeft toch niet stil te staan en na te denken of je bij je gezin wilt wonen?

Mama zou direct terug moeten komen; papa en ik zouden haar moeten dwingen.

Ik heb het gevoel dat ik gek word.

Ik wil dat alles weer gewoon wordt. Het is niet leuk om te denken dat we hier niet meer allemaal samen kunnen leven. En, eh, ik realiseer me nu dat ik ook echt van allebei houd.

Zo, dat heb ik gezegd.

Ik houd van allebei.

Maar dat zeg ik niet tegen ze, omdat ik niet meer met ze praat.

Ik heb m'n ogen uit mijn hoofd gehuild, vrijdagavond nadat ik Jimi en Panama zag. Ik zat in mijn eentje in de kinderspeeltuin achter de winkels en huilde tot mijn ogen dik werden en mijn mouwen vol snot zaten. Uiteindelijk kwam er voorzichtig een zwerver op me af om te vragen of ik in orde was, en me wat White Wizard appelcider aan te bieden. (Ik weigerde, maar het was wel aardig, nu ik erover nadenk. Ik bedoel, hij had die cider harder nodig dan ik.)

Maar nu ik erover na heb kunnen denken, begrijp ik precies waarom Jimi met haar uitgaat. Ze is heel knap. Verpletterend knap. En ze heeft grote tieten, die ze best durft te laten zien. Niet zoals ik; ik heb meer borsten op mijn rug; tenminste, dat is wat een aardige jongen vorige jaar tijdens de gymles tegen me zei. En ze doet altijd heel interessante dingen, zoals een weekeindje naar Londen gaan, naar haar neven en nichten. Of naar een feest gaan. Of op vakantie naar heel exotische bestemmingen, waardoor ze een 'jet lag' heeft als ze thuiskomt.

En ja, ik weet dat ze een afschuwelijke, liefdeloze, gemene pestkop is. Maar dat hebben jongens nooit door, hè? Die *zien* dat gewoon niet. Ik kan me tientallen keren herinneren dat de LBD in de klas zaten te roddelen over een of ander verschrikkelijk, laag-bij-de-gronds, slecht iets wat Panama had gezegd of gedaan. De jongens in onze klas zaten dan geboeid af te luisteren, en verslonden elk verschrikkelijk detail van Panama's misstap, en aan het eind was er altijd een die zei: 'Wie? Hebben jullie het over Panama Goodyear? Dat meisje uit de 11^e met dat lange bruine haar en die grote tieten?! Die is heel erg gaaf!' Waarna ze een luid en hartgrondig 'Pfoeaaah!' lieten horen.

Ik was echt een ontzettende sufkont om te denken dat Jimi anders was. Of om te denken dat iemand die zo bijzonder en x-factor is als hij, mij misschien aantrekkelijk zou kunnen vinden. Ik, met mijn combinatie-huidtypes, mijn peervormige onderkant en mijn krankzinnige familie.

Maar in ieder geval huilde ik urenlang. En nu wil ik gewoon

niet meer aan ze denken. Ik hoop dat ze samen heel gelukkig zijn. Sterker nog, ik hoop dat hij in haar monsterlijke decolleté dondert en gered moet worden door een passerend bergreddingsteam.

Ik ben gewoon heel gelukkig hier, helemaal alleen, in mijn onderbroek, met mijn boek.

Zelfs al is het shit.

En nu is het tien uur zondagochtend en lig ik nog steeds in bed, en lees ik een heel boeiend stuk van *Een Zeker Taboe*, en word ik gestoord in mijn slechte-boekretraite door een geluid van beneden: het onmiskenbare geluid van gitaren die worden gestemd.

O nee.

O, alsjeblieft niet.

Het is toch zondag, zeker? Het is Lost Messiahs dag om te oefenen in de Fantastic Voyage. Jimi Steele is binnen en ik zit in mijn onderbroek en heb al twee dagen mijn haar niet gewassen en mijn tanden niet gepoetst! Ik ruik als de ballenhouder van een worstelaar. Verdorie. Ik kan maar beter maken dat ik opsta en kleren uitzoek en een douche neem en...

...Wacht even! Hij gaat nu toch met Panama? Dus ik ben een beetje overbodig. Spel uit. Oké, ik verroer geen vin. Ik blijf hier gewoon wegkwijnen in mijn put, mijn boek lezen, en eruitzien als een moerasezel. Wat me lukt, bijna een halfuur lang, ondanks het weergalmend gedrum, gezang, gitaarloopjes en gepiep van versterkers in mijn slaapkamer. Af en toe, als ik alweer een nieuwe stem zich aan de vrolijke bende beneden hoor toevoegen, laat ik een klein afkeurend 'hmpff' horen. Maar ik spring zeker niet uit bed om te proberen mezelf mooier te maken.

Wat ben ik sterk!

Maar dan hoor ik mijn vaders stem naar boven schreeuwen.

'Ronnie!' schreeuwt hij. 'Ronnie, ik weet dat je boven bent. Kom hier.'

Ik verstijf en trek het dekbed over mijn hoofd.

Van je leven niet, vriend.

'Ronnie, je vrienden zijn er,' schreeuwt hij uiteindelijk.

Op de achtergrond kan ik meisjesachtig gegiechel horen. Ah, het zijn Fleur en Claude! Ik wist dat het niet veel langer zou duren voor ze me zouden komen zoeken.

'Ik stuur ze wel gewoon naar boven,' schreeuwt hij. 'Ga maar naar boven, dames, ze houdt alleen maar een winterslaap...'

Ik spring uit mijn bed en gooi de deur open, met alleen mijn extra grote lila onderbroek aan en een oud grijs vest met tomatensausvlekken op de voorpanden.

'Welkom in mijn wereld,' mompel ik sombertjes, als uitleg waarom ik er zo verlopen uitzie. Maar in plaats van Fleur of Claude hoor ik hoge gilletjes en iemand die mompelt: 'Ooww, wat smerig.'

Als ik opkijk staan daar tot mijn onuitsprekelijke afgrijzen Panama Goodyear, Leeza en Abigail die op de overloop voor mijn slaapkamerdeur hun neus ophalen voor mij, mijn onderbroek en mijn huis.

O vreugde.

'Mmmm, prachtig design,' zegt Leeza hatelijk, met een grimas naar ons fluweelpapieren behang, dat om eerlijk te zijn van het soort is dat alleen moeders mooi vinden. 'Het is erg doorleefd, vind je niet?'

'Ja, ik moet echt uitkijken naar dit krot in het *Beautiful Homes Magazine*,' schampert Abigail.

'Hè wat?' grom ik, terwijl ik mijn hele lichaam achter de deur probeer te verbergen.

'We kwamen alleen even langs,' begint Panama. 'Nou ja, je weet wel, ik kwam alleen even binnen om mijn vriendje te zien nu hij beneden aan het oefenen is. Jimi Steele. We hebben verkering. O, maar dat wist je al, hè?' Panama lacht zelfingenomen. 'We zagen je vrijdag, toen we pizza zaten te eten. Je had je gezicht moeten zien!'

'Mmmm,' zeg ik. Ik weet niet wat ik moet zeggen.

'Jimi zei dat jij en hij best goede vrienden zijn,' gaat Panama verder. 'En ik zei, haha, ik wil wedden dat Ronnie achter je aan zit en de pest in heeft dat je nu met mij bent, maar Jimi dacht van niet. Haha, is dat niet grappig?'

'Om te gillen,' zeg ik, met opeengeklemde kaken. 'Luister, wat kan ik eigenlijk voor jullie doen? Moeten jullie niet oefenen of zo? Blackwell Live is deze week, hoor...'

'O, dat weten we!' giechelt Leeza.

'We hebben er *ontzettend* veel zin in!' zegt Abigail.

'Zane, Derren en wij hebben onze vijfstemmige harmonieën de hele week geoefend,' zegt Panama. 'Het klinkt ongelooflijk goed.'

'Daar twijfel ik niet aan,' zeg ik sarcastisch.

'Maar zie je, daar kwamen we met jou over praten. Blackwell Live,' zegt Panama. 'Ik wilde gewoon even met je praten over dat hele 'Wie doet het hoofdoptreden'-gedoe. Het wordt allemaal een beetje vermoeiend, vind je niet?'

'Je meent het,' zucht ik.

'We moeten dit voor eens en voor altijd oplossen,' zegt Abigail met een hoge stem.

'Precies,' zegt Panama. 'Ik bedoel, om eerlijk te zijn, is het grootste probleem níet het feit dat we het hoofdoptreden willen doen. Dat is niet zo'n groot probleem als het feit dat drie brutale, ordinaire, lelijke kleine trollen zoals jullie ons niet gehoorzamen. Het is echt ongelooflijk en absoluut onacceptabel.'

Panama snerpt nu: 'En ik accepteer het niet.'

Ze brengt haar gezicht vlak bij het mijne, maar trekt zich snel terug als ze mijn nogal muffe adem ruikt.

'En wat ga je dan doen, Panama, me in elkaar slaan?' zeg ik moedig. Zelfs Panama zou toch niet de moed hebben om me een kopje kleiner te maken terwijl mijn vader beneden is. Toch?

'Natuurlijk gaan we je niet in elkaar slaan. Wat voor soort tweederangs clubje denk je dat ik run?' bijt Panama me toe terwijl ze haar haarband van paars velours goed doet. 'Nee, we hebben wel betere ideeën.'

'Veel beter!' bevestigt Leeza.

'Allereerst hebben we erover gedacht ons Blackwell Live optreden helemaal af te zeggen,' zegt Abigail. 'Natuurlijk zouden we meneer McGraw, mevrouw Guinevere en meneer Foxton vertellen dat dat was vanwege jullie onprofessionele en kinderachtige manier van doen. Dat zou niet zo leuk zijn, toch? Kaarten terugnemen? Leraren die boos zijn op jullie? Gevoelens van falen en hopeloosheid? Dat soort dingen?'

Ik staar ze blanco aan. Ja, dat zou afschuwelijk zijn.

'Maar, wat nog leuker is, we zouden iedereen op school kunnen vertellen over de probleempjes die jij met je vader en moeder hebt. Arme Ronnie, hè? Verdorie. Jimi heeft me er alles over verteld...'

Wat? Ik kan gewoon niet geloven dat Jimi Panama heeft verteld hoe verdrietig ik ben over mijn vader en moeder. Ik kan het gewoon niet geloven. Ik heb het gevoel dat iemand me net heel erg hard in mijn maag heeft getrapt.

'Maar dat is natuurlijk een heel saai verhaal, dus ga ik het wat interessanter maken en zeggen dat je moeder alcoholiste is en je vader haar sloeg.'

'Dat kun je niet maken!' begin ik te schreeuwen, en ik realiseer me gelijk dat ik haar helemaal in de kaart speel omdat alle gezichten opeens oplichten.

'Niemand zal je geloven, Panama,' zeg ik rustiger. 'En trouwens, het kan niemand wat schelen,' mompel ik, wetend dat het ten minste een paar mensen wel wat kan schelen, en dat dat genoeg is.

'Ahum, ik denk dat je er wel achter zult komen dat het ze wel wat kan schelen. Het zal het mooiste gerucht ooit zijn!' kat Panama. 'Vooral als ze horen over jullie en de jongens van de EZ Life Syndicate. Hoe zit het met dat gerucht dat jullie er al drie gezoend hebben?! Wat ontzettend... goor!' zegt Panama hatelijk.

'Panama, ik heb nog NOOIT ook maar één lid van de EZ Life aangeraakt. Wie heeft dat gezegd?!!' schreeuw ik, uiteindelijk mijn geduld verliezend.

'Niemand!' gilt Leeza. 'We hebben het gewoon verzonnen. Geweldig, vind je ons ook niet geweldig?!'

'En het mooiste is, we hebben die geruchten gewoon op weg hier naartoe bedacht. Stel je voor wat we over die andere twee enge vriendinnen van je bedenken als we tijd hebben om erover na te denken,' lacht Abigail.

'Precies,' zegt Panama. 'Dus doe er wat aan, Ronnie. Het wordt een stuk makkelijker voor jullie allemaal, geloof me,' zegt ze, en ze verdwijnt de trap af.

'*Ciao, ciao*!' giechelen Abigail en Leeza, zwaaiend en kushandjes gevend.

En toen waren ze weg en bleef ik alleen achter, helemaal verpletterd, terwijl ik probeerde te achterhalen waarom ouders hun kinderen opvoeden met onzin als 'Woorden doen geen pijn'. Want als het om Panama Goodyear gaat, zou ik liever met een grote stok worden afgetuigd.

Het is zondagavond zeven uur. Het zal je genoegen doen te horen dat ik mijn zelfopgelegde huisarrest heb opgeheven en ik erin geslaagd ben, volledig gekleed, naar het LBD hoofdkantoor te gaan. Vanaf het moment dat Fleur door de telefoon mijn snotterige 'Gnnn splgh snnnuuuuf' hoorde, ontfutselde ze me ieder afgrijselijk detail van Panama Goodyears koninklijke bezoek.

'Ik haat haar, Fleur,' snikte ik. Ik had op dat moment zelfs hoofdpijn van het huilen.

'Nou, dat geeft niks, honnepon,' zei Fleur. 'Ik haat haar ook. Luister, Ronnie, jij zorgt dat je hier onmiddellijk naartoe komt. Ik bel Claude. Ik denk dat we samen moeten afspreken.'

Natuurlijk had ik de neiging om alleen in mijn lila onderbroek en gevlekte vest door High Street te snellen, gewoon om tegenover passanten te benadrukken dat mijn wereld ingestort is, maar ik besloot het niet te doen. Natuurlijk was naakt misschien beter geweest. Want die tovermand in de hoek van mijn slaapkamer, waar ik mijn vuile was in doe, die dan op magische wijze weer schoon en fris in een stapel op mijn bed verschijnt... nou die mand lijkt niet meer te werken sinds mijn moeder weg is. Dus moest ik verfrommelde, vieze dingen aan.

'Ik zeg het niet,' zegt Fleur, en ze schudt haar hoofd.

'Zeg het,' zeg ik.

'Nee, ik ga het niet tegen je zeggen. Luister, waarom wil je het eigenlijk weten?'

'Ach, vertel het 'r gewoon,' zegt Claude. 'Het zal 'r, eh, de kans geven het af te sluiten.'

'Weet je het zeker? Nou, oké dan, maar dit is alleen maar geroddel wat ik gehoord heb...' begint Fleur. 'Kennelijk waren de meisjes van Catwalk donderdagavond met Jimi, Aaron en Naz van Lost Messiah aan het dollen tijdens de repetities in het toneellokaal.'

'En?' zeg ik met trillende onderlip.

'En wat? O, god, Ronnie! Wil je het echt weten? Oké, Jimi is met haar mee naar haar huis gelopen en ze hebben flink staan zoenen bij Panama op het tuinpad. Kennelijk waren haar vader en moeder naar de supermarkt, dus was er niemand thuis. Dus toen vroeg zij hem mee naar de keuken om wat te drinken en daar hebben ze nog meer staan zoenen en...'

'IK WIL HET NIET WETEN!' schreeuw ik, en ik gooi me met mijn gezicht naar beneden op Fleurs dekbed.

'Precies,' zegt Fleur, en ze streelt mijn arm. 'En trouwens, Ron, ik keek pas eens goed naar Jimi, en ik zat te denken, heb je wel eens gezien wat een stom gezicht hij trekt als hij skateboardt? Hij ziet eruit als het Honey Monster. En hij heeft vreemde, flubberige lippen. Hij is waarschijnlijk een heel erg slobberige kusser...'

Ik ga zitten en leg mijn vinger op haar lippen.

'Fleur. Zeg niet te veel. Want Jimi en ik krijgen echt ooit verkering, en ik wil niet dat er dan een naar gevoel tussen mij en jou is.'

Ik maak maar half een grapje.

Claude en Fleur kijken meelijdend naar mij, in m'n verkreukelde kleren.

'Oké,' stemt Fleur in, maar als ik me voorover buig om de cd te verwisselen kan ik zien hoe ze met haar vinger tegen haar voorhoofd tikt en zonder geluid tegen Claude zegt, 'Ze is gek geworden! Gek, zeg ik je!!'

'Eerlijk gezegd,' zegt Ainsley Hammond, die stilletjes heeft zitten luisteren vanaf zijn zitplaats op Fleurs futon, plotseling, 'zou ik dat ook niet helemaal voor onmogelijk houden.'

'Echt?' vraag ik. Ainsley mag absoluut meer LBD-vergaderingen bijwonen als hij zulke zinnige dingen zegt. Daarbij is hij ook beter opgemaakt dan wij drieën.

'Puh, ik geef ze hooguit een week samen. Twee, maximaal,' gaat onze bleke en interessante vriend verder. 'Jimi zal *nooit* al die onzin van Panama pikken. Jimi is cool. Je weet wel, heel grappig? En ook heel slim. Hij zal er gauw achterkomen dat hij met een leeghoofd is.'

'Bedankt, Ainsley,' zeg ik. Wie had gedacht dat iemand die zich kleedt als de wrede man met de zeis, me het eerste straaltje zonneschijn van het weekeinde zou laten zien?

'In ieder geval, meneer Hammond,' zegt Claude, 'had je beloofd dat je ons iets heel cools ging vertellen. Kom op, zeg het...'

'O ja, natuurlijk. Ik was het bijna vergeten,' zegt Ainsley hoofdschuddend terwijl hij graait in zijn zwartrubberen rugzak, die volstaat met kruisen van correctievloeistof en metalen noppen, en er een cassettebandje uit trekt. 'Dit is echt fantastisch,' zegt hij.

'Wat is het?' zeggen de LBD in koor.

'Nou, dames, ik had het geluk om zaterdag in de buurt van het toneellokaal te zijn toen Catwalk repeteerde. Wat een genoegen was dat...'

'Ze waren hun vijfstemmige harmonie aan het perfectioneren,' zeg ik sombertjes, denkend aan Panama's bezoekje.

'Eh... nee, dat deden ze niet,' grijnst Ainsley. 'Dat wilde ik jullie vertellen. Ik denk dat ze dat maar opgegeven hebben.'

Ainsley doet het bandje in Fleurs stereo en drukt op PLAY. Onmiddellijk wordt de kamer gevuld met een vreemd, klagend geluid.

'Runnnnnnning to your loooooove...' wordt kennelijk in heel verschillende toonsoorten gegild door meerdere stemmen die tegen elkaar in gaan en moeilijk klinken. Dit moet het slechtste koortje van de hele wereld zijn. Het klinkt als een brand in de dierentuin.

'Zet zachter!' zegt Claude ineenkrimpend.

'Hé! Deze mensen klinken alsof ze pijn hebben. Wie zijn dit?!' zegt Fleur, met haar handen tegen haar oren.

'Love! Love! Loooooove!' kreunt een stem op de tape, die eindigt in een hoestbui. Een andere vrouwenstem probeert een hoge c te halen, maar verzandt alleen in een morbide vals kattengejank.

Ainsley drukt op STOP.

'Het is Catwalk,' zegt hij stralend.

'Wat? Ik begrijp het niet,' zegt Claude fronsend. 'Die kunnen echt goed zingen.'

'Nee, Claude, ze kunnen echt goed *playbacken*. Voorzover ik kan bedenken, heeft Catwalk het laatste jaar alleen geplaybackt op een tape van hun eigen stemmen die door een stemverbeteringsmachine zijn gehaald. Dit is de tape waarop ze "Running To Your Love", eh, live zingen.' Ainsley is zo tevreden als een spinnende kat. 'En ik was zo vrij om hen op te nemen in hun eigen, natuurlijke vorm.'

'Dus Catwalk kan eigenlijk helemaal niet zingen?' herhaal ik, en ik begin echt te giebelen.

'Mmmm, nou ja,' zegt Ainsley, terwijl hij op PLAY drukt, 'laten we nog eens luisteren, oké?'

'LOOOOOOOVE, running to your lurrrrve!!!' kreunt iets wat lijkt op Derren van Catwalk die met een van zijn vitale organen bekneld zit in een oogstcombine.

'Eh, nee,' bevestigt Ainsley. 'Ze doen alleen lipsynchronisatie bij een tape. Catwalk is een grote groep oplichters. Nou, is dat grappig of niet?'

Claude en Fleur grijnzen als krankzinnigen terwijl we de tape telkens opnieuw terugspoelen om hem nog eens af te spelen, genietend van elke seconde van Catwalks afgrijselijke kwaliteit. Het is nog niet besproken tussen ons meisjes, maar als we ooit de kans krijgen, zouden we *heel veel* plezier kunnen hebben van deze informatie.

Echt heel veel plezier.

'En overigens,' zegt Claude uiteindelijk terwijl ze haar ogen droogt, 'moet ik jullie nog op de hoogte brengen van de vergadering die ik vrijdag had met McGraw, Guinevere en Foxton.'

'Ach sorry, Claude, ik vergat het helemaal te vragen. Hoe was McGraw?' vraag ik.

'Hij is een beetje... gedeprimeerd,' antwoordt Claude, en één hoek van haar mond krult lichtjes omhoog. 'Hij heeft zo zijn *bedenkingen*, zal ik maar zeggen, over Blackwell Live.'

'Aha,' zeg ik. 'Welke precies?'

'Om precies te zijn,' zegt Claude, terwijl ze een vel papier pakt en haar leesbril op zet, 'om precies te zijn... nou, wist jij dat Christy Sullivan steeds wordt belaagd door meisjes uit de 7^e elke keer dat hij probeert naar een andere les te gaan? Ze proberen steeds zijn kleren aan flarden te scheuren en hem te kussen. Arme Christy moet zich tijdens de pauzes voorlopig verschuilen in de bibliotheek, voor de veiligheid. Dus McGraw vindt dat we een soort van bewaking nodig hebben op de dag...'

'Bewaking?' zeg ik naar adem happend. 'Dat kunnen we niet betalen!'

'Mmm. Maar we moeten het geld misschien wel opduikelen. Helemaal omdat McGraw er nu zeker van is dat Killa Blow en de EZ Life Syndicate een soort straatbende zijn die wapens dragen en mensen neerschieten.'

'Maar dat zijn ze niet!' werp ik tegen. 'Ze zijn heel aardig.'

'Dat hoef je *mij* niet te vertellen. Hij denkt ook dat Ainsley's band Wurggreep een cultachtige groep satanvereerders is die *"scherp in de gaten moet worden gehouden".'*

'En hij is degene die eens naar zijn hoofd moet laten kijken,' moppert Ainsley.

'Dat kan wel zo zijn,' zucht Claude, 'maar jammergenoeg is hij de rector en is hij de baas van Blackwell. O, en vraag me alsjeblieft niet wat hij ervan vindt dat Liam Gelding meedoet.'

'Hij is niet blij?' doe ik een gooi.

'Nee, hij greep zelfs naar zijn voorhoofd en zei onaardige dingen over "gekken die het gesticht overnemen", voordat hij aankondigde dat we absoluut beveiliging nodig hebben om die "opperbaviaan ervan te weerhouden weer op het dak van de school te klimmen".'

'Dat heeft hij maar één keer gedaan,' kreunt Fleur. 'Wanneer zal McGraw dat eens vergeten?!'

'Nooit,' zegt Claude. 'Mevrouw Guinvere beet hem op dit punt zelfs toe dat hij zijn mond moest houden.'

De hemel zij gedankt voor mevrouw Guinevere; ze is de laatste week echt een soort beschermengel geweest voor Blackwell Live. Ze was steeds bereid ons ergens naartoe te rijden of met ons mee te strijden als McGraw of de conciërge, meneer Gowan, over ons begon te klagen. Ze gaf zelfs een heleboel keer haar lunchpauze op om kaarten te verkopen, wat meer is dan we kunnen zeggen van bijna elke andere leraar. Wat een vrouw!

Maar het moet gezegd dat meneer Foxton ook meer dan een klein beetje van pas is gekomen. Het blijkt dat hij echt in rockbands heeft gespeeld toen hij nog de docentenopleiding deed. Geen beroemde bands natuurlijk. Maar hij weet aardig wat over optredens en instrumenten, en hoe vaak muzikanten moeten repeteren en dat soort dingen. Meneer Foxton is eigenlijk best cool voor een volwassene.

'Dus, vindt McGraw eigenlijk wel één van de bands voor Blackwell Live goed?' vraag ik.

'Mmmm,' antwoordt Claude. 'Probeer eens een onderbouwde gok.'

'Catwalk?' zeg ik, rollend met mijn ogen.

'En de Blackwell Klokkenluiders, vergeet die niet,' gniffelt Fleur. 'Hij is gèèèk op de Blackwell Klokkenluiders.'

'Hoe raad je het zo?' lacht Claude. 'O ja, en McGraws andere grote zorg is dat we te veel kaarten hebben verkocht. Kennelijk is twaalfhonderdentwintig al veel te veel en zal er zeker een rel uitbreken.'

'Het lijkt inderdaad wel veel,' zeg ik naar adem happend.

'Ja, ik weet het... En hij zou wel eens gelijk kunnen hebben,' geeft Claude toe. 'Maar Ronnie, mensen willen ze nog steeds kopen! Ze willen gewoon meer en meer en meer, elke pauze. We kunnen toch geen nee zeggen, of wel?!'

Claude kijkt naar mijn mond, hopend op een pareltje van wijsheid.

Ik weet niet wat ik moet zeggen. Het lijkt mij dat ons enige probleem is dat Blackwell Live *te populair* is. Het is veel groter geworden dan we ooit hadden gedroomd. Het begint een behoorlijk beangstigende verantwoordelijkheid te worden. Maar zegt mijn moeder niet altijd dat je voor alles wat de moeite waard is een beetje risico moet nemen? En risico's zijn eng, niet? Dus dat zeg ik tegen Claude.

'Ik denk dat de LBD ofwel angstig kunnen worden van Blackwell Live en wat er allemaal gebeurt... of we kunnen op de golven meedeinen en groeien,' zeg ik, met iets meer zelfverzekerdheid dan ik heb. Ik ben meer dan een klein beetje opgefokt door wat ons in minder dan zes dagen te wachten staat, ook al ben ik trots op ons 'probleem'.

Het is halfelf 's avonds als ik schaapachtig door de entree van de Fantastic Voyage glip. Papa staat achter de bar een bierglas op te poetsen en in de ruimte te staren terwijl Oude Bert, de tandeloze vaste klant, zijn vermoeiende mening over de toestand van de Britse monarchie over hem uitstort.

'Papa,' begin ik.

'Hallo, Ronnie!' lacht papa en hij aait met zijn hand over mijn haar. 'Hoe is het met je, lammetje? Ik probeer al sinds vrijdag met je te praten...'

'Ik weet het, het spijt me echt, papa...'

'Het is al goed. Maak je geen zorgen. We zijn allemaal een beetje in de war op het moment,' zegt papa vriendelijk. En we zijn gelijk weer vrienden.

'Ik weet het, papa. Ik ben alleen een beetje... nou, je weet wel...' zeg ik.

Ik vind het fijn dat je bij je familie soms niks hoeft te zeggen: ze begrijpen gewoon wat je bedoelt.

'Maar, in ieder geval, ik heb er nog eens over nagedacht, pap. Over wat je pasgeleden zei... je weet wel, over je vrienden uit de muziek?'

Papa's gezicht licht op.

'Ik wil echt graag dat je me helpt, pap, eh, ik bedoel, als je dat nog steeds wilt, natuurlijk. Kun je me helpen, papa?' vraag ik.

De haren van papa's rossige bakkebaarden gaan overeind staan van genot. Hij zet het bierglas onder de tap en begint me dan een Diet Coke in te schenken om het te vieren.

'Natuurlijk, Veronica. Ik vind het zelfs een eer...' zegt hij terwijl hij onze drankjes met een klap neerzet en een pen achter zijn oor vandaan trekt.

'Oké, Slimmestein, waar beginnen we mee?'

Een week is (g)een eeuwigheid in de rock-'n-roll

Het was behoorlijk fijn om papa weer naast me te hebben.

Is het niet gek dat het continu als een dikke grijze wolk om je heen hangt, wanneer je niet met je ouders praat? Zelfs als je zit te lachen en te klieren met je vrienden, blijf je met een naar gevoel over je leven zitten.

En zelfs als je het gevoel hebt dat het je niets kan schelen wat zij over iets vinden, kan het je eigenlijk wél schelen. Zelfs geoefende ouder-treiteraars zoals Fleur Swan, die het grootste deel van haar leven ofwel zit te chagrijnen met haar ouders, ofwel door hen genegeerd wordt... nou, diep vanbinnen vindt zelfs Fleur het best leuk dat Paddy trots op haar is.

'Dit is absoluut een van de indrukwekkendste dingen waar ik ooit een groep jongeren zich op heb zien werpen,' zei Paddy afgelopen maandagavond toen de LBD rond Fleurs eetkamertafel zaten. Onze mobieltjes bliepten constant met berichten over de plannen voor komende zaterdag. We moesten ook praten over alle toffe ideeën van mijn vader over 'volgordes' en hoe het festivalterrein moest worden opgebouwd.

'Bedankt, papa,' lachte Fleur, en ze bloosde een beetje toen haar moeder met haar handen over de bovenkant van haar dochters honingblonde haar streek. 'Hou op, mam!'

'Nee, echt waar,' ging Paddy verder die, in alle eerlijkheid, net door Saskia was opgehaald van de golfclub waar hij sinds vier uur 's middags 'contacten had onderhouden' in de bar, 'ik bedoel, toen jullie mij vertelden dat jullie mijn geld wilden uitgeven aan een dag hippy-hoppy-hipmuziek en al dat *bang-bang-*

bang-gedoe dat jullie boven draaien, nou, oké dames, ik geef toe dat ik toen dacht dat jullie niet helemaal spoorden, maar nu...'

'Verpest het nu niet, schat,' grimaste Saskia. 'Het ging net zo goed.'

'Het is hip-hop, papa,' giechelde Fleur. 'Maar toch bedankt, we zullen het maar als een compliment beschouwen.'

'Maar het *was* ook een compliment,' hield Paddy vol, terwijl zijn vrouw hem naar de zitkamer bracht in een poging de schade te beperken.

'Ik hou van jullie!' schreeuwde Paddy terwijl hij vertrok. 'Jullie zijn een geweldig foobeelt voor hedendaagse jeugd.'

'Hé, dat is een nieuwe,' grinnikte Fleur. 'Zijn speciale hersentabletten zijn zeker gaan werken.'

Maar toen ik weer naar de LBD keek, zag ik Claude een beetje triest voor zich uit staren, al wees elk vel papier op de tafel erop dat de dingen prachtig volgens plan verliepen.

'Wat is er, Claude?' vroeg ik.

'Ja, C., wat is er?' vroeg Fleur.

'O, niks,' zei ze. 'Er is niks. Niks echts in ieder geval. Het is alleen dat ik zat te denken hoe trots jullie vaders op jullie zijn... en ik zat gewoon te denken, je weet wel, nou, ik zat gewoon een beetje stom...' haar stem zakte weg.

'Je bent niet stom,' zei ik, en ik boog voorover en greep naar haar pols.

'Jawel. En ik heb nu gewoon geen tijd om stom te zijn,' zei Claude, terwijl ze zich onmiddellijk herstelde en dat benijdenswaardige Claude-iets deed, waarbij ze 'gewoon omschakelt en verdergaat'.

'Nou, ik denk,' zei Fleur, die in dit soort situaties geweldig is, 'dat je vader ontzettend trots op je zou zijn als hij hier vandaag was, Claude. Want jij bent de reden dat dit allemaal van de grond is gekomen, echt, weet je dat?'

'Hmmm,' zei Claude, en er ontsnapte een kleine traan die langs haar gezicht rolde en die ze gauw liet verdwijnen met haar mouw. Daarna lachte ze.

'Nee, echt, Claude. We zijn *allemaal* heel erg trots op je,' zei Fleur.

'Dank je wel, meiden, het gaat al weer, echt.'

'En overigens, als je je echt een beetje misdeeld voelt,' zei ik, 'dan ken ik een heel aardige, hoewel ietwat depressieve man die je aanbidt en die heel graag zou willen dat jij zijn dochter werd.'

Claude lachte en rolde met haar ogen.

'Hebben we het misschien over een zekere Samuel McGraw?' giechelde Fleur, en ze trok haar wenkbrauw op.

'Meneer McGraw!' herhaalde Claude, grinnikend en met haar hoofd schuddend. 'Ik zou bij hem en Myrtle kunnen gaan wonen, hè? We zouden bij de piano liedjes uit *Vrolijke stemmen, vrolijke levens* kunnen zingen en zelfgemaakte scones kunnen eten! Het zou fantastisch zijn.'

'En als je iets verkeerd deed, zoals een jongen zoenen of te veel make-up op doen, zou McGraw je kamer in komen en zeggen –'

En toen begon Fleur aan een bijna perfecte imitatie van meneer McGraw in zijn volle, sombere glorie: '"Ik kan niet geloven dat jij hierbij betrokken was, Claudette Cassiera. Je bent een sieraad voor dit huishouden!"'

'Een *sieraad*!' zeiden de LBD met één stem, en we zakten in elkaar van het lachen.

Natuurlijk kon de week niet zonder problemen verlopen.

Op dinsdag werden de LBD prompt verzameld door Edith en in ganzenpas naar de administratiegang gebracht voor een 'spoedvergadering' met meneer McGraw over de kaartverkoop. Het bleek dat McGraw tijdens de eerste pauze dinsdagochtend, op een van de zeldzame uitstapjes buiten zijn kantoor, een 7^e-klasser had horen piepen dat de Blackwell Live kaartverkoop boven de tweeduizend was uitgekomen. (We hadden er om precies te zijn al 2221 verkocht.) Hij hoorde ook dat leerlingen van andere scholen dan Blackwell en Chasterton kaarten hadden gekocht. Lymewell Academy en Cary Hill Girls kwamen nu ook in hun pauzes enthousiast op ons af met hun zakgeld.

'Oké! Nu is het genoeg!' schreeuwde McGraw, en hij hief een harige hand naar ons op, als een verkeersagent. De spanning werd een beetje gebroken door het feit dat er op McGraws hand met groene viltstift DENK AAN GAS- EN LICHTREKENING stond geschreven. 'Dit *moet* stoppen.'

'Wat, meneer?' vroeg Claudette, haar bril rechtzettend. Ik vind het geweldig als Claude 'meneer' zegt. Dat kan ze echt goed, en het klinkt nog respectvol ook. Bij mij klinkt het alleen maar alsof ik in een kostuumdrama van de BBC optreed.

'De kaarten. Jullie moeten ophouden met kaarten verkopen! Het is genoeg geweest.'

'Maar het sportveld is enorm, meneer McGraw,' begon Fleur opgewekt, waarmee ze onze hoofdregel (Laat Claude altijd het gesprek met McGraw voeren) brak. 'We kunnen nog veel meer dan tweeduizend mensen kwijt,' spreekt Fleur hem tegen.

'Ha! Nou, dat is nou precies het soort het-kan-ons-allemaal-niets-schelen-antwoord wat ik van jou verwacht, Fleur Swan,' zei McGraw kwaad. Hij was inmiddels behoorlijk van slag door alle gebeurtenissen, niet alleen neerslachtig, zoals ik had voorspeld. 'Laten we een opstandje organiseren, ja? Dat is wat jij wilt, hè? De school met de grond gelijkgemaakt? Plunderingen? Chaos?'

'Eeeh,' we keken hem allemaal nietszeggend aan. We begonnen een beetje bang voor hem te worden omdat zijn ogen begonnen uit te puilen.

'En jij neemt zeker de schuld op je, als het worst-case scenario uitkomt en iemand een voet kwijtraakt als het publiek in paniek op de vlucht slaat, ja toch?' schreeuwt McGraw.

'*De schuld*? Welke *schuld*? En hoe moet er iemand een voet kwijtraken?' mompelde Fleur, oprecht in verwarring gebracht.

'Oké, zullen we dan maar stoppen met de kaartverkoop, meneer McGraw?' vroeg Claude. 'Nu meteen?'

'Halleluja,' fluisterde Samuel McGraw. 'Dank je, Claudette Cassiera. Ik wist dat je het zou begrijpen.'

'Pfff,' zei Fleur, die haar irritatie duidelijk geen seconde langer kon verbergen.

'Oké, jullie kunnen gaan. Hup hup,' zei McGraw terwijl we naar buiten liepen. 'Maar geloof me, als ik jullie nog één kaart zie verkopen, nou, dan zien jullie meisjes een donkere kant van mij.'

'Mmmm,' murmelden we allemaal.

'Ik bedoel, laten we heel duidelijk zijn, dames,' schreeuwde McGraw ons na terwijl we door de gang sjokten, 'niemand houdt zo van een pleziertje als ik. En ik bedoel *niemand*. Maar aan elk pleziertje moeten grenzen worden gesteld. Hebben jullie mij gehoord?'

'Gnnn,' kermden we allemaal terwijl we sneller gingen lopen.

'We kunnen niet allemaal tegen wil en dank plezier hebben, weet je? Zo werkt het toch niet in het leven?' schreeuwde hij. Gelukkig waren we zo ver weg dat het ons niet meer kon schelen.

Vanaf het moment dat we vertelden dat de kaarten uitverkocht waren, werden het natuurlijk de meest gewilde stukjes papier die een leerling kon hebben.

Het werd gewoon een gekkenhuis.

Ik ben nog nooit zo populair geweest.

Mijn mobieltje begon de hele dag en avond door te buzzen. Ik werd gebeld door mensen die ik in maanden niet had gesproken, maar waar ik op schoolreisjes in de 7^e eens een keer naast had gezeten en die zich 'opeens herinnerden wat een goede vrienden we eigenlijk waren'. O, en trouwens, had ik nog twee kaartjes voor ze, voor henzelf en neef Hubert? Het was heel moeilijk om nee te zeggen, maar we waren vastbesloten dat McGraw ons niet zou betrappen.

Tegen donderdag was de vraag op z'n hoogtepunt. McGraw zelf liep te patrouilleren op het schoolterrein, joeg handelaren op en gaf ze vernederende straffen, zoals papierprikken en kauwgum verwijderen. Helaas leek de illegale handel in kaartjes daardoor alleen maar gevaarlijker en romantischer; de tickets begonnen voor dertig euro per stuk van de hand te gaan, wat ik prima had gevonden als we ook maar een cent van die winst hadden gezien. Maar de LBD waren heel erg druk bezig met zich verre te houden van deze schandelijke praktijken en we probeerden te doen of we het walgelijk vonden, telkens als McGraw langsparadeerde. En daarnaast probeerden we nog multimegamiljoen andere dingen te regelen, godallemachtig, ik was behoorlijk uitgeput. Ik was alleen niet te druk om Panama en Jimi samen te zien, het leek of ze nu al overál samen heen gingen.

Het was bitter.

'Ik begrijp jongens niet,' peinsde Claude donderdagmiddag hardop, terwijl we helemaal gesloopt van school naar huis liepen. 'Het slaat helemaal nergens op. Ik bedoel, wat willen ze eigenlijk van een vriendin? Waarom maakt Jimi Steele zich druk over Panama?'

'Dankjewel,' zuchtte ik. Dat vroeg ik me sinds zondag ten

minste zevenentwintig keer per dag af.

'Ik heb een idee, Claudey,' zie Fleur lachend. 'Waarom vraag jij Liam Gelding niet wat er omgaat in de hoofden van jongens? Je ziet hem toch nog, vandaag?'

'Misschien,' mompelde Claude.

'Oooooooohooooo!' zeiden Fleur en ik heel kinderachtig op zangerige toon.

'Nee, *niet zó*, zei Claude kattig. 'Hij blijft gewoon steeds langskomen om me te helpen met allerlei dingen voor Blackwell Live... en dan eh, nou eh, blijft hij eten.'

Fleur zond me een betekenisvolle blik. Ik knipoogde terug. Er was iets wat onze geheimzinnige ouwe vriendin ons niet vertelde.

Claude liep verder alsof het een heel normale bekentenis was.

'Wat bedoel je, zitten jullie dan samen romantisch te eten?' vroeg Fleur, zich vastgrijpend aan strohalmen.

'Nee, Fleur,' zei Claude. 'Het is meer, nou ja, je weet toch hoe graag mijn moeder kookt? Stoofpotten en curries en gebak?'

'Ja,' zeiden we.

'Ik denk dat ze probeert om hem dood te voeren,' zei Claude ernstig.

'Wat een manier om dood te gaan,' zei Fleur geschokt.

Toen ik die donderdagavond terugkwam in de Fantastic Voyage vond ik mijn vader met een groepje nogal harige vreemden op een bankje in een van de nissen achterin. Grote dampende borden met Cumberlandworst en aardappelpuree met grote scheppen uiensaus stonden samen met heel veel glazen bier op de volle tafel. Iedereen zat opgewekt te eten, te drinken of te roken. Onmiddellijk ontdekte ik mijn oom Charlie tussen hen.

O mijn god, ik had die man in geen vijf jaar gezien, en hij was helemaal niets veranderd! (Charlie is trouwens geen echte oom van mij. Hij is gewoon een vriend van papa die sinds mijn babytijd om de paar jaar komt opdagen om *hele weekeinden* over gitaren te kleppen. Ik hoop echt dat mama niet op dit moment terugkomt. Ze zou zich waarschijnlijk gewoon weer omdraaien en weglopen.)

'Mejuffrouw Veronica Ripperton!' schreeuwde oom Charlie, en hij legde zijn halfgerolde sigaret weg en probeerde me met een berenomhelzing in zijn smoezelige leren jas te vouwen.

'Mwmgmoomcharlie!' zei ik.

'En hier, jongens,' riep mijn vader, 'hebben we mijn Blackwell Live organiserende dochter, Ronnie. Zij is jullie baas de komende dagen, dus gedraag je. Ze neemt geen gevangenen, ze schiet gelijk met scherp!'

'Net als haar moeder,' zei oom Charlie.

'Precies zoals haar moeder,' fluisterde mijn vader.

'Papa, wie zijn al deze mensen?' vroeg ik, terwijl ik stukjes shag uit mijn haar plukte.

'Nou, val niet van je stoel, maar ik heb wat goede hulp voor je geregeld in de vorm van deze 'road crew' voor Blackwell Live,' zei papa nogal trots. 'Ik bedoel, laten we eerlijk zijn Ronnie, zeggen we niet altijd dat als je iets doet, je het goed moet doen?'

'Ja!' lachte ik.

'Nou, nu doen we het écht goed!' zei hij. 'Nog iemand een biertje?'

Iedereen lachte.

11 Blackwell (echt) Live

'Pap! Volgens mij kan ik die kerel zijn eh... kont zien.'

'Wat? Waar? O *die*... o, dat geeft niet. Dat is normaal.'

Ik sta aan de grond genageld door een ontiegelijk harige kont, die als een behaarde maan boven de achterkant van een groezelige spijkerbroek uit komt. De eigenaar van de kont, Vinny, staat voorovergebogen een microfoon aan te sluiten midden op Blackwell Lives behoorlijk imposante podium.

'Hij is roadie,' verklaart papa, en hij neemt een hap van een vegetarische burger. Niet papa's gebruikelijke ontbijt, maar de vrouw die de hamburgerwagen neerzette, een van de vele culinaire hoogstandjes die op Blackwell Live zullen worden verkocht, bood hem een gratis proefexemplaar aan.

'Hoe bedoel je, "roadie"?' vraag ik.

'Dat is wat Vinny is. Hij werkt "on the road" met rockbands. Je weet wel, hun spullen klaarzetten en weer afbreken en...'

'Spijkerbroeken dragen die zijn bilspleet tonen?' giechel ik.

'Helaas wel ja, dat hoort erbij,' lacht papa. 'Maar hé, kraak ze niet af. Deze jongens, die je oom Charlie heeft meegebracht, zijn het zout van de aarde, Ronnie. De besten in hun vak.'

Dat zie ik.

Ze zijn aan het buffelen vanaf het moment dat ze op het Blackwell Live-terrein aankwamen.

'Papa, wat *doet* oom Charlie eigenlijk voor zijn werk?' vraag ik, mijn ogen toeknijpend in de ochtendzon.

'Hij is tourmanager; onderweg met rockbands,' legt papa uit, alsof dat alles duidelijk maakt. Papa ziet mijn verwarde blik. 'Oké, nou eh, als een band gaat toeren, zorgt Charlie ervoor dat ze komen waar ze moeten zijn en hij regelt hun financiën ... en hij zorgt dat ze op tijd in bed liggen en er de volgende dag goed uitzien. Al die belangrijke dingen die niemand wil doen.' Papa knikt naar Charlie, die ernstig met Claudette staat te praten.

'Dus hij is zo'n beetje de vader van de band?!'

'Ja, zoiets,' grinnikt papa, 'maar ik wil wedden dat zíjn kinderen hem minder last bezorgen.'

'Bedankt, pap,' kreun ik.

'Hé Ronno, het is best wel mazzel, hè, dat deze jongens een paar dagen over hadden? Ze zijn op weg naar het zuiden voor een ander optreden, wist je dat? Ik heb ze verteld dat jouw concert voor het goede doel was. Een kinderdoel. Dat is toch zo?' zegt papa, terwijl hij uien en ketchup van zijn gezicht veegt.

'Ja, min of meer,' antwoord ik.

Charlies komst was meer dan een beetje 'mazzel', het was een godsgeschenk: Blackwell Lives road crew bestond uit drie roadies, Vinny, Blu en Pip, en verder uit drie enorme, potige, kale 'security'-mannen met ongelooflijk dikke nekken en bovenarmen zo dik als mijn dijen. Een van onze securitymensen, degene met een tatoeage van een adelaar in zijn nek, heeft de bijnaam Stampertje. Ik heb Charlie niet gevraagd waarom. Het was gewoon goed om te weten dat McGraw nu moest ophouden met zeggen dat Blackwell Live uit de hand ging lopen.

'In ieder geval had ik nog wat tegoed van Charlie,' zegt papa uiteindelijk terwijl hij toekijkt hoe een kleurig Blackwell Live spandoek boven het podium wordt gehesen door twee 7e-klassers. 'Ik heb die schurk door de jaren heen vaak genoeg uit de penarie gehaald,' voegt papa toe, en hij laat een majestueuze boer. 'Hé, dat was trouwens een geweldige burger, Ron! Wil jij er ook één?'

Verleidelijk, maar ik zou niks door mijn keel kunnen krijgen.

Vandaag is de grote dag! Het is twaalf juli! Vandaag is Blackwell Live!

Ik weet niet of ik moet lachen, huilen of kotsen.

Het is tien uur 's ochtends. Het lijkt onwerkelijk, maar over minder dan drie uur stapt Christy Sullivan, de openingsact, het podium op. De mooie Christy is al backstage aan het ijsberen in een duur donkerblauw Italiaans zijden overhemd, een spijkerbroek met slangenprint en donkere zonnebril. Hij praat nerveus met zijn, in mijn ogen, nog mooiere oudere broer Seamus.

'Eh, weet je zeker dat je me vandaag hier wilt hebben, Ronnie?' zegt Christy, met trillende stem. 'Ik bedoel, ik vind het echt niet erg als je me afzegt. Ik weet dat ik niet zo goed kan zingen en zo...' Christy's gezicht is inwit.

'Hoho! Zo gemakkelijk kom je er niet vanaf, Christy Sullivan,' lach ik geruststellend. 'Trouwens, dan zouden we *echt* een rel krijgen.'

Christy probeert te lachen, maar een bezorgde frons wint het. Seamus rolt met zijn ogen naar me.

In gedachten maak ik een aantekening om hem goed in de gaten te laten houden door Stampertje – het mag niet zo zijn dat ons openingsprogramma 'm smeert over het achterste hek. Maar eerlijk gezegd ben ik zelf niet veel kalmer. Ik heb afgelopen nacht nauwelijks geslapen en ik kan zeker niet ontbijten. Ik denk dat ik nu puur en alleen op zenuwen loop.

De LBD waren gisterenavond tot bijna tien uur op Blackwells sportvelden om een behoorlijk geweldig all-weather podium in ontvangst te nemen, en ook twee enorme, sterke boxen en een bescheiden drank- en danstent. Het was allemaal heel spannend.

En helemaal betaald, ook!

Ha, stop die maar in je je-weet-wel, meneertje Cyril van Luchtkastelen.

Het kostte uren gehamer, dragen en duwen door de Luchtkastelen-ploeg, maar toen het donker werd hadden we een echt festivalterrein met omroepinstallatie, precies zoals je bij MTV ziet!

'Puh, wie wil er nog naar Astlebury? Dit is veel beter!' verkondigde Fleur, wat de roadies hardop aan het lachen maakte.

'En je hebt nog gelijk ook, meid,' zei oom Charlie opgewekt. 'Kleine muziekfestivals zijn altijd beter; er heerst een betere sfeer,' zei hij op lijzige toon.

Daar moesten we allemaal om lachen.

Voor eventjes tenminste. Toen ging Charlie verder aan een ontzettend langdradig verhaal over de eerste keer dat hij naar het Astleburyfestival ging, in het jaar 1978, 'toen het nog maar een festival voor vijftig mensen en een paar geiten was' en 'niet het grote-ondernemingen-evenement dat rockfestivals tegenwoordig zijn, blablabla...' Maar tegen die tijd hielden de LBD-hersens zich bezig met andere zaken die om aandacht vroegen, zoals naar Fleurs huis gaan om backstage-pasjes te maken.

Ja, dat heb je goed gehoord. Backstage-pasjes! Kennelijk hadden we die nodig.

'Kijk meisjes, het heeft geen zin om een *backstage* VIP-ruimte te hebben die wordt bewaakt door Stampertje en de jongens als we niet weten wie er wel en niet binnen of buiten horen!' had oom Charlie ons gewaarschuwd. 'Vooral als jullie problemen verwachten met die... hoe heet-ie? Christy Sullivan? Datisem. Met Christy Sullivans fans. O ja, die geven op festivals de meeste problemen, jonge tienermeisjes. Die zijn de hele dag druk met ofwel hun longen uit hun lijf schreeuwen en mij migraine bezorgen ofwel plannetjes bedenken om backstage te komen en het talent te belagen. Het zijn de nagels aan mijn doodskist...' kreunde Charlie.

Dus met dat risico in ons achterhoofd waren de LBD tot ver na één uur vannacht op om 'Acces All Areas'-pasjes (AAA-pasjes) voor bandleden, vrienden en crew te knippen en te plakken. En met de glanzende, gelamineerde buitenkant en gestreepte koordjes eraan werden ze erg stijlvol! De arme Fleur kreeg de taak om ze uit te delen, het is een taak die ik haar niet benijd. Elke Blackwellleerling wil een backstagepasje en rondhangen met de bands, en elke band heeft een hele bende vrienden meegebracht die ze mee backstage willen nemen. Het is een nachtmerrie om uit te moeten maken tegen wie je nee moet zeggen! Fleurs telefoon bleef maar buzzen vrijdag, en de ergste overtredingen werden begaan door de EZ Life Syndicate die tegen elf uur gisterenavond DERTIG AAA-pasjes voor de 'Syndicate en entourage' eisten! Zegen Christy Sullivan: hij wilde maar drie pasjes, voor zijn moeder, zijn vader en zijn oma. Ooow, hij is zo schattig, ik zou 'm wel kunnen opvreten.

Natuurlijk moest ik, nadat de AAA-pasjes waren gemaakt, nog mijn haarkleur veranderen van donkerbruin in 'Auburn Gloss', mijn nagels lakken in *French manicure*-stijl en mijn festivalkleding uitzoeken! Elke combinatie met elk kledingstuk dat ik bezit heb ik uitgeprobeerd, beoordeeld en verworpen, waarbij ik een torenhoge stapel van rokjes, spijkerbroeken en shirts creeerde. Om vier uur vanochtend legde ik me uiteindelijk neer bij de outfit die ik nu aan heb: mijn hipste diep-indigokleurige heupspijkerbroek, een minkachtig middenrif tonend babyroze T-shirt en – nu komt het – een felroze kanten string die Fleur afgelopen kerst aan me heeft gegeven, zo gedragen dat je er aan de achterkant van mijn spijkerbroek een glimp van kunt opvangen! Je begrijpt dat ik de hele morgen zó naar mijn vader toe gedraaid heb gestaan dat hij de string níet kon zien en er geen groot bloedvat knapte.

'Weet je zeker dat ik niets te eten voor je kan halen, Ronnie?' vraagt mijn vader, en hij legt zijn arm om mijn schouder terwijl Ainsley en Candy van Wurggreep ons backstage wankelend passeren met fluiten, synthesizers, steeldrums en tassen vol kleren. 'Je hebt nog niks gegeten,' zegt hij bezorgd.

'Ik wil graag een grote koffie, pap,' zeg ik. 'Zo sterk mogelijk.'

Het wordt een lange dag.

Tegen elf uur wordt het steeds warmer backstage: Fleur Swan fladdert heen en weer met een armvol AAA-pasjes, haar kleine, stevige achterste gekleed in angstwekkend minuscule zwartfluwelen hotpants. Je begrijpt dat ze er fantastisch uitziet en in ieder geval heeft Killa Blow van de EZ Life Syndicate zijn oog op haar laten vallen, en mist hij geen kans om zijn arm om haar middel te leggen of een grapje tegen haar te maken waardoor zij in gegiebel uitbarst.

'Je bent verschrikkelijk, Killa! Laat me met rust,' gilt Fleur niet-overtuigend, tot ze onze presentator Paddy Swan in het oog krijgen, gekleed in een krijtstreeppak en met een blik die een heel klein beetje neigt naar die van een sluimerende psychopaat.

'Eeeh, goeiemorgen, meneer Swan, leuk u te zien,' zegt Killa ineenkrimpend, en hij trekt zijn handen van Paddy's dochter af en gaat verder met Fleur te smeken om meer AAA-pasjes zodat meer van zijn 'crew'-leden hem backstage 'met liefde kunnen ondersteunen'. En terwijl iedereen arriveert, vinkt Claude Cassiera, die er onbezorgd en prachtig uitziet in een strakke zwarte spijkerbroek en een aquakleurig topje met 'Oppergriet' op de voorkant, en funky handvat-staarten in haar haar, ze af op haar helderrode klembord en vertelt ze iedereen om goed te luisteren naar een belangrijke mededeling om halftwaalf.

'Als je wilt weten hoe laat je het podium op moet en in welke volgorde, doe jezelf dan een lol en zorg dat je hier bent,' zegt Claude nadrukkelijk, en ze draait zich met een vragende blik naar mij. 'Ronnie,' fluistert ze als Benny en Tara van Rioolkwal zich melden, 'heb jij enig idee voor welke band jouw oom Charlie en zijn roadies en beveiliging meestal werken?'

'Grappig dat je dat vraagt,' antwoord ik en ik pin een roos in Tara Rioolkwals krullerige witblonde haar vast. 'Ze zijn er nogal geheimzinnig over, vind je niet? Ik krijg maar geen helder antwoord. Die roadie, Pip, blijft steeds het gespreksonderwerp veranderen, en Vinny...'

'Vinny zegt dat hij het zich niet kan herinneren!' vult Claude aan.

'En oom Charlie zei gewoon "geen commentaar" toen ik het vroeg,' lach ik. 'Het moet wel iets hééééél erg gênants zijn, hè? Ze schamen zich te erg om het toe te geven.'

'Ja, dat zal wel,' is Claude het met mij eens. 'Maar het maakt niet uit, ze zijn desondanks geweldig. Stampertje doet het geweldig bij de ingang. Er staan daar al honderden leerlingen te wachten tot wij het hek opendoen en er is er nog niet één langs hem gekomen!'

'Eh, dat heeft misschien wel te maken met het feit dat hij eruitziet als een bulldozer in een bomberjas,' suggereer ik. 'Hij heeft SATANS SLAAF op zijn linkerhand getatoeëerd. Heb je dat gezien?'

'Precies,' zegt Claude opgewekt. 'Hij is de perfecte security-man.'

Ze heeft een heel hard trekje, dat meisje.

Terwijl Claude op een stoel klimt om de groep toe te spreken, laat ik mijn ogen over het backstagegebied dwalen. De hele EZ Life Sydicate is er met aanhang, Killa Blow met zijn adembene-mende, scherpe jukbeenderen, draagt een opzichtige helwitte donsgevoerde jack/broek combi en meer goud dan koningin Elizabeth II op staatsbezoeken droeg. Killa wordt geflankeerd door knappe Chastertonmeiden met hoge staarten en grote zil-veren oorringen, en jongens die design sportkleding, Burberry-petjes en dure gymschoenen dragen. Dicht daarbij staan Aa-ron, Naz en Danny van Jimi's band Lost Messiah te dollen, gekleed in gescheurde legerbroeken en bodywarmers die rijk zijn versierd met gouden draken en afdrukken van Ninja-war-riors. Heel sexy. Naz smeert vloeibare handzeep in zijn haar, in een poging een perfecte hanenkam te maken, terwijl naast hem Catwalks Abigail en Leeza er een hele vertoning van ma-ken hoe ze met een kwast talkpoeder met aardbeienlucht op hun gestroomlijnde lichamen doen.

'Onze pakjes zijn zo strak dat we talkpoeder moeten gebruiken om ze makkelijker te laten glijden!' gilt Abigail hoog, en ze showt haar zwartrubberen catsuit. Het lijkt erop dat heel Catwalk van-daag hetzelfde gekleed gaat, in misdadigerachtige, superstrakke lycra en rubber kledingstukken. Derren en Zane (die vandaag al-lebei extra-oranje getint zijn) persen hun strakke ledematen in rubberen broeken en gescheurde zwarte lycra hemden. Als je het mij vraagt zien ze eruit als een of andere suffe intergalactische krijgsmacht.

'Denk eraan, Leeza, ik draag het duurste pak!' roept de irritante Panama Goodyear, die een perfecte pruimkleurige liplinerstreep om haar pruilende mond trekt. 'Dus haal het niet in je hoofd dat aan te trekken,' snauwt ze. Leeza ziet er beschaamd uit en mompelt dan 'Oké, Panama', waarna ze voor een minder imposante catsuit kiest.

En ik had eigenlijk moeten raden wat hierna kwam. Ik bedoel, je kunt de een niet zonder de ander hebben, toch?

'Joehoe, Jimi!' gilt Panama als Lost Messiahs zanger zich eindelijk vertoont, met een knipoog naar Claudette en een nerveuze hoofdknik als hallo naar mij, terwijl Panama helemaal in hem klimt als een ebolavirus.

'Ik maakte me zorgen om je, lieverd!' zegt ze met een onnozele glimlach, en zo probeert zijn gezicht te kussen.

'O, hou even op, Panama,' zegt Jimi, terwijl hij haar zachtjes probeert weg te duwen, meer dan een beetje ongemakkelijk.

'Doe niet zo gek,' giechelt Panama. 'Ik wil alleen even mijn vriendje kussen. Is dat zo erg?' vraagt ze, en ze grijpt hem bij zijn borst en slobbert aan zijn gezicht. ·

'Gaaaa-eggggg,' zegt Jimi, en hij duwt haar gezicht vol make-up weg van zijn kraakheldere witte t-shirt.

Zucht.

Ik wens uit alle macht dat Jimi niet zo ongelooflijk sexy was: dan zou het niet lijken alsof iemand me met een puntige schoen een trap onder mijn kont gaf, telkens als ik hem zie met die kwaadaardige heks.

'Het ziet er niet zo rooskleurig uit in huize Panama en Jimi, hè?' fluistert Fleur met opgetrokken wenkbrauw. 'Wat zei Ainsley ook alweer precies over dat het hooguit een week zou duren?'

Maar ik weet dat ze alleen maar vriendelijk is.

'Niet doen,' kreun ik.

'Nou, hallo allemaal!' schreeuwt Claudette. 'Kan het een beetje rustig worden?! Ja, jullie ook, Lost Messiah. Kop houden!'

'Sorry, Claude,' schreeuwt Naz, zijn haar staat rechtovereind alsof hij een basgitaar-spelende kaketoe is.

'Oké dan, ik heb jullie allemaal verzameld om het speelschema door te geven en... eh, wacht even. Liam, gaat het wel goed met je?'

Claude houdt op met praten als ze Liam Gelding uitgebreid ziet overgeven in een emmer.

'Podiumangst,' knipoogt Benny Stark terwijl hij op Liams rug klopt.

'Nou, kan hij alsjeblieft even stilletjes kotsen? Ik probeer hier te praten,' gaat Claude verder. 'Oké, het hek gaat over minder dan een halfuur, om twaalf uur, open. Zoals jullie waarschijnlijk wel hebben gezien, staan de Klokkenluiders opgesteld bij het hek, dus dat is één optreden dat staat. En ik wil dat ons eerste podiumoptreden, dat zoals we allemaal weten wordt verzorgd door Christy Sullivan, om één uur klaar is om op te gaan. Christy, ben jij er?'

'Min of meer,' zegt Christy met spijt in zijn stem.

'Mooi. Dan wil ik om kwart voor twee Rioolkwal rock-klaar hebben. Tara, Benny en Liam, kunnen jullie je daar in vinden?'

'Geen probleem, jongen,' knikt Benny.

Spluggghhhh klinkt Liams ontbijt dat naast de emmer spettert.

'Heeft hij soms holle benen?' vraagt Claude. 'Dat is een hoop kots.'

'Het komt wel goed,' stelt Tara haar gerust, 'als hij het eenmaal allemaal kwijt is...'

Panama trekt haar neus op in de richting van Rioolkwal.

'Getver, wat smerig,' mompelt ze.

'Dus dan zitten we op halfdrie, en dan wil ik Wurggreep op het podium. Daarna, om kwart over drie moet EZ Life Syndicate klaarstaan om los te barsten. Maar, EZ Life, er is maar plaats voor twaalf mensen op het podium, dus jullie moeten besluiten wie er zullen optreden en wie er naast het podium moeten blijven staan om de jassen vast te houden. Als jullie alle dertig – of met hoeveel jullie nu ook zijn – samen op het podium gaan staan springen, heb ik uit betrouwbare bron van Pip en Vinny, onze roadies, vernomen dat het podium als een kaartenhuis in elkaar kan zakken. Dat willen we niet, ik herhaal NIET, toch?'

'Nee, Claude,' mompelt EZ Life, terwijl er een enorme discussie losbarst over wie wel en niet zal optreden vandaag.

'Maar ik heb die eerste rap geschreven!' kreunt een jongen met een rode bandana om z'n hoofd. 'Ik zou ten minste moeten opkomen voor het tweede vers.'

'Je bent pas twee dagen bij EZ Life!' roept een meisje naar een lange zwarte jongen die kennelijk Dane heet, met een complex systeem van mini-dreadlocks over zijn hele hoofd.

'Ja, maar ik heb het busje hierheen gereden!' roept Dane terug. 'En als ik niet mag rappen, rijd ik het weer terug zonder jullie!'

'Dat is wel een zinnig argument,' verklaart Killa, en hij ziet duidelijk voor zich hoe de hele EZ Life Syndicate met bus 39 naar huis in het Carlyle Estate gaat.

'Oké, dus dat is geregeld: Dane rapt in *alle* nummers,' kondigt Killa aan, waardoor er veel rumoer ontstaat.

'O, en onthoudt, EZ Life, dat ik jullie zonder tegenspraak om vier uur van het podium af moet hebben,' zegt Claude, 'want de volgende die aan de beurt is, is Lost Messiah. Als een van de bands wat voor probleem dan ook heeft, moet je het nu laten weten. O, en veel succes!'

Natuurlijk, jammergenoeg, weten we allemaal wat dat betekent.

Ik weet het. Fleur weet het. En Claude weet het natuurlijk.

En Panama Goodyear en haar trollen weten het zéker, als hun uitdrukking van ongelimiteerde vreugde een indicatie is.

Ik vind het zelfs niet leuk om te zéggen, maar het is een onweerlegbaar feit: Catwalk is Blackwell Live's steroptreden.

Panama heeft onze blik niet beantwoord of zelfs maar een woord gemompeld. Maar we weten allemaal dat Catwalk zeker is van de overwinning. Zich gedragen als bullebakken en gemeen zijn, hebben hen gebracht waar ze wilden zijn. Het is gewoon *minder gedoe* om Catwalk maar hun zin te geven. En bovendien, het is wat het publiek heel graag wil.

Maar het is klote.

'En daarna,' gaat Claude onverstoorbaar verder, 'worden er tot halftien drankjes verkocht in de tent, waar Johnny Martlew uit de 13^e, eh,' Claude leest voor van een stuk papier, '"een eclectische mix van zeldzame grooves en party-anthems zal draaien".'

'Dus alles waar hij zin in heeft?' schreeuwt Tara.

'Eh, ja,' lacht Claude. 'En ik zal er ook zijn, dus koop iets te drinken voor me!'

Terwijl Claude van haar stoel springt, nemen Fleur en ik haar snel apart voor een onderonsje.

'Claude, weet je zeker dat we hier goed aan hebben gedaan?' zeg ik, en ik voel me meer dan een klein beetje verdrietig.

'Ja, Claude. Het voelt gewoon niet goed,' fluistert Fleur. 'Ik had altijd het gevoel dat wij het laatst zouden lachen met Catwalk, maar nu hebben we ze tot de sterren van de show gemaakt! Oké, ik weet dat we geen keus hadden, maar...'

'Ik weet het,' zegt Claude. 'Maar laten we eerlijk zijn, heel Blackwell heeft kaarten gekocht om een onvergetelijke show te zien, toch?'

'Zal wel,' mompelen we allebei.

'En ze willen Catwalk, toch?' vraagt Claude.

'Ja, zal wel,' geeft Fleur met tegenzin toe.

'Nou, dan kunnen we ze maar beter geven wat ze willen, niet?' zegt Claude, en ze draait zich op haar hakken om. 'Kom op, meiden! Het is tijd om het hek open te gooien.

Lift off

'Mayday! Mayday! "Operation Eagle has landed" is GO!!!!' schreeuwt Stampertje in zijn walkietalkie terwijl het hek van Blackwell opengaat en de eerste kaarthouders binnenstromen. Ik sluip het podium op om ze gade te slaan.

'Chrrrrrrrrrissssssttttyyy Sullivan, I love you!' gilt een meisje, vergezeld door een stuk of twintig schattige 8e klassertjes die rozen en teddyberen vasthouden en zo snel als hun benen ze willen dragen naar het grote podium rennen. Zoals te voorspellen was, lijken de eerste honderd lichamen allemaal Christy's vaste fans te zijn. WE LUV YOU CHRISTY XXX staat er op een spandoek dat al trots omhoog wordt gehouden door een blond meisje. LAAT ONS JE ACHTERSTE ZIEN CHRISTY XXX stelt een ander uitnodigend.

'Zei ik toch,' zegt oom Charlie die naast me is komen staan. 'Daar komen de problemen van. Tienermeisjes... let op mijn woorden. Ik hou liever een oogje op voetbalvandalen, veel minder eng,' merkt hij op terwijl hij toekijkt hoe Gonzo, een van onze security-mensen, een schermutseling opbreekt tussen een aantal meisjes dat probeert over het voorste dranghek te klimmen dat het dichtst bij het podium staat.

'Maar ik heb sinds vanochtend acht uur in de rij gestaan! Ik heb recht op de beste plek!' jammert een meisje, en ze geeft een elleboogstoot aan een jong meisje dat, om mysterieuze redenen, met viltstift CHR and ISTY op haar linker- en rechterwang heeft geschreven. (Ja, alsof dat haar kansen om met hem te zoenen zal vergroten.) Ondertussen zie ik voor bij het hek een gestage stroom jongens en meisjes hun kaarten aan Stampertje overhandigen en het veld opstromen: jongeren met piercings in hun gezicht, geschoren hoofden en gothic sieraden; jongeren met chique designer-labels op hun kleding en patroontjes in hun wenkbrauwen geschoren; jongeren met spijkerbroeken die zo laag worden gedragen dat het zitvlak achter hun knieën hangt. Sommige bekende gezichten herken ik nauwelijks zonder het schooluniform; in hun 'burger'-kleding zien mensen er heel anders uit. Het is vooral fantastisch om te zien dat afgewezen auditiekandidaten zoals Chester Walton, Shop en Constance Harvey hun trots hebben ingeslikt en kaarten hebben gekocht. Ik zie zelfs Matthew Brown, gelukkig zonder meneer Jingles, zijn pratende beer, in de gestaag groeiende rij voor patat, hot-dogs en burgers staan. En midden tussen de ongeveer duizend festivalgangers die al aanwezig zijn, voorzichtig door de menigte bewegend, het veld observerend alsof het een sociaal experiment betrof, loopt meneer McGraw, onze rector, met zijn lachgrage vrouw Myrtle.

'Heeft u het een beetje naar uw zin, meneer McGraw?' roept een jongen.

'Mmm, dat wachten we nog maar even af, hè?' antwoordt McGraw sombertjes, terwijl hij een groepje 9e-klassers ontdekt dat zich in de heerlijke vroege middagzon al tot op hun bikinihesjes uitgekleed heeft. 'Het lijkt hier wel een nudistenkolonie,' mompelt hij tegen zijn vrouw. Dichtbij doen ondernemende meisjes uit de 13e klas heel goede zaken met de verkoop van aromatherapiemassages en hennatatoeages, terwijl in een klein kraampje naast hen Blackwells eigen psychic, Candice uit de 9^e 'Spirituele gidsen van gene zijde' voor € 7,50 per sessie verkoopt.

'Dat staat gelijk aan hekserij!' moppert Myrtle McGraw. 'Ik weet niet zeker of dominee Peacock dit zou goedkeuren.'

'Maak je geen zorgen, lieverd,' verzekert McGraw, 'de Blackwell Klokkenluiders zijn nu klaar voor hun recital. Dat is al heel wat beter...'

En hij heeft min of meer gelijk, denk ik. Daar staan inderdaad George en Jemima en companen van het klokkenluidersteam. Claude heeft ze dicht bij de hoofdingang geplaatst, met het idee dat hun afschuwelijke herrie mensen zal aansporen snel en efficiënt van het hek naar het hoofdpodium te gaan. Maar ik denk dat McGraw helemaal niet blij zal zijn met de selectie van popmuziek waartoe we Georges team hebben overgehaald.

'Heiligen bewaar ons! Wat is er mis met "All Things Bright and Beautiful"?' kermt Myrtle terwijl de klokkenluiders klangen en dingdongen door een selectie r.&b. en nu-metalklassiekers.

'Wat is er gebeurd met "Land of Hope and Glory"?' schreeuwt McGraw, alsof zijn hele wereld instort.

Ik zou de hele dag mensen kunnen bekijken, gewoon het zich ontwikkelende schouwspel trots aanschouwen terwijl zeeen gezichten – leerlingen van zowel Blackwell als Chasterton, en een genereuze hoeveelheid vaders en moeders – het festivalterrein vullen.

Maar niet mijn moeder.

Ik heb een paar boodschappen voor haar achtergelaten en zelfs papa gevraagd om haar te bellen, maar ze heeft nooit een echt ja of nee gegeven op de vraag of ze zou komen.

'Het is misschien een beetje moeilijk,' zei mama, wat dat ook betekent. Maar ik heb nu geen tijd om daarover na te denken. Claude en Fleur zijn aan mijn zijde verschenen en Vinny geeft ons het duimen omhoog signaal. De soundcheck van de installatie is gedaan en er kan begonnen worden.

'Kom op, pap!' roept Fleur naar Paddy, die Christy Sullivan ernstig staat op te peppen aan de zijkant van het podium. 'Je moet het startsein geven!'

'Geef jezelf een trap onder je kont, jongen,' zegt Paddy tegen Christy. 'Ze vinden je daar geweldig... en je hebt nog niet eens gezongen!' stelt Paddy hem gerust. Dan loopt hij het podium op onder een hartstochtelijk applaus van de eerste tien rijen bijna-hysterische meisjes.

'Hallo Blackwell Live!' begint Paddy. 'Welkom! En ik wil beginnen met jullie allemaal te bedanken –'

'CHHHHHHHHHHHHHRRRRRIIISSSTTTTTTY!!! AAAAAGGGGH!' barst de eerste rij uit.

'Eh, voor jullie komst en steun voor deze dag. We hebben een hoop goede –'

SCHREEEEEEEUWWWW! gaat het publiek.

'Ahum, goede muziek voor jullie in petto vandaag, dus ik hoop dat –'

'I LOVE YOU CHRISTY! TROUW MET ME!!' smeekt een meisje, en ze overschreeuwt Paddy helemaal. 'HAAL 'M ERUIT VOOR DE MEISJES!!'

De hele eerste rij begint te kakelen als een stel kippen.

'O, laat ook maar,' gromt Paddy, en hij geeft zijn nederlaag toe. 'Hier is, zonder verder uitstel, Christy Sullivan!'

'HOERAAA! WOEHOEOEOE!!!'

Nou, voorzover ik kan zien vanaf mijn plek, gaat Christy nergens heen. Hij staat aan de grond genageld, doet zijn mond open en dicht en trilt als een blad boven op een centrifuge. Uiteindelijk, als Christy's broer Seamus die de synthesizer speelt, gedwongen is de intro van het nummer voor de tweede keer te spelen, grijpen Claude en ik Christy bij de kraag van zijn donkerblauwe zijden shirt en gooien we hem letterlijk het podium op!

'YYYYEEEEEEESSS!!' roepen de opspringende harten van honderd Christy Sullivan-fanatiekelingen. Een klein meisje dat een foto van Christy op een T-shirt heeft laten zetten, begint prompt zachtjes te huilen. Bizar.

'Eh, hallo,' begint Christy bescheiden terwijl hij zijn microfoon pakt. 'Het is fantastisch jullie hier allemaal te zien vandaag, en dit is mijn eerste nummer dat ik zelf schreef, getiteld "Back To Square One".'

In eerste instantie is Christy's stem onvast, maar binnen een paar coupletten wordt hij losser en begint hij er lol in te krijgen, vooral wanneer hij zich realiseert dat toch niemand een noot kan horen van wat hij zingt. Het geschreeuw overstemt hem. Eigenlijk komt het erop neer dat zolang onze Sullivan zijn kont heen en weer beweegt en af en toe nog een knoopje van zijn overhemd opendoet, waarmee hij weer een paar centimeter van zijn aanlokkelijke borst toont, zijn fans volkomen uit hun dak gaan. Op een gegeven moment tijdens Christy's tweede nummer, rennen Vinny en Pip het podium op en geven ze Christy een andere microfoon.

'Die mike is kapot!' schreeuwt Vinny. 'Hij doet het al drie coupletten niet! Had je helemaal niks door?!'

'Nee!' zegt Christy blozend. 'Ik hoor helemaal niks door die meiden!'

'Puh. En *zo* goed ziet hij er nu ook weer niet uit,' zegt oom Charlie hoofdschuddend, terwijl hij het schouwspel bekijkt. Wat nogal ironisch is, omdat Charlie zelf een hoofd als een gevallen slagroomtaart heeft. (Sterker nog, toen papa altijd zei dat Charlie 'lived on the road', dacht ik dat hij bedoelde dat hij letterlijk op straat leefde, omdat hij er bijna altijd uitziet als een zwerver.) 'Ik begrijp er niks van,' zegt Charlie hoofdschuddend.

Ik ga backstage, waar nu meer dan tweehonderd mensen dicht op elkaar zitten, allemaal met hevig begeerde AAA-pasjes om hun nek. Frankie en Warren van Wicked FM interviewen Claude, terwijl Fleur haar best doet om voor te komen in alle film die *Look Live*-tv van het optreden schiet, door suggestieve dansbeweging bij de cameraman te maken in hotpants die zo groot zijn als een theezakje.

Plotseling verschijnt vanuit het niets mevrouw Guinevere met een enorme lach op haar gezicht.

'Geweldig! Dit is gewoon geweldig. Ik ben zó trots op jullie meisjes,' zegt ze. 'Het is precies zoals ik het me had voorgesteld!' Dan geeft ze me een warme omhelzing die verrassend normaal aanvoelt, als je in aanmerking neemt dat ze een lerares is.

'Hé Ronnie!' schreeuwen Naz en Aaron die dichtbij staan. 'Leuk hoor!'

'Dank je,' bloos ik.

'Ga maar gauw naar je fans toe,' lacht mevrouw Guinevere.

'Het is jullie gelukt. Het is niet te geloven!' lacht Aaron en hij slaat zijn armen om mijn middel en geeft me een grote kus op mijn voorhoofd. Dan pakt Naz me en doet hetzelfde, me min of meer aan mijn heupen draaiend terwijl hij me boven op mijn haar kust. Hier zou ik wel aan kunnen wennen.

'Hallo, Ron,' zegt Jimi, naast hen opduikend. 'Het loopt hartstikke goed, hè?' begint hij.

'Ja, heel goed, dank je,' zeg ik. Ik probeer gewoon te klinken. 'Normaal' zou op dit moment geen gekke houding zijn. Want als ik me om te beginnen verbeeld heb dat Jimi me ooit leuk vond, dan kan ik er toch niet echt een probleem van maken dat hij een andere vriendin heeft, toch? Nu ik erover nadenk, moet ik me nu alweer verbeelden dat Jimi een beetje raar en onhandig tegen me doet. Want er was nooit wat tussen ons, toch? Dus waarom zou hij vreemd doen? Ik bedoel, waarom?

God, ik zou soms willen dat ik mijn hoofd uit kon zetten. Ik zou willen dat er een Jimi Steele AAN/UIT-knop in mijn nek zat die ik op uit kon zetten wanneer hij in de buurt is zodat ik niet meer reageer als een idioot. Ik zou die knop nu, op dit moment, gebruiken.

'Kijk je uit naar jullie optreden?' vraag ik.

'Ik ben een beetje bang,' zegt Jimi. 'Maar ik zeg het niet tegen de jongens.' Hij knikt naar Aaron en Naz, die twee van de EZ Life-girls proberen te versieren. 'Als een van ons gek gaat doen, gaan we allemaal gek doen.'

We grinniken allebei even, daarna kijken we alleen maar naar elkaar.

Er valt een korte stilte.

'Nou, succes,' zeg ik.

'Bedankt, Ronnie,' zegt Jimi een beetje droevig, kijkend naar de vloer, met zijn lange wimpers tegen zijn zongebruinde wangen. 'Ik spreek je later nog wel bij de disco, goed?'

'Ja,' zeg ik. 'Zeker weten!' En dan loop ik weg om Fleur te zoeken.

Natuurlijk vindt Panama dat nooit goed, en hij meende het sowieso niet, maar het was aardig van hem dat hij dat zei.

Terwijl Christy het podium af komt zetten, zweterig en uitgeput, en onmiddellijk in een deken wordt gewikkeld en een beker zoete hete thee krijgt van zijn moeder en oma, verzamelt Claudette Rioolkwal om hem op het podium te vervangen.

'We lopen nu al uit,' schreeuwt Claude. 'Het is al twee uur! Christy heeft vijftien minuten langer gespeeld dan de bedoeling was!'

Christy probeert zich te verontschuldigen, maar mevrouw Sullivan bemoeit zich ermee: 'Nou, het is niet mijn zoon zijn schuld dat hij vier toegiften moest spelen, of wel soms?' verkondigt ze trots. 'Het publiek hield niet op met gillen!'

'Maak u geen zorgen, ik weet zeker dat wij ze wel stil krijgen,' zegt Tara Rioolkwal, en ze trekt haar zwarte basgitaarband over haar hoofd en paradeert zo zeker als haar strakke zwarte kokerrok haar toelaat naar het podium, met Benny Stark achter haar aan.

'Kom op, Liam,' fluistert Claudette. 'Je kunt het. Je weet dat je het kunt. Je bent een heel goede gitarist. *Just do it...*'

'Maar dat denkt het publiek niet, toch?' fluistert Liam terug, duidelijk gegrepen door extreme last-minute stress. 'Het publiek zal me uitlachen. Die denken dat ik een of andere idioot ben. Ik ben ook een idioot,' voegt hij er zachtjes aan toe.

'Nou, dat denk ik niet,' zegt Claude, en ze pakt zijn hand. 'Voor mij ben je geen idioot, Liam.' Claude ziet mij vlakbij staan. 'Eh, of voor Ronnie. Of voor Fleur. Wij nemen je heel serieus.'

'Dankjewel, Claude,' zegt Liam.

En dan is hij weg, het kleine trapje naar het podium op, waarvandaan Christy Sullivans fans zijn vertrokken om drankjes te zoeken die hun pijnlijke kelen kunnen verzachten, en waar ruimte is gekomen voor een minder krijsend muziekminnend publiek.

'Deze heet "Promise",' begint Liam, terwijl hij zijn gitaar pakt, en hij krijgt een kleine aanmoediging van het publiek. Claude kijkt trots naar hem, en zingt stilletjes voor zichzelf mee met het eerste couplet.

'Mooi, ik heb je gevonden,' begint papa, met een kartonnetje Singapore-noedels en een gele plastic vork in zijn handen. 'En nu, mijn kind, is het tijd voor Veronica om haar lunch op te eten.'

'Pap, ik kan niet eten, e–' begin ik tegen te spartelen.

'Een vrouw kan niet leven op muziek alleen,' onderbreekt papa. 'Dat is toch het oude gezegde?'

'Mmmm, nee, niet echt,' zeg ik, terwijl papa het aanlokkelijke kartonnen doosje onder mijn neusvleugels laat walmen.

'Nou, ik heb je nu al in geen vierentwintig uur een hapje zien eten, dus houd ik voet bij stuk,' werpt papa tegen en hij probeert zo streng mogelijk te zijn.

'O, nou ja, ik kan wel één vorkje proberen,' lach ik, en ik grijp met twee handen de noedels, omdat ik moet toegeven dat ze fantastisch ruiken. Dan been ik weg naar de rand van het back-stage-gebied om tien minuten lang een welverdiende stoel te pakken.

'Mijn vadertaak is volbracht,' zegt mijn tevredengestelde vader, en hij loopt terug richting biertent.

Dus hier zit ik, mijn noedels te slurpen en geamuseerd te kijken hoe Wurggreep hun showkleding aantrekt. Niet alleen dragen Ainsley Hammond en alle andere Wurggreep-jongens stethoscopen en witte laboratoriumjassen waarop (hopelijk) nepbloed is gesmeerd, Candy en de andere meisjes zijn gekleed in smakeloze, tweedehands, witte trouwjurken met strepen zwarte lippenstift. Jaha, Wurggreep gaat vandaag echt uit zijn dak om er zo 'freaky' mogelijk uit te zien. Ze zien er buitengewoon idioot uit.

Achter Wurggreep houden Catwalks Leeza en Derren een last-minute repetitie. 'En 1-2-3-4, spin! Draai! Fladder met je handen! Wieg je heupen!' gilt Derren terwijl Leeza springt, haar lippen tuit en rondtolt.

'Perfect, lieverd!' verkondigt Derren. 'Helemaal perfect!'

'Sluuuuuurrrrp,' doe ik luidruchtig, met mijn gezicht nat van de sojasaus en ik pauzeer om een stuk kip tussen mijn achterste kiezen vandaan te plukken.

'Mmm, wat een aangename tafelmanieren!' gruwt Derren, en hij werpt me een geërgerde blik toe. Om de een of andere reden zie ik dat... en ga ik min of meer uit mijn dak.

'O, rot op, mandarijnenkop!' schreeuw ik tegen Derren terwijl ik opsta en mijn noedels meeneem naar een andere plek.

O, ik zou zo graag willen dat ik een foto van dat moment had.

Voor één keer is Derren sprakeloos, terwijl Leeza, nou, zij zakt zowat van shock in elkaar omdat iemand een grote mond terug heeft. Wat een fantastisch gevoel! Terwijl ik, heel moedig, wegren zo snel als mijn benen me kunnen dragen, ben ik in jubelstemming. Terwijl ik me als een pijl door de backstage-menigte beweeg, half en half verwachtend dat ik gelyncht zal worden door het kwaadaardige in lycra geklede duo kijk ik nauwelijks waar ik mijn voeten neerzet.

En dat is het moment waarop ik in de VIP-ruimte een gezicht zie bewegen dat me vreemd bekend voorkomt. Als het gezicht van een verloren gewaande vriend, maar dan net iets anders, recht voor me, kennelijk een beetje stuurloos en kwetsbaar. Ik staar ongeveer een minuut lang naar de jongen, die een jaar of negentien à twintig is en een donkergroene baseballpet draagt die hij strak over zijn haar heeft getrokken, waardoor alleen een miniem blond plukje te zien is.

Is het een vriend van Fleurs broer? Nee, dat niet.

Komt hij wel eens wat drinken in de Fantastic Voyage? Nah.

Ik durf hem geen gedag te zeggen, omdat ik niet zo'n gênant moment wil doormaken waarop ik moet toegeven dat ik zijn naam ben vergeten, dus ik staar nog langer naar hem en bekijk zijn grijze t-shirt en lichtblauwe spijkerbroek met iets uitlopende pijpen, zijn stevige kaaklijn en perfect witte tanden. Ik herken zelfs zijn kenmerkende manier van lopen. Het is heel vreemd. Ik heb het gevoel dat ik hem al wel duizend keer ontmoet heb. Maar niet hier. Absoluut ergens anders. Het slaat nergens op. Uiteindelijk ziet hij me naar hem staren en komt hij naar me toe.

'Hi, ik eh, zoek Charlie. Heb jij 'm gezien?' zegt de bekende stem.

'Oom Charlie?' Ik begin licht te blozen. 'Eh, ik bedoel Charlie, ja, die is hier wel. Ergens...'

'Oom Charlie?' herhaalt de jongen lachend. 'Dat is komisch. Hij zal ook wel mijn oom zijn, eigenlijk. Zo gedraagt hij zich tenminste...' grinnikt hij. 'Heb je hem de laatste tijd nog gezien, hier? Ik moet 'm eigenlijk laten weten dat ik er ben. Hij zal wel, laten we zeggen, opkijken.'

'Luister, ken ik jou ergens van?' begin ik, besluitend om open kaart te spelen.

Maar op dat moment verschijnt oom Charlie, als een behaarde tornado, zo hard fluisterend als iemand kan fluisteren zonder eigenlijk te schreeuwen, terwijl hij mij en de mysterieuze gast een hoek in sleurt voor een privé-gesprek.

'o, GOEDE GENADE!' roept Charlie uit, en hij port de jongen in zijn borst. 'Wat doe JIJ hier? We hadden afgesproken dat jij je vandaag niet zou vertonen.'

'Fffoehh, ik zat me gewoon zó te vervelen,' kreunt de jongen.

'Ik zit al twee dagen in het hotel. Ik heb alle films gekeken en zo veel roomservicetosti's gegeten als ik kon wegwerken... ik wil wat echte mensen tegenkomen, Charlie!'

'Nou, dat komt dan goed uit, meneer Saunders, want er zijn er hier ongeveer tweeduizend. Is dat genoeg voor je?' snauwt Charlie, en hij trekt zijn walkietalkie uit zijn zak en begint erin te blaffen,

'Stampertje. STAMPERTJE! Gonzo! Oproep voor de beveiliging!' brult Charlie in zijn walkietalkie. 'Horen jullie mij? Er is een voorvalletje backstage. Herhaling: voorvalletje. Spike heeft besloten onverwacht te verschijnen. Herhaling: Spike Saunders is er! Horen jullie mij? Over.'

Elke milliliter bloed lijkt uit mijn lichaam weg te vloeien. Ik heb het gevoel dat ik flauw ga vallen. De mysterieuze gast staart alleen maar naar zijn schoenen, hij schaamt zich duidelijk nogal over het gedoe.

'Het spijt me dat ik een hoop gedoe veroorzaak, eh, Ronnie hè?' begint de jongen, en hij verzet ondertussen zijn baseballpet.

'WAT??? BEN JIJ?! EH, ik bedoel.... BEN JIJ DAT!!! Ben jij echt hem?! ECHT SPIKE SAUNDERS!! DE ECHTE!! O, MIJN GOD! Ik kan het niet geloven!! Jij bent Spike Saunders!' brabbel en hijg ik terwijl ik naar het gezicht staar dat ik elke dag in tijdschriften en op tv zie.

'Ik ben bang van wel,' zegt Spike, en grijnst.

Ik MOET mezelf onder controle krijgen: dat, of ik zal hier simpelweg doodgaan aan een shock, op deze plek. En dat is niet cool.

'Maar eh, hoe? En waarom? Ja, waarom? Waarom gebeurt dit? En waarom ben jij...? En, mag ik even zeggen, Spike, dat ik je laatste cd gewééééldig vond en dat ik 'm heel vaak draai. Vooral toen mijn moeder vorige week vertrok... toen heb ik "Merry-Go-Round" een uur lang achter elkaar gedraaid,' begin ik te kakelen, en ik realiseer me dat dit zo ver verwijderd is van cool dat cool zich inmiddels in een ver sterrenstelsel bevindt.

Dus houd ik verder mijn mond.

'Dank je wel,' zegt Spike. 'Dat is leuk om te horen.'

'Oké!' zegt Charlie, en hij krabt op zijn hoofd. 'Ronnie, het spijt me heel erg, lieverd, ik had eerlijk tegen je moeten zijn. Maar deze knul hier veroorzaakt altijd zo'n verdomde totale chaos, dat we onze mond gehouden hebben.' Charlie haalt diep adem. 'Als straf ben ik Spike Saunders' tour-manager, Ronnie.'

'SPIKE SAUNDERS!!!' snerp ik. Charlie doet snel zijn hand voor mijn mond.

'Shhhh,' zegt Charlie. 'En zo zijn Vinny, Pip en Stampertje enzovoort Spikes road-crew. We zijn op weg naar Astlebury, waar Spike volgend weekeinde optreedt.'

'Ja, dat weet ik! Dat weet ik! Jij bent het hoofdoptreden op het grote podium volgende week zaterdagavond!' zeg ik. 'Van mijn vader mag ik er niet naartoe...'

Oké, nu ben ik echt laatste in de cool-competitie. Misschien moet ik hem zo langzamerhand mijn menstruatieondergoed laten zien. Het kan er alleen maar beter op worden.

'In ieder geval, we hadden een paar dagen vrij, vóór een paar kleine optredentjes volgende week,' gaat Charlie verder, 'dus wij jongens besloten om jullie meisjes uit de brand te helpen.'

'Maar ik mocht het hotel niet uit,' kreunt Spike, die een stuk kleiner en dunner is dan op tv, maar desondanks ontzéttend aantrekkelijk.

'Nee, inderdaad, sufferd, omdat het niet veilig is. Er zijn te veel tienermeisjes die je je broek van je kont willen trekken. Jij, mijn zonnetje, bent veel te waardevol voor mij om beschadigd te mogen raken,' zegt Charlie.

'Nou, ik ben er nu tóch,' zegt Spike een beetje nukkig.

'Ja inderdaad,' antwoordt Charlie nog nukkiger.

'Kan ik niet blijven? Alsjeblieft?' smeekt Spike. 'Ik zal me onopvallend gedragen. Niemand zal het weten. Ik wil gewoon een paar optredens zien. Ik zal bij mijn vriendin Ronnie blijven; ik zeg wel dat ik haar verloren gewaande neef uit het zuiden ben.'

'O, kom op, oom Charlie,' zeg ik, 'laat 'm blijven!'

'Kom op, oom Charlie!' giechelt de enige, echte, legendarische nummer één superster Spike Saunders, die me zojuist – was het je opgevallen? – 'zijn VRIENDIN' noemde!

'Je wordt mijn dood nog eens, Spike Saunders. Door jou kom ik vroegtijdig aan mijn einde,' kermt Charlie, terwijl hij in zijn zak graait en een extra-donkere zonnebril te voorschijn haalt.

'Oké, je kunt tot na het laatste optreden blijven. Maar zet deze bril op, en hou 'm op! En als iemand het een van jullie beiden vraagt: dit is *niet* Spike Saunders, hij lijkt alleen op 'm. Begrepen?'

'Hoera!' roepen we allebei opgewekt.

'En nu je hier toch bent... Hoe ben jij het VIP-gedeelte binnengekomen, langs Stampertje, zonder AAA-pasje?' ondervraagt Charlie hem.

'Makkelijk genoeg,' zegt Spike schouderophalend, niet beseffend wat hij overhoop haalt. 'Door dat gat in dat hek daar. Er komen massa's mensen door!'

Charlie haalt zijn walkietalkie weer te voorschijn.

'STAMPERTJE, maak dat je onmiddellijk hier komt!'

Ik zweer het, ik ben echt van plan (ongeveer twintig seconden lang) om Spike Saunders' komst naar Blackwell Live geheim te houden. Maar juist dan arriveren Fleur, Claude en Stampertje, brandend van nieuwsgierigheid naar het noodgeval. Natuurlijk zien ze het noodgeval naast me staan, met de beroemde plagerige grijns op zijn gezicht.

En in alle eerlijkheid, Spike gaat heel goed om met de eerste ontmoeting met de LBD. Zelfs als Fleur hem strak vastknelt en zachtjes op zijn schouder snikt: 'Spike! I love you. Nee, echt. Oké, ik wil wel geloven dat heel veel andere meisjes dat ook zeggen, maar ik heb echt het gevoel dat ik je ken. En ik hou echt van je! Volgens mij hebben we zoveel gemeen! Ik heb al je cd's en ik heb een Spike-muur in mijn slaapkamer. Maar ik ben niet gestoord. Jij vindt mij gestoord, hè?'

Toen vroeg ze hem om een handtekening achter op haar string te zetten.

Ja, Fleur was even de weg kwijt. Even heel erg.

En ik ben er zoooo blij mee. Fleur is erin geslaagd om mij, daarbij vergeleken, bijna normaal te doen lijken.

'Spike, ga jij straks het podium op om een nummer van de *To Hell and Back*-cd te spelen?' Claude besluit het erop te wagen, haar ogen zo groot als schoteltjes.

'Nee, dat gaat ie niet,' snauwt Charlie. 'Sterker nog, hij gaat nu onmiddellijk terug naar het hotel als we ons niet allemaal aan het oorspronkelijke plan houden. Denk eraan: Spike Saunders is er NIET. Alleen wie ermee te maken heeft, mag het weten; niemand anders dan jullie *hoeft het te weten*.'

Spike zet de extra donkere zonnebril op en trekt zijn baseballpet verder naar beneden.

'Mag ik nu wat optredens gaan bekijken?' vraagt hij als we incognito het VIP-gebied uit glippen en tussen het concertpubliek terechtkomen op het moment dat de EZ Life Syndicate het huis afbreekt en tweeduizend mensen hun armen voor zich van links naar rechts laten zwaaien terwijl ze op precies hetzelfde moment 'Woehoe' roepen.

'EZ LIFE SYNDICATE. MAKE SUM NOIZZZE!' roept Killa Blow terwijl de menigte helemaal door het dolle heen is.

'Behoorlijk indrukwekkend, meiden!' zegt Spike terwijl we onopgemerkt door de festivalherrie waden. 'Ik haalde op school altijd van alles uit en veroorzaakte problemen toen ik zo oud was als jullie. Ik deed niet dit soort dingen,' grinnikt hij, duidelijk een beetje verbijsterd.

'Wij ook... eh, meestal,' zegt Fleur, en ze realiseert zich hoe ongeloofwaardig dat nu klinkt. 'Echt waar!'

Spike lacht hardop.

'Nou, we hebben in ieder geval vandaag problemen veroorzaakt,' verduidelijkt Fleur. 'Jullie hebben allebei niet gezien wat er gebeurde toen Wurggreep optrad! Myrtle McGraw kreeg een kleine toeval.

'Wat gebeurde er?' vraag ik, naar adem happend.

'O, vertel jij het maar, Fleur,' zegt Claude.

'Nou, het begon toen Ainsley het podium op kwam met nepbloed op zijn laboratoriumjas, wat in alle eerlijkheid nogal luguber was, maar je kent Wurggreep...'

'Maar het was nepbloed,' zeg ik nog eens. 'Uit een feestartikelenwinkel. Ik heb het flesje gezien.'

'Mmm, ja dat zal wel. Ik heb het ook gezien. Maar Myrtle niet. Dus ze waren halverwege dat nummer van ze, eh, hoe heet 't? Het "Doodskistlied", dat is het, toen de hel losbrak. Excuseer de woordspeling.'

'Ga door,' zegt Spike geboeid tegen Fleur, die het altijd leuk weet te brengen.

'Nou, Wurggreep bracht een kist met een laken erover het podium op. En Ashley trok het laken eraf tijdens het refrein en toen bleek het echt... een echte doodskist!'

'Een echte doodskist? Hoe kan dat nou?' sputter ik.

'Vraag me niet hoe. Ze hebben 'm voor ons allemaal de hele dag verborgen gehouden. Ik wist niet dat ze 'm hadden, Claude

ook niet. Nou, toen Myrtle McGraw 'm zag en begreep dat Ainsley erin zou gaan liggen, werd ze zo gek als een ui. Ik zweer je,
je had 'r voor negentig cent per kilo kunnen verkopen. Ze ging
helemaal uit haar dak!'

'Probeerde ze het optreden te stoppen?'

'Nou, ze probeerde het wel. "SATAN IS ONDER ONS!" schreeuwde ze. "Stop deze satanische voorstelling!" Ze veroorzaakte een
enorme scène. Ik bedoel, laten we wel wezen, het was alleen
maar die idiote Ainsley Hammond met wat nepbloed en een
kist die hij had geleend van de plaatselijke amateurtoneelvere-
niging die 'm gebruikte voor de opvoering van *Dracula*. Mijn
god, maak je niet zo druk.'

Spike lacht zo hard dat er tranen over zijn gezicht rollen.

'Ik ben zo blij dat ik hier vandaag naartoe ben gekomen. Jullie hebben me helemaal opgevrolijkt,' grinnikt hij.

'En, is ze er nog?' vraag ik, om me heen kijkend.

'O nee, hun zoon Marmaduke moest in zijn Fiat Panda hier
naartoe komen en haar ophalen. Ze zat nog steeds te grommen
over satan toen ze haar op de achterbank duwden.'

'Ik kan gewoon niet geloven dat ik dat gemist heb,' zeg ik klagend.

'Ja, meid, je kan niet alles hebben,' zegt Fleur, nog steeds jaloers omdat ik Spike meer dan een halfuur helemaal alleen
voor mezelf heb gehad.

'En wat komt er nu?' vraagt Spike, terwijl we dichter naar de
voorkant van het podium toe lopen waar honderden skatejon-
gens en meisjes met wijde spijkerbroeken en slordige capu-
chonshirts en versleten gympen zich hebben verzameld. Ik kan
niet geloven dat niemand heeft gevraagd wie onze nieuwe
vriend is. Ik hoop dat mensen denken dat het mijn nieuwe
vriendje is en dat dat Jimi ter ore komt. Voordat ik Spike ant-

woord kan geven, hoor ik de onmiskenbare stem van Paddy en het niet zo zachte zangerige stemgeluid van mevrouw Guinevere via de luidspreker.

'Geef me die microfoon. Ik ben de presentator. Ja, ik. Ik kondig de bands aan. Niemand heeft gezegd dat we het om en om zouden doen!' ruziet Paddy, en hij klinkt heel geïrriteerd.

'O man, doe niet zo kinderachtig, ik doe deze band. Geef dat ding hier,' houdt mevrouw Guinevere vol. Met een behendig rukje neemt ze bezit van de microfoon.

'Hallo, Blackwell Live!' begint ze. 'Ik ben er trots op nóg een heel getalenteerde band te kunnen aankondigen. Dit is Lost Messiah!' Maar nog voordat Guinevere hun naam heeft genoemd, gaat er een explosie van geluid door de vochtige zomerlucht, en Aaron, Naz, Danny en Jimi bulderen "Gouden Bekkie" zo hard als ons geluidssysteem kan verdragen voordat het smelt.

'Yeeeeeeeeeeeeeeeeeeeeeeeeeeeeahhhhhh!' is Jimi's eerste zin.

'Wahhhhhhoooooooooooo!' de volgende.

Jimi Steele is tekstueel niet echt sterk. Maar toch heeft hij iets betoverends waardoor je elke tel dat hij voor je staat naar hem wilt kijken.

'Goeie leadzanger,' zegt Spike terwijl hij me aanstoot. 'Hij is ook een getalenteerd gitarist. Deze jongens kunnen ver komen. Nou ja, de leadzanger in ieder geval.'

'Jimi Steele,' zucht ik.

'Goeie naam voor een rockster,' zegt Spike Saunders. 'Maar niet zo goed als de mijne.' Mijn gezichtsuitdrukking moet boekdelen spreken, want Spike begint snel in mijn schouder te prikken.

'O hallóóó, ik denk dat er iemand een beetje gek is op de leadzanger van Lost Messiah. Je bent verliefd op hem, hè?' grinnikt Spike terwijl mijn gezicht vuurrood wordt.

'Zij wel, maar ik niet,' bemoeit Fleur zich ermee, duidelijk denkend dat ze kans maakt. Mijn god. 'En ik ben ook single!'

'Dit nummer heet "Stupid Things", zegt Jimi voordat Lost Messiah keihard begint aan alweer een nummer dat zo hard is dat je tanden ervan gaan rammelen. 'En geloof me, ik heb in mijn tijd een paar stomme dingen gedaan.' Hij heeft het zeker over een van z'n vele skateboardongelukken, hoewel dat nogal een raar onderwerp lijkt om een liedje over te schrijven. Vlak bij het podium probeert Gonzo een paar jongens uit de 8e ervan te weerhouden om te gaan crowdsurfen.

'Oké, ik moet weer gaan, om te kijken hoe het is met ons extra-speciale hoofdoptreden,' kondigt Claude aan, en ze verdwijnt in de menigte. Spike trekt een wenkbrauw omhoog.

'Catwalk,' leg ik uit, en ik adem diep uit. 'Het verdomde Catwalk.'

'Catwalk,' zucht Fleur, en daarna zwijgen we beiden somber.

'Ik kan bijna niet wachten, ik heb het ontzettend naar mijn zin,' zegt Spike gemeend.

'Wij ook,' liegen we.

Na wat een eeuwigheid sinds het laatste optreden lijkt, wordt een dikke, droge witte rook het Blackwell Live-podium op gepompt en vult de late middaglucht zich met de opbollende wolken. Het podium is verborgen achter luchtige wittigheid die lijkt op rollende mist. Catwalks nogal waardeloze intromuziek bouwt de spanning op: een drummachine speelt opgewonden over steeds herhaalde synthesizerakkoorden heen.

'It's time for a Catwalk nation,' herhaalt een stem keer op keer pretentieus. Het is onmiskenbaar Panama's stem. Het publiek richt verwachtingsvol zijn aandacht en dromt naar voren om te genieten van het hoofdoptreden, sommige leerlingen klimmen op elkaars schouders, roepend en met een vuist in de lucht slaand op het ritme van de drums. En terwijl de mist begint op te trekken en meer bekkens tegen elkaar worden geslagen, kan ik vaag vijf silhouetten onderscheiden die midden op het podium in een stoere pose bij elkaar staan. Gekleed in zwarte lycra bovenstukjes, rubberen catsuits en broeken, met allemaal een zilverklerige microfoon head-set op hun hoofd en met veel te veel make-up op staat Catwalk doodstil met armen en benen in vreemde robotachtige poses te wachten op het startsein. Het publiek wordt echt helemaal wild terwijl het ritme van de trom steeds zenuwachtiger wordt, en dan komt er plotseling een luide dreun door de speakers.

En dat is het startsein!

Leeza en Abigail maken salto's over het midden van het toneel en dan weer terug, gevolgd door Derren en Zane die op hun handen lopen en daarna overgaan op perfecte flikflaks. Eindelijk neemt Panama het midden van het podium over, honderd perfecte pirouetten draaiend, als een mensachtige robot met een lach van oor tot oor.

'Hallo, Blackwell Live,' gilt ze hoog. 'Fijn dat jullie naar me komen kijken! Dit is jullie lievelingsnummer en het mijne, het is "Running To Your Love!"

'Woehoe!' schreeuwt het publiek. Panama playbackt:

Ooo Baby!
I'm floating in the sky!
Like a big love pie!
You make me feel real high!
O my o my
Tra la la la!

Leeza en Abigail heupwiegen langs haar heen terwijl ze zingt, Derren en Zane doen een of andere bizarre tapdans, en zwaaien hun armen rond als Panama bij het refrein belandt:

Ooo baby baby – I'm running to your love!
Wanna give my heart a big shove!
You fit me like a glove.
Cos I'm running to your love!

'Ik wist niet dat Panama zo'n intellectueel was,' merkt Fleur sarcastisch op. 'Dat refrein was écht heel diepzinnig.'

Spike giechelt en roept, hij heeft het duidelijk enorm naar zijn zin.

'Zijn dit jullie vrienden?' vraagt hij.

'Nee,' zeggen we in stereo.

En ik wil net de hele treurige geschiedenis aan Spike Saunders uit de doeken gaan doen (hoe Catwalk ons dwong om ze als hoofdoptreden voor Blackwell Live op te stellen, en alles over hun nare dreigementen, en over Panama die Jimi gestrikt heeft en het leven wat absoluut oneerlijk is...) maar dan, terwijl Panama aan haar tweede refrein begint, gebeurt er iets geweldigs.

'I'm ru-ru-ru-ru-ru-ru-ru-ru,' stottert Panama, verwoed zwaaiend naar roadie Vinny.

O mijn god! Catwalks backingtape is vastgelopen!

'Love lo-lo-lo lo-looooove,' stottert de tape voordat ie zichzelf corrigeert en weer normaal begint te lopen.

Misschien heeft het publiek het niet gemerkt? Catwalks dansjes zijn duidelijk heel erg uit balans, maar ze lijken de draad weer op te pakken.

'Zag je dat,' giebelt een meisje. 'Panama's stem en haar lippen waren totaal niet synchroon.'

'Het is maar een tape! Ze playbacken!' hoor ik mensen fluisteren tewijl Catwalk probeert desondanks door te dansen.

'Wanna gi-gi-gi-gi-gi-gi-gi!' stottert Panama's stem. De tape is weer vastgelopen. Deze keer duurt het veel langer! Panama's gezicht loopt paars aan.

'Gi-gi-gi-gi-gi!' stottert de tape terwijl Vinny op de zijkant van de taperecorder slaat in een poging het probleem op te lossen. Gelukkig stopt de tape hierdoor met een luid gepiep helemaal. En dan begint ie terug te spelen!

'Evollllll ruoy ot gninnur!' verminkt de tape de tekst voordat hij weer tot stilstand komt.

'Je staat te playbacken!' schreeuwt een jongen. 'Het is alleen maar een backingtape.'

'Zing eens een echt liedje voor ons!' schreeuwt een ander.

Vinny staat wild knoppen in te drukken en snoeren te vervangen. De tape begint weer te lopen.

'Running to your love!!' zingt de opname van Panama.

'Ga door! Blijf gewoon dansen. De show must go on,' snauwt Panama naar de rest van Catwalk. Maar tegen die tijd is Abigail het podium al af gevlucht en staat Derren aan de grond genageld met zijn hoofd in zijn handen. Zane probeert de show te redden met zijn behendige dubbele voorwaartse salto, maar zijn zenuwen krijgen de overhand en hij landt met een geweldige dreun op zijn achterwerk.

'*Tedoing*!' klinkt het terwijl zijn kont op het podium terechtkomt.

En dan stopt de backingtape weer, deze keer voorgoed.

Zelfs de schattige meneer Ball, onze leraar Wetenschappen, die bereidwillig naar voren rent met een Zwitsers zakmes en aanbiedt om wat wetenschappelijk-achtige magie op de elektronica los te laten, kan Catwalk niet helpen. Vinny staat er maar, proberend een klein grinniklachje te onderdrukken.

Ik zou willen zeggen dat het hele veld zich tranen met tuiten lacht en Catwalk begint uit te jouwen, maar in plaats daarvan heerst er een dodelijke, geschokte stilte. Totale verbijstering. Iedereen staart simpelweg naar het bijna lege podium, mond open. Er waait een chipszakje voorbij. In de verte luidt een kerkklok. Nog steeds praat er niemand. Uiteindelijk, na wat een eeuwigheid lijkt, komt er een enkele klap vanaf het uiterste einde van het veld.

'Bedankt, heel erg bedankt,' roept Panama, en dan realiseert ze zich ongelukkig dat de vrouw van de hamburgers het laatste restje tomatenketchup uit een van haar flessen sloeg. Daarom probeert Panama nu ook te ontsnappen en rent ze langs een sereen lachende persoon aan de zijkant van het podium weg – en die persoon is overduidelijk Claudette Cassiera. Het is bijna, bijna-bijna alsof Claude iets met deze catastrofe te maken had.

Ik kan me niet voorstellen dat jij hier iets mee te maken had, Claudette Cassiera, kan ik McGraws stem in mijn hoofd horen zeggen. *Ik kan het me echt níet voorstellen.*

Over het hele veld verdeeld staan nu mensen boe te roepen en te jouwen. 'Meer,' roepen leerlingen. 'Meer!'

'Zet het bandje weer aan. Playback nog een nummer!' zingt een buitengewoon luidruchtig deel van het publiek.

'Ach, dat is jammer,' zegt Spike vriendelijk. 'Die arme kinderen. En het begon allemaal zo goed,' voegt hij eraan toe. 'Ik ben ook wel eens doodgegaan op het podium. Het was verschrikkelijk.'

Ja, natuurlijk zouden we Spike kunnen verbeteren en hem kunnen vertellen waarom dit het beste eind van Blackwell Live is dat we ons ooit konden wensen, maar in plaats daarvan ruikt Fleur een gouden kans.

'Eh, nou, jij zou natuurlijk een en ander minder erg kunnen

maken door een paar nummers te zingen, denk je niet?' stelt ze voor.

Spike kijkt haar aan en trekt dan één wenkbrauw op. Hij denkt er duidelijk over na.

'Ja nou, ik denk dat het geen kwaad kan, toch?' zegt hij, en hij zet zijn zonnebril af en toont zijn mooie en onmiddellijk herkenbare gezicht aan het publiek. Een paar meisjes die vlak naast ons staan, happen naar adem en stoten elkaar wild aan.

'Spike Saunders. Spike Saunders! O, mijn god!' roepen ze, en ze brengen iedereen binnen gehoorsafstand op de hoogte. Het nieuws begint zich snel te verspreiden en het gemompel wordt harder en harder, totdat iedereen binnen een straal van vijftig meter roept en wijst.

'Spike! Daar staat Spike Saunders! Kijk, daar!'

Eén meisje valt gewoonweg flauw, recht voor onze neus.

'Ik bedoel, nu ik hier toch ben, hè?' zegt Spike. 'Als niemand er bezwaar tegen heeft, tenminste.'

Vanaf mijn plek kan ik oom Charlie zien staan. Hij houdt zijn voorhoofd vast en schreeuwt naast het podium hees in een walkietalkie. Zijn gezicht is bijkans paars, de arme kerel.

Om ons heen ontstaat een niet te beheersen wanorde. Spike rent zo snel hij kan door de mensenmassa, klimt op Blackwell Lives grote poduim en grijpt een dichtbijstaande akoestische gitaar.

'Hallo Blackwell,' begint hij. 'Ik ben Spike Saunders.'

'Woeoehoe!' gilt het verbijsterde publiek massaal.

'Eh, bedankt dat ik ongevraagd jullie festival mag binnenvallen,' zegt Spike en hij tokkelt een beetje op de gitaar. 'Weet je, ik kom niet graag ergens onuitgenodigd naartoe, maar nou ja, jullie lijken me heel aardig.'

'AAAAAAHHH!' gillen duizend meisjes.

'Zing wat voor ons!' schreeuwt er een.

'Eh, oké,' zegt Spike. Ik geloof dat hij echt een beetje gespannen is. Hij kijkt het publiek vragend aan. 'Weet je, het is lang geleden dat ik alleen met mijn gitaar heb opgetreden. Ik weet niet goed wat ik voor jullie moet spelen,' plaagt hij.

'"Merry-Go-Round"!' gillen een paar nogal luidruchtige fans bij het voorste dranghek. 'Wij willen "Merry-Go-Round"!'

'Ah, "Merry-Go-Round" dat is geen enkel probleem!' roept Spike, en het publiek barst los terwijl hij de superbekende openingsnoten speelt.

'O, wacht even,' zegt Spike, net voordat hij aan het eerste couplet begint. 'Dit nummer draag ik op aan mijn vriendin Ronnie. Zij vindt dit echt een heel goed nummer.'

Op dat moment was ik zo gelukkig dat ik dacht dat mijn hoofd zou ontploffen.

12 Dus, samengevat

Er zijn tijdens Blackwell Live zo veel onvergetelijke, fantastische dingen gebeurd dat het het enige is waar de LBD de laatste week over gepraat hebben, van zonsopgang tot zonsondergang en soms zelfs in onze dromen.

We zijn waarschijnlijk tamelijk onverdraaglijk. Gelukkig hebben we elkaar om mee te kletsen. Oké: gelukkig hebben we elkaar, punt.

Er was bijvoorbeeld het geweldige eind, toen Spike Saunders 'Cold Heart' zong (een heel goed nummer van de *To Hell and Back*-cd) en het hele publiek de coupletten met hem meezong.

Daar moest ik om de een of andere reden van huilen.

Ik weet niet waarom je soms moet huilen van leuke dingen, maar het is wel zo.

En de politie was niet eens zo boos over wat er gebeurde. Tenminste, niet echt, als je erover nadenkt. Toen de hoofdcommissaris van politie, Johnson, hoorde dat de LBD meer dan € 1500 hadden opgehaald voor het goede doel, kneep hij een oogje toe voor het arrestatiebusje en de politieversterking die hij had moeten laten aanrukken.

Oeps. De volgende keer dat we een 'wereldberoemde superster op ons tuinfeestje uitnodigen' (zijn woorden), zullen we hem waarschuwen, hebben we beloofd.

De hemel zij dank voor mevrouw Guinevere, die de politie buitengewoon diplomatiek te woord heeft gestaan, en later, toen ze terugkeerde na meneer McGraw te hebben ingelicht over wat er gaande was – nou ja, was ze helemaal niet geïrriteerd. Ze was eigenlijk nog steeds behoorlijk uitgelaten.

'Maar heeft McGraw Spike Saunders dan gemist?' vroeg Fleur.

'Ja, hij heeft zichzelf al uren geleden in zijn kantoor opgesloten,' lachte mevrouw Guinevere. 'Ik geloof dat hij wel genoeg had gezien op het moment dat Wurggreep besmeurd met bloed uit een doodskist begon te springen. Het was voor hem erg veel om te zien en te verwerken...'

'Maar wat doet hij daarbinnen?' vroeg Claude.

'Nou, om precies te zijn luistert hij naar een recital van Barbers *Adagio for Strings* op de klassieke radiozender, met de rolgordijnen stevig naar beneden getrokken... O, en hij doet het kruiswoordraadsel uit de *Guardian*,' gniffelde mevrouw Guinevere. 'Zijn afscheidswoorden, toen ik de kamer verliet, waren "Helaas, zelfs keizer Nero zat te lummelen terwijl Rome brandde".'

'Nou, dan is hij tenminste gelukkig,' concludeerde Claude.

'Nou ja, min of meer.'

Tegen de tijd dat het feest in de danstent begon en Johnny Martlew bezig was zijn *Rare Groove Classics* te draaien en iedereen stond te dansen, was ik helemaal dronken van uitputting maar vastbesloten om te blijven. Ik herinner me dat ik zag dat Jimi nadenkend een drankje stond te drinken, aan de andere kant van de volle dansvloer waarop mevrouw Guinevere en meneer Foxton dansten als leerlingen en lachten als idioten. Blijkbaar hadden Panama en Jimi een enorme ruzie gehad nadat Catwalk op het podium af was gegaan. Daarna stormde Panama naar huis en verwachtte ze achternagelopen te worden. Maar dat deed Jimi niet; hij bleef voor de disco.

Ha ha. Geweldig.

O, en ik herinner me een hoop gezoen.

Ik zoende niet mee natuurlijk. Maar er werd wel degelijk een hoop gezoend, het was het centraal tongzoenstation. Fleur stond met Killa Blow te knuffelen achter het hokje van de dj. Sterker nog, ze zijn sindsdien al twee keer uit geweest, en Fleur verveelt zich nog steeds niet met hem.

Het moet ware liefde zijn die rondwaart.

O, en naast de bar zag ik net voor sluitingstijd zelfs Tara Rioolkwal met haar gezicht gepassioneerd begraven in een grote hoeveelheid zwart krullend haar waaronder Benjamin Stark zich verschool.

'We zijn eigenlijk gewoon vrienden!' bloosde Tara toen ik haar op weg naar de damestoiletten pootje haalde.

Wat een fantast!

Haar eigen rode lippenstift zat over haar hele gezicht gesmeerd!

Natuurlijk kozen Aaron en Naz een meisje van de EZ Life Syndicate. Het zijn echte gozers, en laten we wel wezen, iedereen stond te kussen, dus waarom zouden zij niet?

En toen zag ik in de menigte, net op het moment dat ik het gevoel had dat het misschien tijd was om flauw te vallen, een prachtig visioen dat me bijna ter plekke in huilen deed uitbarsten.

Ik zag mijn vader met twee drankjes, een biertje en een cola, voorzichtig langs de rand van de dansvloer lopen. Hij was samen met een bekende donkerharige dame in een kort t-shirt en een wijde zwarte broek waar een miniem buikje overheen puilde.

Het was mijn moeder!

Niet te geloven!

In minder dan een tiende van een seconde vergat ik totaal dat ik ontzettend razend op haar was omdat ze vorige week uit huis was gegaan en helemaal mijn belangrijke dag had gemist. Omdat het gewoon zo geweldig was om haar gezicht te zien, leek niets anders er op dit moment toe te doen dan dichterbij haar te komen.

'Mam! Maaaaam!!!' schreeuwde ik, en ik rende naar haar toe en omhelsde haar en snoof haar vertrouwde mama-geur op.

'Ronnie! Hallo, lieverd! We hebben je allebei lopen zoeken, ik ben hier pas net.'

Mama zag er verbazingwekkend gezond en fris uit, al leek ze nogal emotioneel.

'Luister, het spijt me echt Ronnie, ik moet een heleboel uitleggen...'

'Het is goed, mama. Je bent er nu,' begon ik te ratelen toen ik papa's waterige ogen zag. 'Maar je hebt wel een heleboel coole dingen gemist...'

'Ik weet het,' zei mama. 'Ik denk dat we beter even naar buiten kunnen gaan.' Mama greep mijn hand. 'Ik moet je vertellen waarom ik het niet aan kon om hier vandaag naartoe te komen. Ik wil dat je weet wat er allemaal gebeurd is en...'

'Nee, mama, het maakt niet uit,' zei ik terwijl er tranen over mijn wangen begonnen te lopen alsof ik een grote suftut was. 'Ik ben gewoon blij dat je terug bent. Je bent toch wel voorgoed terug, hè?'

Mama knikte.

'Nou, dan hoef je het niet uit te leggen,' zei ik.

'Nee, Ronnie, laat haar het uitleggen,' zei papa grijnzend. 'Het is echt een giller. Dit is het beste excuus dat je in je hele leven gehoord hebt.'

En dat bleek waar te zijn.

Het is zelfs zo dat ik heb besloten om zowel Loz als Magda te vergeven dat ze zich de afgelopen vier weken als volstrekte idioten hebben gedragen.

Ik bedoel, je krijgt niet elke dag te horen dat je officieel grote zus wordt, toch?

Ik! Haha! Grote zus? Klinkt goed, hè?

En nu ik erover nadenk, denk ik dat ik ook een beetje gek had gedaan en 'tijd om na te denken' nodig had gehad als ik erachter was gekomen dat er een echt mens binnen in me groeide. Helemaal nu blijkt dat papa toen een nog grotere mafketel werd dan hij al was, en dat hij zulke gekke dingen zei als dat ze 'te oud waren om nog een kleine baby te krijgen'.

Dat was helemaal niet wat mijn moeder wilde horen. Ze was razend, en dus ging ze naar mijn oma om na te denken over een paar belangrijke levenskwesties.

'Maar waar dacht je dan over na toen je daar was?' vroeg ik haar.

'Nou, meestal over je vader vermoorden,' zuchtte mama. 'Dat... en augurken en bananensandwiches, eigenlijk,' gaf ze toe.

'Daar gaan we weer,' zei papa, en hij sloeg zijn armen liefdevol om mijn moeder en haar bolling.

Hij ziet er niet erg uit als een man die geen baby meer wil. Hij lijkt eigenlijk heel tevreden met zijn lot.

Ik bedoel, hoeveel last heb je nou eigenlijk van kinderen?

We brengen alleen maar vreugde.

Mijn moeder legde allebei haar handen op haar uitgestulpte buik, alsof ze zelf ook nog steeds niet helemaal gewend was aan het idee, en toen keek ze naar de discodansende menigte.

'Ik vind het echt heel jammer dat ik er vandaag niet bij was,

Ronnie,' fluisterde ze. 'Ik voelde me afschuwelijk. Maar toen je vader me vanavond hiervandaan belde en we een lang gesprek hadden over wat we allebei voelden, nou, toen ben ik gelijk in een taxi gestapt. Ik wilde gewoon allemaal bij elkaar zijn.'

'Nou? En dat is toch niet zo gek?' grinnikte papa. 'Ik bedoel, wij zijn een supergezin, toch, wij Rippertons?!'

Nee, we zijn niet slecht.

En hier zit ik nu, in het zaaltje van de Fantastic Voyage, mijn glanzende nieuwe basgitaar te bespelen.

Oké, ik probeer 'm te bespelen.

Ik heb nu op *Leer jezelf in vijf dagen basgitaar spelen* gezwoegd, al *véél langer* dan vijf dagen. En ik heb alleen maar pijnlijke vingers, gebroken nagels en een stijve nek.

Het is verbazingwekkend waar je je ouders toe kunt overhalen als ze zich schuldig voelen, vind je niet? Ik sleurde mijn moeder vorige week mee om te gaan winkelen, na haar 12-weken echo. En nog voor ik de woorden 'ernstige psychologische schade' kon uitspreken, had ik al een basgitaar te pakken als compensatie voor haar krankzinnige gedrag van vorige maand. Ha, het maakt het bijna de moeite waard dat ze ruzie hebben als ik dit soort leuke spullen krijg. Eigenlijk heb ik nu ook een gitaar en drumset nodig voor Fleur en Claude, dus ik zal mijn ouders maar goed in de gaten houden. Geintje.

Dumdumdumdumdum. Petjing. Au.

Ik ben hopeloos op de basgitaar. Die komt uiteindelijk als kapstok in mijn slaapkamer te staan, ik zie het al voor me. Ik heb geen ritmegevoel.

'Nee, niet opgeven, je begint het te leren. Houd de snaren gewoon wat steviger vast, je houdt ze vast als een meisje.'

Ik kijk geschrokken op en zie het prachtige visioen van Jimi

Steele, gekleed in een wijde spijkerbroek en zijn rode Quicksilvershirt. Hij heeft al zijn haar eraf geschoren!

Mmmmmm. Ik ben gek op skinheads!

Zijn breuk met Panama heeft hem ontzettend veel goed gedaan.

'Ben je bij het corps mariniers gegaan?' vraag ik droogjes.

'Nee. Waarom?' zegt hij grijnzend.

'Je bent naar de kapper geweest.'

'Echt? ECHT?' Jimi begint wild naar zijn hoofd te grijpen. 'Wanneer? Wie zou zoiets zonder mijn toestemming doen? Ronnie, bel de politie!'

'Heel grappig,' zeg ik en ik probeer niet te lachen.

'Vond ik ook.'

Ik ga door met aan de basgitaar te plukken en doe alsof het de gewoonste zaak van de wereld is dat Jimi Steele tijdens de zomervakantie bij mij langskomt. Ik ben *té* cool.

'En, kan ik iets voor je doen of is dit een gewoon bezoekje?' zeg ik uiteindelijk.

'Eh, mm, miss... nou ja, ik kwam eigenlijk dit terugbrengen...' mompelt Jimi terwijl hij in zijn tas duikt. 'Toen we hier de laatste keer oefenden heb ik dit per ongeluk meegenomen.' Jimi trekt een stukje oude stof uit zijn tas.

'Een barhanddoek?' zeg ik, en ik staar hem met een van mijn beste verbijsterde blikken aan.

'Huhuh.'

'Je kwam hiernaartoe om een oude barhanddoek terug te brengen?' herhaal ik. 'Waar we er duizenden van hebben?'

'Ja,' zegt Jimi weifelend.

'Echt waar?' vraag ik.

Lange stilte.

'Eh... nou, oké, nee,' geeft hij toe.

'Dus, eh, waarom ben je dan hier?' zeg ik, en ik leg de basgitaar op de vloer en ga zitten op een stoel naast de plek waar hij nerveus staat te wiebelen.

'Nou, ik, gewoon, zie je... nou ja, het was gewoon iets waar ik over na heb gedacht. En ik blijf het steeds denken. Dus ik dacht dat ik maar hiernaartoe moest gaan en het je recht in je gezicht moest zeggen.'

'Je bent kwaad dat Panama's backingtape vastliep, hè?' zeg ik neerbuigend. 'Daar had ik niks mee te maken, ben ik bang. Ik weet van niks.'

Niet helemaal waar.

'Neee. Het gaat niet over Panama's tape. Dat was eigenlijk het grappigste dat ik in lange tijd heb gezien. Nee, ik wilde je zeggen... Luister, mag ik open kaart spelen?'

'Je hebt geen kaarten bij je...' begin ik. Ik gebruik een grapje van Loz.

'Ronnie, doe nou even serieus. Ik ben hartstikke serieus.'

'Oké,' mompel ik.

'Oké, ik weet niet hoe ik dit moet zeggen,' bloost Jimi, 'omdat, nou ja, ik heb me de laatste maand als een volslagen idioot gedragen. Een volslagen idioot. Ik had nooit met Panama moeten zoenen. Ik weet niet wat ik in haar zag...'

'Enorme tietetska's?' suggereer ik.

Jimi trekt zijn neus op.

'Maar luister, Ronnie, zeg het me als ik het mis heb, want misschien heb ik het mis, en als ik het mis heb, ga ik gelijk weer weg en dan moeten we elkaar op school vanaf nu negeren omdat ik me dan zo ontzettend voor joker voel staan... maar ik denk dat jij en ik samen iets hebben.'

Ik staar alleen maar naar hem. Naar zijn lichtblauwe ogen en zijn schitterende, volle mond.

Hij gaat verder. 'En ik ben verliefd op je, wat ik, eh, ben. Trouwens. Zo, ik heb het gezegd, ik *ben verliefd op je*. En jij bent verliefd op mij, waar ik eerlijk gezegd niet zo zeker van ben. Nou ja, misschien moeten we, als je akkoord gaat, het samen proberen.'

Ik hang nu aan zijn lippen. Heeft Jimi zijn verstand verloren of meent hij het?

'Dus, eh, dat is wat ik kwam vertellen.'

'Eh, oké.'

We staren ongeveer een minuut lang allebei recht vooruit.

'Nou, ga je nog wat zeggen?' vraagt Jimi uiteindelijk.

'Eh, nou ik geloof dat ik ook wel een beetje verliefd op jou ben,' mompel ik. Ik ben totaal verbijsterd.

'Dat is alvast een begin!' zegt Jimi, en opluchting trekt over zijn gezicht. 'Dus, eh. Oké, goed... dat is hartstikke mooi! Eh, dank je wel! En wat wil je nu doen?'

Jimi komt dichterbij, neemt mijn gezicht in zijn handen en begint dan min of meer naar me te staren voordat hij zijn handen door mijn haar laat glijden en nog meer gaat blozen. Mijn hart slaat een gat in mijn borst. Ik kan elk stoppeltje op Jimi's pasgeschoren hoofd zien.

'Ik weet het niet,' fluister ik. 'Wat denk jij dat een mogelijke volgende stap zou kunnen zijn?'

'Mmmm, nou,' begint hij een beetje nerveus. 'Ik denk dat een kleine zoen misschien wel een mogelijkheid is, toch? Je weet wel, om te bezegelen dat we elkaar leuk vinden.'

Jimi brengt zijn lippen naar mij toe, doet zijn ogen dicht en vouwt mijn hele bovenlichaam in zijn sterke armen. En...

...O nou ja, kom op, wat zou jij doen?

Woord van dank

Ik ben Sarah Hughes van Puffin enorm dankbaar dat ze me aanraadde een roman te schrijven en dat ze me daarna keer op keer beleefd lastigviel als ik het vergat. Ik ben zo verschrikkelijk blij dat je dat deed. Ook heel erg veel dank aan iedereen bij Puffin voor het 'begrijpen' en zo mooi tot leven brengen van de LBD vanaf het allereerste woord. Oneindige dank voor Caradoc King en Vicky Longley van AP Watt voor hun geweldige steun en hun geloof in mij. Dank ook voor Sophie, en ten slotte voor Bryok Williams, die letterlijk elk woord las terwijl we bezig waren. Jullie zijn allemaal fantastisch.